VACANCES AVEC PAPA

DORA HELDT

VACANCES
AVEC PAPA

traduit de l'allemand
par Penny Lewis

l'Archipel

Ce livre a été publié sous le titre
Urlaub mit Papa
par Dtv, Munich, 2008.

www.editionsarchipel.com

Si vous souhaitez recevoir notre catalogue
et être tenu au courant de nos publications,
envoyez vos nom et adresse, en citant ce livre,
aux Éditions de l'Archipel,
34, rue des Bourdonnais 75001 Paris.
Et, pour le Canada,
à Édipresse Inc., 945, avenue Beaumont,
Montréal, Québec, H3N 1W3.

ISBN 978-2-8098-0502-4

À mon père, qui se reconnaîtra un peu en Heinz,
et à ma mère, qui, fort heureusement,
n'a aucun problème de genou.

LE TÉLÉPHONE SONNE EN PLEINE NUIT

— Ce n'est que pour deux semaines, me dit ma mère avec gentillesse mais fermeté.

J'avais eu un mauvais pressentiment dès le début de cette conversation.

— Et il s'agit de ton père. J'en connais, des enfants, qui sauteraient de joie.

— Comment ça, des enfants ? J'ai quarante-cinq ans !

Je n'aurais pas dû m'aventurer sur ce terrain-là, mais, de toute façon, ma mère fit mine de n'avoir rien entendu.

— Je lui ai dit que son aide serait la bienvenue, étant donné le coût de la main-d'œuvre sur l'île. En plus, les ouvriers n'en font qu'à leur tête dès qu'on a le dos tourné. Il pourra superviser les travaux et mettre la main à la pâte de temps en temps. Tu sais qu'il adore se rendre utile.

À mon tour de répondre :

— Écoute, maman, si je vais à Norderney, c'est pour aider Marlène à rénover sa pension de famille et son café. Je n'aurai pas le temps de m'occuper de pa…

— Justement, il ne demande pas beaucoup d'attention. Il est parfaitement autonome. Et, après tout, vous serez bien obligées de vous préparer à manger, donc vous en profiterez pour lui donner un petit quelque chose. Le soir, il se contente d'un repas léger, et vous pourrez lui acheter des gâteaux pour le goûter, histoire de ne pas donner trop de travail à Marlène.

Depuis quand mon père était-il parfaitement autonome ? La dernière fois que j'étais allée voir mes parents, six semaines auparavant, ce n'était pas le cas. Loin de là. Ma voix trahissait l'angoisse qui montait en moi et que j'avais le plus grand mal à contenir.

— Je ne pense pas que ce soit une bonne idée, maman. Je…

— Je ne t'ai jamais demandé aucun service, Christine. Mais là, il y a urgence. Je vais être hospitalisée pendant deux semaines, et il est hors de question que je laisse Heinz seul à la maison.

— Je croyais qu'il était parfaitement autonome.

— Pas en ce qui concerne les tâches ménagères. Maintenant, écoute-moi. C'est ton père, deux semaines avec lui, ce n'est pas la mer à boire. En plus, tu seras en vacances. Ne te braque pas comme ça. Depuis le temps qu'il veut aller à Norderney…

— Mais je n'aurai absolument pas le temps de m'occuper de lui. Et comment…

— Tu verras, tout se passera bien. En plus, ton père pourra toujours aller rendre visite à son vieil ami Kalli.

— Et même dormir chez lui.

— Enfin, Christine ! Hanna, sa femme, est sur le continent car leur fille cadette, Katharina, va bientôt accoucher de son deuxième enfant. Le genre de chose qui ne t'arrivera pas, et à ta sœur non plus, d'ailleurs.

Seule une mère pouvait ainsi sauter du coq à l'âne.

— Maman, je suis…

— Je sais bien. Bon, c'est réglé. Papa arrivera samedi prochain à Hambourg, tu passeras le chercher à la gare et vous ferez le trajet ensemble jusqu'à Norderney. Il ne sait pas où on prend le ferry. Mais tout se passera très bien puisque tu seras là. Quant à moi, j'irai me faire opérer du genou l'esprit tranquille.

Ma dernière chance. Il fallait que je la saisisse.

— Il faut qu'on en reparle à tête reposée, ce n'est pas si simple, je…

— Ne t'inquiète pas, ma chérie. Je te prépare une liste des choses à garder en tête et je te l'envoie. Bonne soirée et bonjour de la part de papa. Il est ravi. Au revoir.

Apparemment, le sort en était jeté : je passerais les vacances avec mon père pour la première fois depuis trente ans. Notre dernier voyage ensemble s'était soldé par un « abandon à visée pédagogique » sur l'aire d'autoroute de Kassel. J'avais eu une adolescence difficile, certes, mais Kassel, ça m'était resté en travers de la gorge. Bien qu'il soit revenu me chercher une demi-heure plus tard. Bien qu'il s'en soit voulu pendant trois semaines. Et voilà où nous en étions trente ans plus tard. Mais, cette fois-ci, au moins, notre route ne passerait pas par Kassel. C'était déjà ça.

OH, MON PAPA

Un jour, mon frère décrivit mon père en ces termes :
« Il a les yeux de Terence Hill et le courage de Rantanplan. » Oui, Rantanplan, le chien trouillard de
Lucky Luke. Un clebs tout maigre qui, au moindre
bruit étrange, à la vue du moindre inconnu, au
moindre changement dans son quotidien, bondit sur
les genoux de son maître. Évidemment, mon père ne
saute sur personne, il est trop bien éduqué et beaucoup
plus intelligent que Rantanplan, mais il a des yeux très
bleus. Cette description est assez pertinente.

Je montai à l'appartement de Dorothée tout en
réfléchissant à la façon la moins abrupte de lui annoncer la nouvelle. Dorothée et moi sommes amies depuis
quinze ans, elle connaît toute ma famille. La nouvelle
que Heinz venait avec nous à Norderney ne pouvait
donc rien laisser présager de bon. Je devais ôter tout
effroi de cette phrase : après tout, nous étions ravies de
passer deux semaines ensemble et je ne voulais pas que
mon père tape sur les nerfs de qui que ce soit, ce qui ne
manquerait pas d'arriver, hélas ! Je réfléchis à une formu-
lation adéquate. « Tu sais quoi, Dorothée ? Heinz vient
avec nous à Norderney. C'est chouette, hein ? » Non.
« Salut, Dorothée. Ça y est, ma mère a enfin la date
de son opération du genou. Tu vois un inconvénient
à ce que Heinz nous accompagne à Norderney ? Le seul

souci, c'est qu'il est incapable de se faire à manger lui-même. » Non plus. « Dorothée, tu connais mon père et tu l'apprécies. Qu'est-ce que tu dirais de l'emmener avec nous à Norderney, histoire qu'il laisse ma mère tranquille le temps de son hospitalisation? » De mieux en mieux! « Dorothée, je me suis dit que Heinz pourrait nous aider à rénover la pension de Marlène, ce serait bien qu'il nous accompagne. » Elle ne me croirait pas. « Dis, Dorothée... »

À ce moment-là, la porte de l'appartement s'ouvrit et Dorothée apparut devant moi, un cabas à la main.

— Ah, salut, Christine. J'étais sur le point de...

— Heinz vient avec nous.

Je n'aurais pas pu trouver pire formule. Dorothée fronça les sourcils.

— Faire les courses?

— À Norderney.

— Mais quel Heinz? Ton...?

— Oui, celui-là même.

— Avec nous? Chez Marlène? Samedi prochain?

— Oui.

Je m'attendais à ce qu'elle s'effondre, qu'elle m'implore du regard, qu'elle pique une crise de nerfs, mais elle n'en fit rien. Dorothée resta impassible, posa son cabas et rentra chez elle. Je la suivis dans la cuisine et la regardai préparer du thé tout en sifflotant. Je reconnus la chanson de Lys Assia, « Oh, mon papa », et me lançai à corps perdu dans une longue explication.

— Ma mère vient de m'appeler. Elle doit se faire poser une prothèse de genou et, comme quelqu'un s'est désisté, une date vient de se libérer pour son opération. Ma tante est en vacances, ma sœur fait de la voile au Danemark, mon frère est en voyage d'affaires, donc c'est tombé sur moi. Tu connais mon père, il ne pourra jamais rester seul deux semaines à la maison.

Il ne sait même pas se servir de la cafetière, il est incapable de se préparer des pommes de terre ou des œufs. Sans compter qu'il est daltonien, ce qui n'est pas sans incidence sur son style vestimentaire.

Je réfléchis à ce que je pouvais ajouter sans toutefois porter atteinte à sa dignité. Je me trouvais dans une situation délicate : il ne fallait pas que Dorothée ait une mauvaise image de lui, mais, d'un autre côté, il avait des habitudes pour le moins… inhabituelles.

— Je le trouve marrant, ton père, répondit Dorothée.

J'avalai ma salive. Voilà un qualificatif que je n'aurais pas employé. Dorothée versa de l'eau bouillante dans la théière et se tourna vers moi.

— Heinz a encore la forme, et je trouve ça sympa de sa part de vouloir nous aider. Du moment qu'il ne se fatigue pas trop.

Ou qu'il ne *nous* fatigue pas trop…

Dorothée posa la théière sur la table et sortit des tasses du placard.

— Ne fais pas cette tête. On évitera qu'il se surmène.

— Tu ne comprends pas, Dorothée. C'est plutôt moi qui risque d'être surmenée. Il est parfois un peu pénible, il ne sait pas s'occuper tout seul, il se mêle de tout, il sait toujours tout mieux que tout le monde, le moindre changement l'angoisse, il…

Je me mordis la langue pour ne pas en dire davantage. J'aimais bien mon père. Surtout quand trois heures de route nous séparaient. Ou en présence de ma mère. En tête à tête, le temps de prendre un café, à la limite. Mais passer deux semaines ensemble à trois heures de Hambourg, où ma mère se faisait opérer, voilà qui pouvait donner lieu à bien des turbulences. Dorothée n'était pas en mesure de comprendre, à moins de le constater par elle-même. Je remuai mon thé pour y faire fondre le sucre tout en la regardant.

— Après tout, peut-être que l'ambiance sera bonne et que Marlène sera contente d'avoir une personne en plus pour l'aider.

Je prononçai ces mots sans en penser un seul.

— Tu vois, répondit Dorothée en hochant la tête. J'ai hâte d'y être. Et Heinz va mettre un peu d'animation, non?

À mon tour, j'acquiesçai. Aucun doute là-dessus.

Un an auparavant, mon amie Marlène avait repris une vieille pension de famille et un café sur l'île de Norderney. Une de ses tantes les avait gérés pendant une éternité jusqu'à ce qu'elle décide enfin, à près de soixante-dix ans, de profiter de la vie. Cela, grâce à Hubert, un veuf de quatre ans son aîné, originaire d'Essenn et client régulier depuis deux décennies: dix-huit années avec sa femme, les deux dernières sans. Un jour, Theda avait confié à sa nièce Marlène qu'il s'était métamorphosé – « Un véritable aventurier, on ne dirait pas comme ça » – et qu'il lui avait fait une déclaration d'amour enflammée. Il ne voulait pas se remarier, mais partir pour un tour du monde avec elle en commençant par Sylt et Majorque, pour peut-être finir par l'Amérique. Theda avait été flattée mais ne pouvait partir à cause de sa pension. Au cours de la conversation, Marlène annonça à sa tante qu'elle venait de se séparer de son compagnon, avec qui elle tenait un bistrot. Theda fit preuve d'une compassion toute relative. Elle résuma la situation en ces termes: « C'est super, tu vas pouvoir passer quelques mois à Norderney et t'occuper de la pension. De mon côté, je tenterai ma chance avec Hubert, et tu n'auras plus à croiser ton imbécile d'ex. En plus, un bistrot reste un bistrot, donc que tu travailles ici ou là-bas… »

Tout s'était bien goupillé: Theda et Hubert s'adoraient, Marlène adorait Norderney et les clients adoraient Marlène. Hubert souffla à Theda l'idée d'aménager un petit appartement et de céder le reste du bâtiment ainsi que le café à Marlène, qui décida de le refaire à neuf. Les travaux étaient presque terminés et l'inauguration aurait lieu dans trois semaines.

Dorothée et moi avions posé des congés à cette période. Marlène nous avait réservé un appartement. Le matin, nous participerions aux travaux et à la bonne marche de la pension, l'après-midi, nous profiterions de la plage, le soir, nous irions boire un bon verre de vin blanc à la Voie lactée ou à la Dune blanche. Du moins, c'était ce que nous avions prévu...

Je composai le numéro de téléphone de Marlène.

— Bonjour et bienvenue à la pension Chez Theda. Marlène de Vries à l'appareil.

— Salut, Marlène, c'est Christine.

— Ne me dis pas que vous me faites faux bond. L'hôtel est complet, les ouvriers rechignent à la tâche et l'une de mes employées s'est blessée en marchant sur un coquillage. Seule Gesa est là pour m'aider. Je panique complètement. Quant à Theda et Hubert, ils m'ont annoncé qu'ils viendraient ce week-end, mais seulement pour regarder, pas pour me prêter main-forte, puisqu'ils sont à la retraite. Maintenant, dis-moi ce que tu as à me dire, mais n'oublie pas que je suis au bord de la crise de nerfs.

Si elle n'avait pas ri en prononçant cette phrase, je l'aurais crue volontiers. En tout cas, la transition était toute trouvée.

— J'ai la solution: je viens avec Heinz, m'efforçai-je de répondre d'un ton détaché. Il lui faut juste un lit, quelques camarades de jeu, un repas chaud par jour et une bière par-ci par-là. Qu'est-ce que tu en penses?

— Tu viens avec ton père? Tu es sérieuse? Comment as-tu pu avoir une idée pareille?

— C'est à ma mère qu'on doit ce trait de génie. Elle va se faire poser une prothèse la semaine prochaine. Au départ, l'opération était prévue en octobre, mais quelqu'un s'est désisté et elle aimerait en être débarrassée le plus vite possible, ce que je peux comprendre. Comme ma tante est en vacances, que les voisins font un voyage en Norvège avec la Croix-Rouge et que mon frère et ma sœur ne sont pas disponibles, je vais devoir m'occuper de lui. J'aurais pu aller à Sylt lui donner la becquée, mais cela voulait dire que je te laissais tomber et il en est hors de question. Du coup, ma mère lui a dit que son aide serait la bienvenue et, en plus, il a un ami de longue date qui vit à Norderney. Mon père s'est d'abord fait prier mais, maintenant, il se prend pour le Messie. Voilà, en résumé.

— Ce n'est pas si terrible. Je ne connais pas vraiment ton père, mais il est très serviable et donne l'impression de savoir tout faire.

Je ne pus réprimer un rire nerveux. C'était bien l'impression qu'il donnait, oui.

— Tu tousses? En tout cas, j'aurai de quoi l'occuper, notre sauveur, et, comme ça, Hubert me lâchera un peu. Il est charmant, mais il sait toujours tout mieux que tout le monde et il ne peut s'empêcher de donner son avis.

— Ils vont s'adorer!

— Heinz est sûrement moins agaçant que Hubert. Bon, je dirai à la propriétaire de l'appartement que vous serez trois, finalement. Comme il n'y a que deux chambres, Mareike installera un lit supplémentaire dans le salon. Mais ce sera très bien. Je suis contente que vous veniez.

Nous raccrochâmes.

Super, pensai-je. Hubert n'a qu'à bien se tenir.

List, Sylt, le 10 juin
Chère Christine,
Ça y est, j'ai fini de préparer ma valise pour l'hôpital. C'est fou, tout ce qu'il faut prévoir pour deux semaines. Je me suis acheté six chemises de nuit à rayures et une avec des petits cœurs, c'est mignon comme tout. Mais Agnes, qui vient de Süderhörn et qui vit à trois maisons de chez nous, s'est fait elle aussi opérer du genou l'année dernière et m'a dit qu'on ne portait plus que des survêtements à partir du troisième jour. Tant pis, de toute façon, je ne porte jamais de chemises de nuit et je pense qu'elles t'iront bien. Tu pourras les prendre la prochaine fois que tu viendras à Sylt.

Bon, pour en venir au fait : j'ai expliqué à papa qu'il devrait donner un coup de main à Marlène, mais pas toute la journée. Tu sais comment il est quand il n'a rien à faire, mais vous trouverez bien de quoi l'occuper. N'oublie pas que, à cause de sa hanche, il ne doit pas porter de charges trop lourdes. Évite aussi de le faire grimper à l'échelle, il a le vertige. S'il peint, vérifie qu'il se sert du bon pot, car, comme tu le sais, il est daltonien. La semaine dernière, il a repeint les toilettes en turquoise, mais on finira par s'y habituer. Du moins, je l'espère. Ne le gronde pas s'il fait une bourde, il ne pense pas à mal et, en plus, il est susceptible.

Il lui faut un repas chaud par jour, il a souvent des brûlures d'estomac, donc pas d'épices, très peu de sel et évite le chou. Pas de matières grasses non plus. Surtout pas de plats à base de farine et de lait, ça le rend malade.

Mais tu le connais, il n'ose jamais rien dire. Au goûter, il aime bien prendre un café et manger une part de gâteau, mais tout sauf les tartes et les clafoutis. Il ne boit que du déca et du thé aromatisé aux fruits. Le thé noir l'empêche de dormir.

Sois gentille, vérifie sa tenue avant de quitter l'appartement. Non seulement il est daltonien mais, en plus, il n'a pas un goût très sûr. Donc assure-toi qu'il ne sorte pas habillé comme un épouvantail. En général, ça finit par me retomber dessus.

Il aime bien se balader. Si vous n'avez pas le temps de l'accompagner, rappelle-lui de prendre son portable et de l'allumer : il n'a pas un très bon sens de l'orientation et il déteste demander son chemin.

Est-ce que j'ai oublié quelque chose ? Non, je crois que c'est tout. Il a informé Kalli de sa venue. Tu pourrais peut-être le conduire chez lui, mais je ne sais même pas s'il a son adresse. En tout cas, ce n'est pas très difficile de s'occuper de ton père, il n'a pas de médicaments à prendre, à part un antiacide pour le soulager de ses brûlures d'estomac.

Sur ce, je vous souhaite de très bonnes vacances. Et garde un œil sur ton père, il n'est jamais parti seul en voyage. Mais je suis sûre que tout se passera bien.

Je t'embrasse,
Maman

Je repliai la lettre en inspirant profondément. Je ne mettais jamais de chemise de nuit et je commençais à redouter sérieusement ces vacances.

UN TRAIN QUI NE MÈNE NULLE PART

Une semaine plus tard, je me trouvais à la gare de Hambourg, sur le quai 12 A, où l'Intercité en provenance de Westerland devait arriver dans les quarante minutes. Je m'étais postée à gauche de l'escalator qui menait au quai, à l'endroit précis que j'avais indiqué à mon père par téléphone.

— Quand tu descends du train, tu vas à droite, tu prends l'escalator – il n'y en a qu'un, de toute façon – et je t'attendrai en haut, à ta droite.

— Oui, oui, je te trouverai, j'ai encore toute ma tête. Mais je ne comprends pas pourquoi je ne paie jamais le même prix pour le trajet Westerland-Hambourg. Le train régional propose des tarifs bien plus intéressants.

— Papa! Premièrement, tu ne voulais pas changer à Elmshorn, deuxièmement, tu te plains que la Nord-Ostsee-Bahn a toujours du retard.

— C'est vrai. D'ailleurs, en cas de retard, on se fait rembourser sous forme d'avoir. Mais c'est quoi, l'utilité, je te le demande? N'importe quoi.

— En tout cas, tu prendras l'Intercité. Donc bon voyage et à demain.

— Sois ponctuelle, je déteste attendre. Vu le prix, j'ose espérer que mon train n'aura pas de retard.

Par mesure de précaution, j'avais quitté la maison une heure auparavant, même si je savais que le trajet jusqu'à la gare ne me prendrait que dix minutes. Mais un accident, un embouteillage, un contrôle de police ou un parking bondé, et ce serait l'apocalypse dès le premier jour. Cela arriverait bien assez tôt. Après avoir fait sept fois le tour de la gare, je vis que la place juste à côté de l'entrée s'était libérée et me jetai dessus. Le Ciel était avec moi, mon père n'aimait pas marcher trop longtemps.

Encore trente-cinq minutes.

Mon père n'aime pas voyager. Euphémisme. Il n'aime pas les endroits qu'il ne connaît pas. Encore un euphémisme. Il déteste s'éloigner de Sylt. Et pas que de l'île. De son lit, de sa place attitrée à table, de sa promenade matinale jusqu'au port pour aller acheter le journal, de ses voisins, de son jardin, de son canapé. Il n'aime pas porter des chemises qui sortent tout aplaties d'une valise, il n'aime pas utiliser des torchons et des draps dont des inconnus se sont servis avant lui, il ne mange que les plats qu'il connaît et refuse de modifier, ne serait-ce que d'un iota, le déroulement habituel de sa journée. Je ne savais pas comment ma mère se débrouillait pour le faire quitter l'île au moins une fois par an et, surtout, je ne voyais pas ce qu'elle avait bien pu lui promettre pour qu'il accepte de monter dans le train. À vrai dire, je ne tenais pas non plus à le savoir.

Encore vingt-cinq minutes.

J'avais la gorge sèche. Chez moi, le stress et la déshydratation vont de pair. J'aperçus un vendeur de boissons et m'achetai une cannette de Coca-Cola, non que j'aimais particulièrement ça, mais mon père nous interdisait d'en boire quand nous étions petits. Il avait été jusqu'à laisser tremper un nounours en gélatine toute la nuit dans du Coca pour m'en démontrer les dangers. Le lendemain matin, il avait brandi fièrement le verre dans lequel flottait un morceau de gélatine complètement informe. « Voilà à quoi il ressemble, ton estomac. En plus, le Coca, ça rend bête. » J'y avais longtemps cru, d'où mon impression d'être une rebelle lorsque j'écrasai la cannette vide.

Encore dix minutes.

Lorsque je retournai à mon poste, ma vessie se rappela à mon bon souvenir. J'avais mal choisi mon moment pour boire du Coca. Mon corps était tellement conditionné qu'il voulait déjà le rejeter. Les toilettes se trouvaient au bout du quai. Le temps d'y aller, d'attendre, puisque toutes les cabines seraient certainement occupées, et de revenir, ça risquait de faire juste. Mieux valait me retenir.

Encore trois minutes.

Tandis que je me balançais d'un pied sur l'autre, j'entendis l'annonce suivante : « Votre attention, s'il vous plaît. Quai 12 A. L'Intercité en provenance de Westerland et à destination de Brême, arrivée prévue à 13 h 42, aura dix minutes de retard. »

Je le savais. Mon envie se fit encore plus pressante. Je voyais déjà mon père jeter un rapide coup d'œil sur le quai, rentrer chez lui par le train suivant et dire à ma mère qu'il ne m'avait pas trouvée. J'imaginai alors sa réaction et continuai à me retenir.

Enfin, le train entra en gare. Il s'arrêta dans un concert de grincements et de sifflements, les portes s'ouvrirent et les voyageurs descendirent. J'aperçus mon père au beau milieu du quai. Il portait un coupe-vent rouge, un jean et une casquette bleue. Il tira une énorme valise du train et la déposa à un mètre de la bordure du quai. Je lui fis signe, en vain. Mon père ne regarda pas une seule fois autour de lui. Il mit son sac à dos sur le ventre et s'assit sur sa valise en me tournant le dos. Je me frayai un chemin parmi les voyageurs qui arrivaient à contre-courant et m'arrêtai devant lui, le souffle court. Il leva la tête et me regarda.

Les yeux de Terence Hill.

— Comment on est censés se retrouver dans une foule pareille ? demanda-t-il, vexé.

Et la débrouillardise de Rantanplan.

— Bonjour, papa. Je t'avais pourtant dit d'aller à droite et de monter l'escalator. Je t'attendais là-bas.

— Première nouvelle, répliqua-t-il en se levant et en époussetant son pantalon. Tu as vu ? Le train avait du retard. Tu sais à partir de combien de temps on obtient un avoir ?

Je voulus le débarrasser de son sac à dos, mais il le serra contre lui de toutes ses forces.

— Je le garde, merci. Alors, c'est à partir de combien de minutes de retard, l'avoir ?

— Certainement pas au bout de dix minutes. Donne-moi ton sac à dos, je peux bien te prendre quelque chose.

Il se dirigea vers l'escalator.

— Occupe-toi plutôt de la valise. J'ai trop mal à la hanche pour porter quoi que ce soit.

Lorsque je soulevai la valise, le souffle me manqua. Je la reposai par terre et essayai de la tirer.

— Papa, qu'est-ce qu'elles ont, les roulettes ?

Mon père s'arrêta et me regarda avec impatience.

— Elles sont cassées, mais comme on voyage très peu, ça n'est pas un problème. Allez, viens.

Je le suivis en portant la valise à deux mains, le dos complètement tordu, tout en essayant de respirer à peu près normalement.

— Et d'habitude… c'est maman… qui la porte ?

— Bien sûr que non.

Sans s'expliquer plus longuement, il se dirigea à grandes enjambées vers l'escalator. Le simple fait de parler m'épuisait.

— Dis… Il y a quoi… là-dedans ?

J'eus du mal à saisir sa réponse, car il continua à marcher devant moi sans se retourner.

— Ma perceuse, mon chargeur de batteries et deux ou trois autres bricoles. Je ne peux pas travailler avec d'autres outils que les miens.

Une fois en haut, je dus poser la valise. Je n'en pouvais plus.

— Attends-moi là… deux minutes, dis-je à mon père en le tirant par la manche. Il faut absolument… que j'aille aux toilettes. Reste à côté… de la valise… Je me dépêche.

— Tu aurais pu prendre tes précautions.

— Oui, oui…

Je courus jusqu'aux toilettes.

Je dus faire de la monnaie et patienter derrière trois autres dames. En tout, j'en eus pour un quart d'heure, pas plus. À mon retour, la valise était toujours à sa place, mais entourée de deux policiers en uniforme bleu foncé. L'un d'eux parlait à toute vitesse dans un talkie-walkie. Je ne compris que « abandonnée », « amenez les chiens » ainsi que « bouclez la gare » et commençai à transpirer abondamment. Puis j'aperçus mon père cinq mètres plus loin. Il mangeait un hot dog et regardait la scène avec le plus grand intérêt. Tout comme un nombre grandissant de curieux. Je me précipitai vers un des policiers, qui leva un bras comme pour m'empêcher d'avancer. Je le saluai posément.

— Il n'y a rien de dangereux dans cette valise, c'est la nôtre. J'étais partie aux toilettes.

Je lançai un regard furieux à mon père, qui se contenta de me tourner le dos. Le second policier baissa son talkie-walkie et me fixa d'un air menaçant.

— Comment ça, vous allez aux toilettes en laissant vos bagages sans surveillance ? Vous venez de quelle planète ? Le plan anti-attentats, ça ne vous dit rien ?

Son collègue s'avança vers moi. Il ne semblait pas dans de meilleures dispositions.

— Non, mais je rêve! On a failli boucler la gare à cause de vous et vous vous ramenez comme si de rien n'était, la bouche en cœur? C'est pas croyable!

Les mines à la fois curieuses et amusées des badauds qui m'entouraient m'assénèrent le coup de grâce.

— Papaaa! criai-je d'une voix aiguë et pleurnicharde.

Les policiers balayèrent le quai du regard, tandis que certains curieux secouaient la tête avec pitié. Je m'efforçai de garder une contenance et désignai mon père. Lui m'observait, impassible, tout en léchant ses doigts couverts de mayonnaise.

— Cet homme là-bas, c'est mon père, et la valise lui appartient. Il est parti manger un hot dog alors qu'il était censé la surveiller. Je n'y peux rien, moi.

Une femme me regarda, puis mon père, puis se tourna vers la personne qui l'accompagnait.

— Soit elle est tombée sur la tête, soit elle a trop bu. Qu'est-ce que c'est pénible... Allons-y.

Mon père et moi fûmes retenus une dizaine de minutes au bureau de la police ferroviaire. Nous dûmes ouvrir la valise, tout expliquer une seconde fois et nous acquitter de cinquante euros d'amende, avant d'être congédiés assez sèchement. Je bouillonnais. Mon père avait sorti son grand numéro de l'insulaire sourd que la situation embarrassait au plus haut point. Sa fille avait disparu tout à coup, et ce n'était pas la première fois que ça arrivait. Je tirais la valise derrière moi comme si les roulettes fonctionnaient, faisant par la même occasion un raffut de tous les diables. Mon père me jeta un regard en coin.

— Mais...

— Papa! Si tu prononces encore un seul mot, je te laisse là avec ta fichue valise!

Il garda effectivement le silence pendant quelques minutes. Il ne prononça qu'une seule phrase – « Il est loin, le parking » –, que j'ignorai, tout occupée que j'étais à hisser sa valise dans le coffre. Je refermai ce dernier plus bruyamment que nécessaire. Papa sursauta, ce qui me mit un peu de baume au cœur.

Je démarrai et annonçai à mon père que nous allions chez Dorothée, sans toutefois lui accorder un regard.

Il n'osa pas répondre.

Le thermomètre indiquait vingt-cinq degrés, le ciel était bleu, bref, un temps idéal pour partir en vacances. Mais père et fille boudaient. Je regardai mon père du coin de l'œil. Difficile de paraître plus contrarié. Il faisait tourner sa casquette entre ses doigts, la fermeture de son coupe-vent rouge était remontée jusqu'au menton et des gouttes de sueur perlaient sur son front. J'avais déjà pitié. Comme toujours, il était insupportable, je m'énervais contre lui et je finissais par avoir mauvaise conscience. Et, comme toujours, je fis le premier pas.

— Il fait chaud, non ? Pourquoi tu n'as pas enlevé ton K-way ?

— On n'avait pas le temps, répondit-il en toute bonne foi. Mais ça va, je tiens le coup.

Quelques mètres plus loin, je repérai une place libre sur le bas-côté. Je me garai et coupai le moteur.

— Dorothée vit ici ? Pas terrible, comme coin.

— Mais non, je me suis arrêtée pour que tu puisses enlever ton coupe-vent.

— C'est très gentil, me dit-il en me regardant avec un grand sourire.

Il détacha sa ceinture de sécurité, descendit de voiture en prenant bien son temps, enleva son K-way, le déposa soigneusement sur la banquette arrière, remonta et remit sa ceinture. Je décidai de ne pas revenir sur l'incident de la valise.

— Ah, c'est mieux comme ça, dit mon père en se passant la main sur le front, soulagé. Il fait chaud, en effet, et les gaz d'échappement n'arrangent rien.

Je cherchai une station sur l'autoradio et montai le son.

Dorothée était en train de fermer sa voiture lorsque nous nous garâmes devant chez elle. Elle vint à notre rencontre, tout sourire.

— Vous voilà enfin, je vous attends depuis près d'une heure. Le train avait autant de retard?

Elle serra mon père dans ses bras. Je le menaçai du regard quand ce fut mon tour. Il me rassura d'un hochement de tête.

— Évidemment que le train avait du retard, mais pas assez pour que…

Je l'interrompis.

— Allons prendre un café avant de charger la voiture. Papa, on fera la route avec celle de Dorothée car elle a un plus grand coffre.

— Le café est prêt, dit Dorothée en nous regardant tour à tour. Tu veux une part de gâteau, Heinz?

— J'ai mangé un hot dog à la gare, ce qui a provoqué tout le…

— Viens, papa, intervins-je en le poussant devant moi. Prenons d'abord le café.

Une demi-heure plus tard, Dorothée s'essuyait les yeux, ce qui ne servait strictement à rien, puisqu'elle repartait dans une crise de fou rire dès qu'elle croisait mon regard. Elle avait le plus grand mal à formuler des phrases cohérentes.

— Heinz, je ne peux pas m'empêcher d'imaginer ta fille cernée par des policiers vêtus de noir qui la mettent en joue avec des mitraillettes. Sans oublier la horde de bergers allemands qui lui aboient dessus. Et l'air complètement perdu de Christine, tandis que toi, tu manges tranquillement ton hot dog. C'est à se rouler par terre.

En effet, Dorothée se tordait littéralement de rire. Heinz, ou plutôt Judas, n'était pas en reste. Mais moi, je ne trouvais pas ça drôle, surtout raconté dix fois. La première fois non plus, d'ailleurs. Je me levai.

— Ils n'avaient pas de mitraillettes ni de chiens. Quant à nous, on devrait se mettre en route tout doucement, si on ne veut pas rater le ferry. Il faut encore charger la voiture, donc je vous propose d'en rester là pour cet épisode.

Dorothée gloussa une dernière fois.

— Elle est gentille, mais un peu rabat-joie, lui dit mon père.

Je préférai ne pas répondre.

J'ouvris le coffre du monospace de Dorothée. Devant la voiture se trouvaient quatre grands sacs de voyage, trois sacs en toile, un panier rempli de nourriture et les vestiges d'une valise. Dorothée et mon père restaient plantés à côté et ne semblaient pas sur le point de s'emparer de l'un des bagages. Je les regardai tous les deux.

— Qu'est-ce qu'on attend ? On charge la voiture ?

Mon père leva la main en signe de protestation.

— Je ne peux pas, à cause de ma hanche. Tu le sais, pourtant. La valise pèse trop lourd pour moi.

Dorothée se remit à rire.

— Rien que la regarder, ça m'épuise.

Je fermai les yeux un court instant. Je n'avais pas la moindre envie de m'énerver, j'étais en vacances. Alors je soulevai la valise et la poussai jusqu'au fond du coffre. Dorothée me tendit ses deux sacs de voyage, que je plaçai à côté de la valise. Mon premier sac rentra tout juste, le deuxième, pas du tout, et le reste des bagages se trouvait toujours à leur place initiale.

— Il fallait poser la valise en longueur. En largeur, ça ne passe pas.

— Merci, papa.

Je ressortis les sacs de voyage et tournai la valise dans l'autre sens. Ce faisant, je ressentis une vive douleur dans le nerf sciatique et gémis. Mon père passa devant moi et déplaça la valise d'un centimètre.

— Et voilà, dit-il, sûr de lui. C'est bien mieux comme ça.

Je posai trois sacs de voyage à côté et le quatrième par-dessus. Impossible de fermer le coffre. Mon père transféra le sac du dessus sur le côté, cala deux des trois sacs en toile devant et pencha la tête, dubitatif.

— Vous êtes vraiment obligées de prendre tout ça ? Sur une île, on a juste besoin d'un jean et d'un coupe-vent.

Sans répondre, je ressortis les sacs de voyage, posai les sacs en toile sur la valise, calai le panier devant et demandai à Dorothée où étaient nos vestes. Elle alla les chercher tandis que je restais appuyée contre le panier afin d'éviter toute chute. Elle revint avec deux coupe-vent, deux blousons et trois bouteilles de vin.

— C'est pour Marlène.

Je casai les bouteilles et les pardessus dans les interstices, puis fermai délicatement le coffre. Ça marchait, à un millimètre près.

— Qu'est-ce que vous en dites ? demandai-je, toute fière.

— Tu as oublié un sac.

— Mais non, papa, on le mettra sur la banquette arrière. Il y a assez de place.

— Moi, je ne m'assieds pas à l'arrière.

— Rien ne t'y oblige, je monterai derrière.

— Mais si Dorothée freine brusquement, je me le prendrai dans les reins.

— Je ne freine jamais brusquement, Heinz. De toute façon, on peut aussi bien poser le sac de l'autre côté, comme ça, je me le prendrai dans les reins à ta place.

— Très bien, répondit mon père, rassuré.

Il regarda sa montre.

— On a mis une demi-heure, quand même. Charger une voiture, ça demande de l'entraînement. Moi, j'étais rapide comme l'éclair quand je n'avais pas de problème de hanche et qu'on bougeait à la moindre occasion. Bon, un tour aux toilettes et on y va.

Il rentra et Dorothée le suivit en souriant. Quant à moi, je m'appuyai contre la voiture et allumai une cigarette. Mon père risquait d'avoir une attaque s'il me voyait fumer, mais je m'en fichais pas mal. J'étais déjà épuisée.

NORDERNEY, NOUS VOILÀ

Une bonne demi-heure plus tard, nous traversâmes l'Elbe. Mon père regardait fixement la carte routière posée sur ses genoux car il ne se fiait ni au GPS de Dorothée ni à mon sens de l'orientation. De plus, ce silence têtu était sa façon bien à lui de me punir d'avoir fumé, ce qui me convenait tout à fait. Je contemplais l'Elbe par la vitre, j'avais hâte de voir la mer du Nord. Dorothée fredonnait doucement une chanson pop qui passait à la radio, tandis que Heinz gardait le silence. Au bout d'un moment, je décalai le sac de voyage et me penchai vers eux.

— Dorothée, tu aurais des bonbons à la menthe?

— Je crois, oui. Heinz, tu peux regarder dans la boîte à gants, s'il te plaît?

— Pourquoi, tu as mal à la gorge? Comment ça se fait? La menthe ne peut rien contre les dégâts causés par le tabac. Aux grands maux les grands remèdes. Et puis...

— Heinz.

— Papa.

— C'est ça, c'est ça, il ne faudra pas vous étonner plus tard. Allez-y, continuez à vous bousiller la santé si ça vous chante, je vous aurai prévenues.

Il ouvrit la boîte à gants, dont la trappe lui tomba brusquement sur les genoux, et poussa un cri qui fit sursauter Dorothée.

— Attention, j'ai failli foncer dans la glissière de sécurité. Qu'est-ce qui se passe ?

— Je me suis pris la boîte à gants sur les genoux. Ça fait très mal. Et tout ça parce que vous avez fumé.

Il saisit le rétroviseur intérieur et le tourna de façon à pouvoir me lancer un regard désapprobateur.

— Tu pourrais te retourner au lieu d'accaparer le rétro, dit Dorothée en le replaçant dans sa position initiale.

— Je peux à peine bouger ! Le siège est bien trop avancé, vu que Christine n'a pas réussi à caser le dernier sac de voyage dans le coffre.

— Tu peux prendre ma place si tu veux, papa.

— Non, je suis malade à l'arrière. On arrive dans combien de temps ?

— Dans deux heures et demie, répondis-je en levant les yeux au ciel.

— Tant que ça ? Mon Dieu, ce n'est pas bon pour ma hanche. Je vais devoir me dégourdir les jambes.

Il se pencha pour regarder l'autoradio de plus près.

— C'est quoi, cette station ?

La station en question passait une vieille chanson de Fleetwood Mac.

— Je ne supporte pas cette musique de sauvages. C'est quelle fréquence, NDR 1 ?

Sans nous demander notre avis, il se mit à chercher une autre radio. Je craignais le pire, et le pire arriva. « Rejoins-moi cette nuit à bord de mon bateau de rêve, Anna Lena », à pleins tubes.

— Voilà qui est approprié.

Mon père donna un coup de coude à Dorothée et se mit à chanter, aux anges. Dorothée me lança un regard horrifié dans le rétroviseur.

— Qu'est-ce que c'est que cette chanson ?

— Rejoins-moi à bord ce soir, Anna Lena, lalalala...
Costa Cordalis, voyons. Une belle chanson. De circonstance, en plus. Même si on ne va pas naviguer de nuit et que le ferry n'a rien d'un bateau de rêve. Ça, c'est de la vraie musique. Hein, Christine ?

Il bougeait les genoux en rythme. Je me contentai de poser la tête contre la vitre et de fermer les yeux.

Une heure plus tard, Dorothée, saturée de variété allemande et crispée de la tête aux pieds, s'arrêta dans une station-service. Elle se gara devant une pompe à essence et éteignit le moteur. Silence. La radio était éteinte, on n'entendait plus que Heinz qui chantait avec conviction la fin du couplet, les yeux fermés. Dorothée et moi échangeâmes un regard avant de tourner la tête vers lui sans dire un mot. Mon père ouvrit les yeux et sourit.

— Quelle femme, cette Renate Kern ! Pas très jolie, mais vraiment sympa. Elle chantait de belles chansons, fut un temps.

Il enleva sa ceinture de sécurité et ouvrit la portière.

— Restez assises, les filles, et laissez l'homme faire le plein. Ensuite, on ira se prendre une bonne tasse de café. Ne partez pas sans moi.

Il descendit et claqua la portière derrière lui.

— Tu aurais dû me prévenir, j'aurais enlevé l'autoradio, dit Dorothée en se tournant vers moi. Il connaît toutes les paroles par cœur. Depuis quand il est fan de variété ?

— Depuis toujours.

Je me gardai bien de lui préciser que moi aussi, j'étais incollable. De Monica Morell à Bernd Clüver, la variété allemande n'avait aucun secret pour moi. Entre dix et seize ans, soit la période la plus formatrice, j'avais consacré tous mes dimanches après-midi à l'enregistrement du Top 50 sur un magnétophone

Grundig. Comme mes parents aimaient faire la fête, à la moindre occasion, on disposait quelques trucs à grignoter sur la table basse du salon, on enroulait les tapis et on ôtait les abat-jour. On buvait de la grenadine et de la bière, puis on dansait toute la nuit. Les bandes magnétiques duraient soixante minutes, donc il fallait en avoir au moins six sous la main. C'était à moi qu'incombait ce devoir. Au cours de ces années-là, j'ai enregistré quasiment toutes les chansons de tous les chanteurs de variété. J'étais passée maître dans l'art de réaliser de beaux enchaînements et d'appuyer sur pause juste avant la pub ou les informations. Mes montages étaient parfaits. Le volume, les pauses, les enchaînements, rien à dire. Ma sœur, elle, n'avait enregistré qu'une seule bande. Comme j'étais partie en voyage de classe, elle avait dû me remplacer deux dimanches de suite. Au cours de la fête donnée en l'honneur du nouveau vélo de ma mère, mon père avait découvert qu'il y avait des bulletins d'information toutes les demi-heures, sur NDR 2. Mais les invités ne furent nullement perturbés par ces interruptions en raison de leur état d'ébriété avancé.

Quelques années auparavant, mon père avait décidé de trier ces vieux enregistrements. Une fois cette tâche terminée, il m'avait appelée pour me dire combien les informations de l'époque l'avaient passionné. C'était bien dommage que je ne me sois intéressée qu'à la musique, avait-il conclu.

— Qu'est-ce que tu fredonnes, Christine ?
La voix de Dorothée m'arracha à mes rêveries. Je secouai la tête pour tenter d'oublier « On se connaît, non ? », de Peter Cornelius.
— Rien. Où est passé notre fan de variété ?

Peter continuait à chanter dans ma tête. Il ne se tut que lorsque Heinz remonta en voiture en sifflant l'air de « C'est tous les jours dimanche ».

— Et voilà, mesdames, le plein est payé. Maintenant, il est temps pour moi de faire une pause.

Il dit à Dorothée de se garer sur l'aire de repos. Une fois redescendu de voiture, il m'examina attentivement.

— Qu'est-ce qui se passe ? Tu es toute pâle.

Mes vieux démons ressurgissaient. Des noms et des chansons enfouis depuis longtemps dans ma mémoire, le Top 50, le tourne-disques, le magnétophone Grundig, les chansons de Howard Carpendale, tout remontait à la surface. Pourtant, je croyais cette époque révolue. Celle où j'étais fan de variété.

— Bon, papa, après, on passera à autre chose. Ou même rien. J'en ai assez de ces chansons débiles.

— Pourquoi tu montes sur tes grands chevaux ? Tu aimais bien quand tu étais jeune. Tu connaissais même toutes les paroles par cœur.

Devant l'air déconcerté de Dorothée, je pris la fuite en direction des toilettes.

Je rejoignis mon père et Dorothée au self. Ils faisaient la queue, un plateau à la main. Dorothée se tourna vers moi, le visage grave.

— Alors comme ça, ta chanteuse préférée, c'était Wencke Myhre ? Comme quoi, on ne connaît jamais vraiment les gens, conclut-elle en gloussant.

— J'avais onze ans, répondis-je en passant le bras devant elle pour prendre un plateau.

Mon père secoua la tête.

— Mais tu as été fan d'elle pendant un bout de temps, non ? Tu l'étais encore au moment où tu passais le permis, il me semble.

— N'importe quoi. J'avais douze ans, pas plus. Tout ça à cause de vos fêtes à la noix. Tu as choisi ?

Une serveuse blonde en tablier blanc nous faisait face. Mon père la salua d'un signe de tête.

— Je suis presque certain que tu avais le permis. Alors, qu'est-ce que je vais prendre ? C'est quoi, ça, là-bas ?

— Du pâté de foie. On le sert avec un œuf au plat et une tranche de pain.

— Il y a de la vache folle dedans ?

— Papa.

— Heinz.

La serveuse le regarda bizarrement.

— Bien sûr que non. Mais rien ne vous oblige à en prendre.

— Je sais, mais de nos jours, il vaut mieux poser la question. Elle doit bien être quelque part, cette vache folle.

La blonde lui lança un regard noir.

— Enfin, sans vouloir vous vexer, ajouta mon père en souriant. Vous prenez quoi, vous ?

Dorothée le regarda un instant, puis commanda trois sandwichs au fromage et trois cafés.

Mon père hocha la tête d'un air approbateur.

— Elle a une tête bizarre, cette feuille de salade, dit-il toutefois lorsque les sandwichs arrivèrent. Si c'est au fromage, pourquoi il y a des crudités ?

Je m'emparai de son assiette, la posai sur mon plateau et tentai de calmer la serveuse d'un sourire. Elle me fusilla du regard.

Mon père insista pour nous inviter et, par la même occasion, s'accorda le droit de commenter les tarifs pratiqués par les restoroutes allemands. Ce qui nous valut également un regard noir de la part de la caissière.

Nous nous installâmes le plus possible au fond et Heinz entama son sandwich, non sans avoir retiré la feuille de salade, la tranche de tomate et les cornichons. Il nous regarda tour à tour en mastiquant.

— Ce ne sont pas des produits frais. J'ai lu ça quelque part. Il faut faire attention aux germes.

Dorothée sala sa tranche de tomate et l'engloutit.

— Mais non, Heinz.

— C'est vrai que la vache folle, c'est pire, dit-il en lui tapotant la main, croyant ainsi la réconforter.

La pause se déroula sans autre incident. Je renonçai à ma cigarette, mon père et Dorothée s'achetèrent respectivement un journal et un magazine, puis je pris place derrière le volant et attachai ma ceinture. Mais lorsque je démarrai, mon père se cramponna à la poignée de la portière et me regarda, paniqué.

— Tu as vu que la Mercedes derrière démarrait aussi?

— Oui, papa.

Je pris la bretelle d'accès à l'autoroute, accélérai et passai la vitesse supérieure.

— Et le double débrayage?

— Ça n'existe plus depuis trente ans.

— Mais tu abîmes le moteur, là.

— N'importe quoi.

— Hum… Tu ne mets jamais le clignotant?

Dorothée rit discrètement mais n'intervint pas. Je m'insérai dans la circulation et ajustai le rétroviseur.

— Mais enfin, Christine, c'est le genre de choses qu'il faut faire avant de démarrer. Comment veux-tu regarder la route, sinon?

— Lis ton journal, papa.

Il prit appui sur le tableau de bord et se pencha vers moi pour regarder le compteur.

— Cent quarante. Dis donc, qu'est-ce que tu fonces!

Dorothée posa la main sur mon épaule pour me calmer.

— On roule à cette vitesse depuis qu'on est partis.

— Mais Christine conduit une voiture qu'elle ne connaît pas. On va finir dans le décor. Augmente ta distance de sécurité, je crois que le poids lourd devant va changer de file.

— Ça suffit, papa. J'ai mon permis depuis vingt-sept ans, je n'ai jamais eu d'accident et je conduis souvent cette voiture.

— Mais tu n'avais pas suivi beaucoup d'heures de conduite, je m'en souviens encore.

Je préférai abandonner.

Nous arrivâmes à Norddeich une bonne demi-heure avant que le ferry accoste. Avant de voir la valise de mon père, nous avions envisagé de laisser la voiture dans le garage prévu à cet effet et de nous rendre à pied jusqu'à l'embarcadère. Une fois sur Norderney, nous aurions rejoint la pension de Marlène en taxi. Mais j'étais tellement découragée à l'idée de traîner cette valise jusqu'au bateau, sans oublier les autres sacs de voyage, pour ensuite tout recharger à grand-peine dans un taxi une fois sur l'île, que je décidai d'embarquer avec la voiture. Dorothée était du même avis. Mais mon père, qui avait lu la brochure de la compagnie maritime dans son intégralité, trouvait cela complètement absurde.

— Quelle idée stupide. Il y a marqué là-dedans qu'on ne peut pas circuler partout en voiture sur Norderney. Le ticket coûte très cher et l'île est minuscule. À quoi bon s'encombrer d'un véhicule ?

Dorothée était à présent trop fatiguée pour se lancer dans le débat. Nous nous garâmes sur la jetée et allâmes acheter les billets.

— Une voiture, trois adultes. L'aller aujourd'hui et le retour dans deux semaines.

Je souris à l'employé tout en essayant de boucher la vue à mon père. Manque de chance, on me répondit par un micro.

— Cent quatorze euros, s'il vous plaît.

Mon père joua des coudes pour me dépasser.

— Comment? Et ça nous reviendrait à combien, sans la voiture?

— Quinze euros par personne.

— Tout ça pour une voiture, alors qu'on ne peut pas l'utiliser partout sur cette île minuscule? C'est du vol.

— Vous pouvez laisser votre véhicule au garage, comme le font la plupart des touristes.

— C'est bien ce que je te disais, Christine. Voyez-vous, ma fille a pris des tonnes de bagages et, maintenant, elle refuse de les porter, évidemment. Je viens de Sylt et je sais que...

— Viens, Heinz, dit Dorothée en le prenant par le bras et en l'entraînant plus loin. On va attendre au soleil.

Je les suivis du regard puis me retournai vers l'employé. À présent, huit touristes patientaient derrière moi.

— Une voiture, trois adultes, l'aller aujourd'hui et le retour dans deux semaines.

L'homme me tendit les billets et le reçu tout en me regardant avec pitié. Je le remerciai d'un hochement de tête. J'avais l'impression de lui devoir des explications, mais je ne savais pas du tout par où commencer.

— Ça va aller, merci. Je pense que tout va bien se passer, enfin...

Il s'occupait déjà du client suivant. Je partis rejoindre la voiture et mon père.

— Pas étonnant qu'on casque autant quand on prend la voiture. On passe pour des snobs, maintenant.

— Arrête, papa, je refuse d'en discuter plus longtemps. Ta fichue valise m'a assez tapé sur le système comme ça, et il est hors de question que je continue à la trimballer une fois sur l'île.

— Qu'est-ce que tu peux être nerveuse, me répondit-il, impassible. Il est vraiment temps que tu prennes des vacances, tu es à cran. Un peu de patience. Dans deux semaines, tu seras une nouvelle Christine.

Je posai le front sur le volant et fermai les yeux quelques minutes.

Le fait d'avoir gardé la voiture comportait un avantage non négligeable. En effet, nous évitâmes de faire la queue pour embarquer avec les autres touristes et fûmes les premiers à entrer dans la cafétéria. Nous étions déjà installés à une table lorsque le reste des passagers envahit la passerelle. Certains traînaient un chariot à provisions derrière eux, d'autres portaient un sac à dos, et tous jouaient des coudes, impatients de monter à bord.

— C'est sans fin, dit Dorothée en contemplant cette agitation. Qu'est-ce qu'ils vont faire à Norderney, tous ces gens?

— On y va bien, nous aussi, rétorqua mon père sur-le-champ. Vous avez vu? La plupart ont vingt ans de plus que vous et portent leurs bagages eux-mêmes.

— Ils ont des valises à roulettes dignes de ce nom, Heinz, pas comme l'homme à la hanche en vrac qui est assis à cette table.

Heinz, vexé, s'empara du menu.

— Elle vous obsède, ma valise. Des saucisses, ce sera très bien, ajouta-t-il en parcourant la carte. Je mange toujours des saucisses quand je prends le ferry. Ça va bien ensemble.

— Je croyais que tu avais peur de la vache folle, remarquai-je en lui reprenant le menu.

Il leva la tête, étonné.

— Il n'y a pas de bœuf dans les saucisses! Impossible. Beau bateau, enchaîna-t-il en balayant la salle du regard. Très propre. Et plus gros que ce que j'imaginais. On dirait presque un vrai ferry.

— C'est un vrai ferry, papa.

— Celui qui relie Rømø à Sylt est plus gros.

— N'importe quoi.

Mon père fit mine de se lever, mais Dorothée le retint par le bras. Elle luttait depuis plusieurs minutes contre un rire nerveux.

— Reste assis. Où tu vas comme ça?

— Poser la question au capitaine, il est sur le pont. Qu'est-ce que tu as à rire bêtement?

Dorothée essaya de répondre, mais elle riait sans plus pouvoir s'arrêter. Je me laissai gagner par son hilarité. Nous fûmes interrompues par un serveur surgi de nulle part.

— Vous désirez?

— Vous savez en quelle année ce bateau a été construit?

Le serveur, d'origine vietnamienne, nous regarda poliment.

— Je ne fais que prendre les commandes.

— Très bien. Deux saucisses et un Coca-Cola, s'il vous plaît. Quant à vous, si vous daigniez vous ressaisir et commander, ce jeune homme pourrait aller servir les autres clients.

J'avais de toute façon retrouvé mon sérieux.

— Depuis quand tu bois du Coca-Cola?

— Depuis toujours. Mais ta mère prétend que ça fait grossir. Du coup, elle n'en achète jamais.

— Tu m'interdisais d'en boire quand j'étais petite.

41

— N'importe quoi. Ça n'existait même pas, à l'époque.

Cette réflexion acheva Dorothée.

— Heinz, le Coca-Cola existait déjà avant la naissance de Christine.

— Ah bon ? Alors c'est qu'elle n'aimait pas ça. Prends-en un, ma fille.

Le serveur patientait.

— Je voudrais une eau minérale. J'aimais bien le Coca-Cola.

Mon père fronça les sourcils et regarda Dorothée.

— Il faut se rendre à l'évidence : parfois, je ne la comprends pas. Est-ce que toi, au moins, tu boiras un Coca avec moi ?

Je repensai au nounours déformé et faillis les prévenir. Puis je me rappelai que j'avais quarante-cinq ans et que j'étais juste un peu nerveuse.

Entre-temps, le ferry avait levé l'ancre et mis le cap sur Norderney. Étonnamment, presque tous les passagers avaient pu s'asseoir. Seuls quelques retardataires cherchaient encore une place.

Mon regard se posa alors sur deux femmes qui discutaient en riant très fort. Je les avais remarquées non seulement à cause du raffut qu'elles faisaient, mais aussi à cause de leur accoutrement. Elles étaient âgées d'une soixantqaine d'années. La plus petite des deux arborait une coiffure en hauteur comme je n'en avais plus vu depuis la venue de ma tante Anke à l'une des fêtes légendaires de mes parents. Typique des années 1970 : des dizaines d'épingles à cheveux en strass et une grosse couche de laque, sans oublier les boucles en tire-bouchon qui tombaient devant les oreilles. Elle portait des bottes en vinyle rouge ainsi qu'une doudoune boutonnée jusqu'au menton qui lui descendait jusqu'aux chevilles, alors qu'il faisait vingt-cinq degrés. L'autre avait une tête de plus, des cheveux légèrement crêpés et roux, ou plutôt orange fluo. Même dans les années 1970, on aurait trouvé ses vêtements trop voyants, entre la jupe rose, le pull rouge, le poncho orange, l'écharpe jaune et les collants multicolores. Le tout tricoté à la main.

Dorothée remarqua ma perplexité et en chercha la raison. Lorsqu'elle comprit, elle faillit s'étouffer. Quant à moi, je m'efforçai de garder mon sérieux.

— Alors Dorothée, que pense ton œil d'experte? Choquée par un tel accoutrement?

Avant qu'elle puisse répondre, mon père avait repéré les deux femmes.

— Vous avez vu?

Dorothée s'éclaircit la voix.

— Le fluo, c'est rigolo, non?

Mon père contemplait cette explosion de couleurs, pensif.

— Je trouve ça joli, moi. Ta mère s'habille bien la plupart du temps, mais ses vêtements manquent parfois de fantaisie.

Il fallait prévenir Dorothée que mon père était daltonien. Sinon, il y aurait de gros malentendus.

Les saucisses avaient dissuadé mon père de monter sur le pont. Je regardais par la fenêtre, soulagée. Au loin, on apercevait déjà les immeubles de Norderney.

— Je vais aux toilettes, dit soudain mon père en se levant. À tout de suite.

Comme il les cherchait du regard, je lui indiquai la bonne direction.

— Tu comprends maintenant pourquoi je n'étais pas emballée? demandai-je à Dorothée après avoir inspiré profondément.

— Oh, je le trouve marrant, moi, répondit-elle en riant. Il ne pense pas à mal, il lui arrive des trucs bizarres de temps en temps, c'est tout.

— On peut voir ça comme ça.

Je ne comptais pas m'embarquer dans une grande discussion sur les rapports père-fille avec Dorothée, je ne voulais pas non plus manquer de respect à Heinz, mais rien n'était jamais simple avec lui. Et à quoi bon effrayer Dorothée? Celle-ci désigna Norderney, puis le ciel.

— Regarde l'été, l'île, la mer... Je suis si contente qu'on ait accepté d'aider Marlène.

Lorsque cette dernière m'avait demandé si je pouvais venir lui donner un coup de main, je n'avais pas hésité. Je n'étais pas très douée pour les travaux manuels, mais, pendant des années, j'avais prêté main-forte à ma grand-mère, qui tenait elle aussi une pension de famille. Je nettoyais une chambre en quinze minutes, et préparer le petit déjeuner pour vingt personnes ne m'effrayait nullement. Ainsi, Marlène pourrait superviser les travaux. La pension était pleine, donc je connaissais déjà le programme de mes matinées.

Le café serait inauguré au cours du week-end suivant. Marlène voulait en faire un lieu chaleureux, avec des couleurs choisies et une belle lumière. Elle s'était alors souvenue que Dorothée travaillait comme décoratrice. Elle lui avait rendu visite et soumis les plans. Dorothée s'était montrée tellement enthousiaste qu'elle m'avait proposé de l'accompagner à Norderney. Elle avait un goût très sûr en matière de couleurs, contrairement à mon père.

— Et comment ça va pour Marlène, côté cœur? demanda Dorothée, me tirant ainsi de ma rêverie. Elle s'est remise de sa séparation?

— Je crois, oui. De toute façon, récemment, elle était si débordée qu'elle n'avait guère le temps de penser à cet imbécile.

— C'est la première fois qu'on est toutes les trois célibataires en même temps. Cet été, ça devrait pouvoir s'arranger. Ce serait sympa, un amour de vacances.

— Avec Heinz sur le dos?

— On fera comme avant, quand on s'en débarrassait pour aller boire, fumer et draguer, répondit Dorothée en riant.

Je me dis que les deux semaines se dérouleraient plus ou moins comme je l'avais imaginé. Mais lorsque je remarquai que mon père était parti depuis déjà un bon moment, mon cœur s'arrêta de battre un instant.

— Il est où, au fait? Il est passé par-dessus bord?

J'allais me lever et partir à sa recherche lorsque je l'aperçus. Il se dirigeait vers nous tout sourire, les deux grâces sur les talons. La doudoune le suivait de très près et la pelote de laine ambulante fermait la marche.

— Dorothée, accroche-toi, sinon tu vas avoir une attaque.

Lorsqu'elle se retourna, le trio était déjà arrivé à notre table. Heinz nous désigna avec force gestes.

— Nous y sommes, mesdames. Vous permettez que je vous présente? Ma fille, Christine, et son amie, Dorothée. Les enfants, voici Mmes Klüppersberg et Weidemann-Zapek. J'aimerais les inviter à se joindre à nous. Faites-leur un peu de place.

Nous ne trouvâmes rien à répondre et nous nous décalâmes sans broncher.

Mon père prit place à côté de la lumineuse Mme Klüppersberg, ce qui valut à cette dernière un regard noir de la part de Mme Weidemann-Zapek. Dorothée se ressaisit en premier.

— Je crois qu'on ne peut plus commander, Heinz. On a déjà payé et le bateau ne va pas tarder à accoster.

Mon père jeta un coup d'œil par le hublot. En effet, le port était proche.

— Ah oui. Eh bien, ce n'est que partie remise.

Il laissa échapper un rire un peu trop sonore à mon goût. Le gloussement des deux grâces, quant à lui, manquait de naturel.

— C'est la première fois que vous allez à Norderney ? demanda Dorothée.

— Oui, répondit la doudoune du nom de Weidemann-Zapek. Mon amie et moi, on aime beaucoup voyager, mais jusqu'à présent, on a privilégié le sud de l'Allemagne. On adore le soleil, précisa-t-elle avec un rire suraigu.

« On adore le soleil », me répétai-je en silence. J'observai Mme Klüppersberg. Je ne m'étais pas trompée, tous ses vêtements étaient tricotés à la main. Et, de près, ils m'aveuglaient encore plus. Elle interpréta mon regard comme une invitation.

— Mais cet été, on a décidé de partir à la conquête de la mer du Nord. Et quand on rencontre un homme aussi charmant que votre père dès le premier jour et dans des circonstances aussi amusantes, c'est très encourageant pour la suite…

Je ne tenais vraiment pas à savoir dans quelles circonstances amusantes cet homme charmant avait séduit ces deux symboles de féminité. Désespérée, je me tournai vers Dorothée, qui regardait fixement le paysage en se mordant les phalanges, tandis que mon père nous fournissait déjà de plus amples explications.

— Ah ça, pour être amusant, c'était amusant. Au moment où j'ai ouvert la porte des toilettes, le bateau a tangué. Du coup, j'ai trébuché et j'ai bousculé

Mme Weidemann-Zapek. Elle est tombée, je suis tombé sur elle à mon tour et Mme Klüppersberg m'a aidé à me relever.

Dorothée gloussa discrètement.

— Exactement, dit Mme Klüppersberg en hochant la tête, tout sourire. Mais, grâce à sa doudoune, Mechthild ne s'est pas fait mal. Ça amortit bien.

Dorothée fut prise d'une quinte de toux. Je me rendis compte que j'avais la bouche grande ouverte et la refermai aussitôt.

Mechthild Weidemann-Zapek foudroya son amie du regard. Une forme de concurrence entre les deux femmes semblait se profiler. Mais, bien sûr, mon père ne remarqua absolument rien.

— Où logerez-vous sur l'île?

— À la pension Chez Theda, sur la Kaiserstraße, répondirent-elles en chœur.

Dorothée bondit.

— Excusez-moi, il faut que j'aille aux toilettes. Vous permettez?

Mme Weidemann-Zapek se leva et laissa passer Dorothée, qui s'éloigna presque en courant. Mon père la suivit du regard.

— J'espère qu'elle n'a pas le mal de mer, on est presque arrivés.

— Ne t'inquiète pas, papa. Elle a le pied marin.

— Elle a peut-être des problèmes de femme, chuchota-t-il d'un air de conspirateur. Enfin, elle reviendra tôt ou tard. De quoi on parlait, déjà? Ah oui, la Kaiserstraße. Où ça, exactement?

— Chez Theda.

Il réfléchit un moment, puis son visage s'illumina.

— Ça alors, quelle coïncidence, c'est la pension de Marlène. On y va nous aussi pour l'aider à aménager son bistrot. En somme, on est un peu vos hôtes.

À mon tour de me précipiter aux toilettes.

J'y retrouvai Dorothée, qui se tenait devant le lavabo et se rinçait les mains à l'eau froide. Elle éclata de rire en m'apercevant dans le miroir. Je craquai moi aussi. Impossible de prononcer un seul mot. Nous nous laissâmes glisser le long du mur en pleurant de rire. Puis nous entendîmes l'annonce.

— Mesdames et messieurs, nous vous prions de bien vouloir regagner votre véhicule. Nous allons accoster à Norderney dans quelques instants.

Dorothée inspira profondément.

— Mon Dieu, si on raconte ça un jour, personne ne nous croira. Viens. J'espère qu'on va réussir à sortir Heinz des griffes de ces deux bonnes femmes sans avoir recours à la force.

Nous nous frayâmes un chemin parmi les passagers qui attendaient devant la sortie. Aucune trace de Heinz ni de ses groupies. J'avais un mauvais pressentiment. D'un signe, j'indiquai à Dorothée qu'il valait mieux regagner notre voiture. J'avais vu juste : Heinz était appuyé contre la voiture, Mmes Weidemann-Zapek et Klüppersberg et leurs trois valises à côté de lui. Il nous aperçut et nous fit de grands gestes, tout joyeux.

— Ah, vous voilà. Tu te sens mieux, Dorothée ? Bon, vous n'êtes pas sans savoir combien il est difficile de se déplacer sur l'île quand on n'est pas véhiculé. J'ai dit à ces dames qu'il fallait prendre soit le bus, soit le taxi pour aller en ville. Et avec des bagages, c'est compliqué. Bref, comme on va au même endroit, je leur ai proposé de faire le trajet avec nous.

Je restai sans voix. Dorothée jeta un coup d'œil aux valises.

— Mais Heinz, comment va-t-on caser leurs valises dans le coffre ?

— Commence par ouvrir la voiture. On va y arriver.

Mon père, oubliant sa douleur à la hanche, ouvrit le coffre ainsi que les portières de derrière et jongla à toute vitesse avec les bagages. Quelques minutes plus tard, le coffre était à nouveau refermé et la moitié de la banquette arrière chargée jusqu'au plafond.

— Et voilà! s'exclama-t-il en se frottant les mains. Prêts à embarquer. Madame Weidemann-Zapek, si vous voulez bien passer à l'arrière, madame Klüppersberg montera à l'avant.

Ces dames s'installèrent en gloussant. Mon père ne remarqua nos mines déconfites qu'au moment où il tendit la main, signe qu'il voulait les clés.

— Quoi? La pension n'est pas très loin et vous n'avez rien à porter. Une petite balade vous fera le plus grand bien, après ce long trajet.

— Tu ne connais même pas le chemin, papa.

— Nos clientes ont un plan et, au pire, on utilisera le GPS de Dorothée. Arrête de me prendre pour un vieux croulant qui ne sait pas se débrouiller tout seul.

Je me retins de répondre. C'était quand même mon père.

Quel homme !

Après avoir longuement attendu avec les autres passagers non véhiculés puis montré nos tickets, Dorothée et moi prîmes la direction de la Kaiserstraße, face au soleil. Peu après que nous eûmes quitté l'embarcadère, la voiture de Dorothée nous rattrapa. Mon père klaxonna joyeusement et nous dépassa, toujours en deuxième vitesse. Je le suivis du regard.

— Il t'a prévenue qu'il ne conduisait que des automatiques depuis vingt ans ?

— Gloups ! C'est pour ça qu'il ne sait plus comment on passe la troisième. La transmission devrait tenir le coup. Enfin, j'espère.

Heureusement que Dorothée était très patiente, sinon je me serais sentie obligée de défendre mon père. Elle semblait lire dans mes pensées.

— J'ai hâte de voir comment Heinz va se débarrasser des deux walkyries. Elles m'ont l'air coriaces, dit-elle en riant. Christine, on va bien s'amuser avec ces deux-là, c'est moi qui te le dis.

— Je vais les croiser tous les matins à la pension, tu te rends compte ?

— C'est vrai, tu vas devoir servir le petit déjeuner au cours des deux prochaines semaines. J'espère que tu ne commettras pas d'impair. Mme Weidemann-Zapek a bien précisé qu'elles voyageaient beaucoup, donc elles ont dû en voir, des hôtels. Mais tu trouveras toujours grâce à leurs yeux : elles vont se servir de toi pour mettre le grappin sur ton père.

— N'importe quoi ! Tu regardes trop de films à l'eau de rose.

Dorothée s'arrêta devant un banc, face à la mer.

— J'ai remarqué comme leurs yeux pétillaient, très chère. Ne te fais pas trop d'illusions. Bon, je propose de nous asseoir, de fumer une cigarette en cachette et de nous ressaisir avant d'arriver à l'hôtel et de sombrer dans le chaos. Je sens que ça va être les vacances les plus palpitantes qu'on ait passées ensemble.

J'avais déjà rendu visite à Marlène à deux reprises, donc je connaissais le chemin. La dernière fois, elle avait déjà entamé la rénovation de sa pension. J'eus du mal à reconnaître le bâtiment, à présent d'un blanc immaculé et surmonté d'un toit en tuiles rouges flambant neuf. Les vitres de la véranda avaient toutes été remplacées et les encadrements de fenêtre repeints en bleu. Seule l'enseigne « Chez Theda » n'avait pas changé.

Dorothée s'arrêta.

— Magnifique. Dire que je m'attendais à une vieille bicoque. C'est vraiment très grand. Il y a combien de chambres ?

— Douze ou treize, répondis-je après réflexion. Et comme elles sont toutes réservées, on ne dormira pas là. Notre appartement se trouve juste à côté, dans la petite maison rouge. Elle appartient à Mareike, dermatologue et amie de Marlène. Elle vit au premier étage et loue l'appartement du rez-de-chaussée. Comme elle est en vacances, on a toute la maison pour nous. On est bien situées, hein ?

La voiture de Dorothée était garée à cheval sur deux des trois places de parking devant la maison.

Je jetai un coup d'œil à la banquette arrière. La hanche avait dû guérir comme par enchantement, car tous les bagages avaient disparu. Mon père était un gentleman : avec lui, les dames ne portaient jamais de charges trop lourdes, il laissait ce privilège à sa fille.

Marlène était à la réception. Lorsque nous entrâmes, elle leva la tête, sourit, contourna le comptoir et nous serra dans ses bras.

— Ah, vous voilà. Ta migraine est passée, Dorothée ?

— Quelle migraine ?

— D'après Heinz, tu avais trop mal à la tête pour conduire et tu as préféré venir à pied. Christine a tenu à t'accompagner, au cas où tu tomberais dans les pommes. Du coup, il s'est porté volontaire pour amener ta voiture jusqu'ici. Au fait, pourquoi vous ne l'avez pas laissée sur le continent ? Vous n'en aurez pas besoin à Norderney.

— C'est une longue histoire, aussi longue que celle de la migraine, répondis-je en m'asseyant sur un banc. Je t'expliquerai à tête reposée.

— Pourquoi ? Tu as la migraine, toi aussi ? demanda Marlène, inquiète.

Dorothée s'affala à côté de moi.

— Mais non, Marlène, tout va bien, personne n'a la migraine. Qui a garé la voiture ?

— Heinz a pris ma place par mégarde. Enfin, peu importe, c'est déjà très gentil de sa part d'avoir amené deux de mes clientes. Dire que vous vous êtes retrouvés à la même table, quel hasard !

Mon père ne cesserait jamais de m'étonner. Vingt minutes d'avance, et il racontait déjà des histoires à dormir debout. Voyant qu'il était presque 19 heures, je me levai et m'étirai.

— Il est où, au fait? J'aimerais bien monter nos affaires dans l'appartement, faire un peu de rangement, dîner tranquillement avec toi et papoter. Ce sera l'occasion de t'habituer petit à petit à Heinz.

— C'est quoi, le problème avec Heinz? Il est déjà à l'appartement, je lui ai fait faire le tour du propriétaire.

Dorothée prit la main de Marlène.

— On s'amuse bien avec lui, il suffit de le laisser faire. Christine a un peu plus de mal, peut-être parce que c'est son père.

— Où sont nos valises?

J'avais encore un mauvais pressentiment.

— J'ai déjà monté la vôtre. D'ailleurs, Christine, il faudrait que tu t'en rachètes une avec des roulettes. Les sacs de voyage de Heinz sont toujours dans la voiture, il a dit qu'il s'en chargerait lui-même. Il a laissé les clés là.

Nous nous dirigeâmes vers la voiture et ouvrîmes le coffre. Toutes nos affaires étaient encore là, sans exception.

— Tu ne peux pas exiger de lui qu'il nous les porte, dit Dorothée en voyant ma tête.

— Bien sûr que non, étant donné qu'il refuse déjà de trimballer ses propres affaires.

— Mais sa hanche…

— Sa hanche va très bien. Il a soulevé les valises de Weidemann-Zapek et de Klüppersberg sans aucun problème, et je ne pense pas qu'elles étaient vides.

— Un nécessaire à tricoter et du rembourrage de doudoune, ça ne pèse rien.

Dorothée rit et s'empara des sacs de voyage. Je répartis le reste des bagages au bout de mes deux bras, puis nous gagnâmes la maison rouge cahin-caha, chargées comme des mulets.

Il fallut sonner cinq fois avant d'entendre enfin mon père approcher. Il se posta derrière la porte regarda par le judas.

— Qui est-ce, je vous prie?

— Ouvre, papa.

— Christine? Dorothée?

— Papa! criai-je en frappant à la porte.

— Un instant.

La clé tourna deux fois dans la serrure, puis la porte s'ouvrit tout doucement. Lorsque je me frayai un chemin entre mon père et la porte, le premier sac glissa de mon épaule, immédiatement suivi du deuxième. Je les laissai finalement tomber, ainsi que les trois vestes que je portais. Dorothée m'imita. Voyant ce désordre, mon père secoua la tête.

— Faites un peu attention. L'appartement était impeccable.

Je m'étonnai que Dorothée ne le fusille pas du regard, comme moi. Elle dégagea l'entrée en poussant les sacs du pied et prit mon père par le bras.

— Alors, chef, tu nous fais visiter?

— Avec plaisir, répondit-il avec une petite révérence. C'est un très bel appartement. Cette dermatologue est quelqu'un de très ordonné, ça se voit tout de suite.

Un long couloir donnait sur deux chambres d'un côté et sur le salon de l'autre. La salle de bains était située à côté de la première chambre, et la cuisine se trouvait en face. La porte du salon donnait sur la terrasse, et trois marches menaient au jardin. Je sortis et me tournai vers mon père.

— Tu veux dormir où?

— Je me suis installé dans la première chambre, comme ça, je serai près de la porte en cas d'effraction.

— Et si les cambrioleurs entrent par la terrasse?

— Ils ressortiront forcément par la porte principale.

— Ah. Et tu n'aurais pas choisi la chambre la plus grande, par hasard ?

— Non, mais c'est celle dont le lit est le plus confortable. J'ai aussi essayé le lit de camp du salon. Il est bien ferme.

Je me voyais déjà sur les marches de la terrasse en train de fumer une cigarette en cachette, tandis que mon père dormait sur son matelas bien confortable. Cette perspective me plut tellement que je lui souris.

— D'accord, je prends le lit de camp.

Dorothée ramassa ses affaires et les déposa dans l'autre chambre. Mon père la suivit du regard, puis s'approcha de moi.

— Dis, Christine, chuchota-t-il, j'aurai sûrement besoin de toi pour la valise, tout à l'heure.

— Je t'ai déjà aidé toute la journée.

— Mais il faut que je range mes affaires. D'habitude, ta mère regroupe les vêtements qui sont assortis.

Il avait beau être gêné, je n'avais aucune envie de lui faciliter la tâche.

— Et alors ?

— Alors… Quand j'ai rajouté mes outils dans la valise, j'ai déplacé quelques trucs. Du coup, je ne sais plus quels vêtements vont ensemble.

J'étais touchée qu'il tienne à faire des efforts pour s'habiller correctement, même en l'absence de ma mère.

— Je vais regarder vite fait. On rangera tout plus tard, Marlène a réservé une table pour 20 heures et il est déjà moins le quart.

Je le suivis dans sa chambre, jetai un coup d'œil à sa valise et la refermai aussitôt. Mon père avait placé ses outils en plein milieu pour ensuite enrouler tous ses vêtements autour.

— Difficile de s'y retrouver, effectivement. Je m'en occuperai après le dîner. J'en profiterai pour demander à Marlène de nous prêter son fer à repasser.

— Merci beaucoup, Christine, répondit mon père, soulagé. Mais ce n'est pas la peine, ta mère a déjà repassé toutes mes chemises.

Je le fis sortir de la chambre et criai à Dorothée qu'il était l'heure de dîner.

Peu avant 20 heures, nous entrâmes dans la Voie lactée, où Marlène avait réservé. Elle était déjà là et nous attendait à une table avec une vue magnifique sur la mer. En arrivant, mon père regarda autour de lui, inquiet.

— C'est un bar normal. On n'y boit pas que du lait malgré son nom, papa.

— Donc on y sert aussi de la bière ?

— Évidemment.

Il se détendit aussitôt. Marlène nous vit approcher et se leva.

— Super, vous voilà. Vous avez déjà rangé toutes vos affaires ? Les lits vous conviennent ? Si vous avez besoin de quoi que ce soit, faites-moi signe.

— J'adore cet appartement, répondit Dorothée en s'asseyant. Christine s'est dévouée pour le lit de camp, Heinz et moi avons chacun notre chambre.

Heinz s'installa tout d'abord à côté de Dorothée, puis se releva et prit place en face.

— Je veux voir la mer. Un peu plus et on se croirait à la maison.

Il regarda la mer, mélancolique. Alors je me rappelai à quel point il n'aimait pas voyager. Et ma mère qui n'était pas là… Peut-être que je manquai de patience, tout simplement.

— Qu'est-ce que vous voulez boire ? demanda Marlène. Il faut aller commander au bar. Une coupe de champagne pour fêter votre arrivée, ça vous tente ?

— Non, je risque d'avoir des brûlures d'estomac. On sert de la bière, ici ?

— Bien sûr. Donc bière pour Heinz et champagne pour nous ?

Je hochai la tête. Dorothée se leva.

— Je vais t'aider à rapporter tout ça.

— Tout va bien ? demandai-je lorsqu'elles furent parties.

— Oui, mais... il y a deux ou trois choses qui me tracassent.

Je sentis ma gorge se serrer.

— Tu peux préciser ?

— Cette île n'est pas très grande par rapport à Sylt, j'en aurai vite fait le tour. Alors deux semaines... J'espère que je ne vais pas trop m'ennuyer.

— Autre chose ?

— Imagine que je demande à Marlène si Mmes Klüppersberg et Weidemann-Zapek sont bien installées : elle me dira forcément oui, puisque c'est sa pension. Alors comment savoir si elle ment ou pas ?

— Tu n'as qu'à leur poser la question directement.

— Je risque de paraître un peu indiscret.

— Sinon, tu peux te lever très tôt demain matin, piquer le double de leur chambre à la réception et vérifier par toi-même. Tu seras fixé.

— Mais ça va se voir, non ?

— Qu'est-ce qui va se voir ?

Marlène posa la bière et ma coupe de champagne sur la table.

— Mon père... commençai-je avant de sentir un coup de pied sous la table. Aïe ! Mon père pensait aller voir son vieil ami Kalli demain matin, mais comme il a aussi proposé de nous aider pour les travaux, il ne voudrait pas donner l'impression de se défiler dès le premier jour. Hein, papa?

— Qui se défile?

Dorothée posa doucement les deux autres coupes de champagne sur la table.

— Kalli n'est pas vieux, il est même plus jeune que moi. Cela dit, ça ne saute pas aux yeux. Il va sur ses soixante-douze ans.

— Soyez les bienvenus, dit Marlène. Je lève mon verre à ces vacances et aux petits boulots d'été.

Après que nous eûmes bu une gorgée, elle balaya la salle du regard.

— Je propose qu'on aille se chercher à manger. Ensuite, je vous expliquerai en quoi vous allez m'aider.

Mais Heinz refusa de nous accompagner.

— Dans ce cas-là, autant aller au fast-food. Si je me lève maintenant, on va me piquer ma place, une fois au bar, je vais avoir du mal à me décider, le serveur va s'impatienter et...

— Je peux te rapporter quelque chose, papa.

— Alors un plat à base de pommes de terre sautées, mais sans saucisse, s'il te plaît. Enfin, tu trouveras bien.

Peu de temps après, lorsque nous revînmes avec des pommes de terre et des harengs pour tout le monde, nous retrouvâmes Heinz en train de discuter avec le couple assis à la table d'à côté.

— Je préfère jouer à Sylt, il y a deux parcours de dix-huit trous là-bas. Il n'y a qu'un neuf trous, ici? Autant aller au golf miniature.

Le couple nous salua d'un signe de tête.

— Merci beaucoup pour l'info, dit la femme. On en reparlera à tête reposée, mais vous avez certainement raison. Bon appétit et bon séjour.

Mon père se tourna vers moi, puis examina son assiette.

— Voilà qui me convient, mais je ne comprends toujours pas pourquoi on ne vient pas nous servir directement.

— Qu'est-ce que tu leur racontais de beau?

Il rassembla le persil et la salade qui se trouvaient dans son assiette et les jeta dans le cendrier.

— Rien de spécial. Je leur ai simplement demandé ce qu'ils faisaient ici.

— Je suppose qu'ils sont en vacances, comme des milliers d'autres personnes ici, répondit Marlène tout en observant les travaux de déblaiement entrepris par Heinz.

— Faux, dit-il en pointant sa fourchette vers elle. Ils sont venus jouer au golf.

C'était bien ce qu'il m'avait semblé.

— Et tu leur as dit que rien ne valait les parcours de Sylt?

— Évidemment. On en a trois, et le quatrième est en cours d'aménagement.

— Ce n'est pas une raison pour dégoûter les touristes qui viennent ici, intervint Dorothée en secouant la tête.

— Et pourquoi pas?

Forcée de constater la bonne foi de Heinz, Marlène se retint de rire.

— On peut voir ça comme des conseils échangés entre golfeurs. Il ne pensait pas à mal.

— Mon père n'a jamais touché un club de sa vie.

— Je n'ai jamais prétendu le contraire, mais je maintiens que nos parcours sont magnifiques. Je passe devant tous les jours, et Uwe Seeler y joue.

Mon père engloutit une bouchée et opina du chef pour appuyer son propos.

Une fois le dîner terminé, Marlène sortit des plans et des photos de son sac.

— On ne peut pas aller voir ce soir, car le parquet vient d'être posé et on ne pourra marcher dessus que demain matin. Mais voilà ce que ça devrait donner.

Le terme de « bistrot » ne serait plus guère approprié. Marlène avait prévu d'installer des fauteuils et des canapés autour d'une cheminée ouverte. La salle adjacente, où l'on servirait des amuse-bouche, serait meublée de tables chromées et de chaises en rotin. Dorothée et moi étions impressionnées. Heinz, un peu moins.

— Quand les clients auront fini leur soupe aux pois, ils essuieront leurs doigts tout gras sur les canapés.

— Heinz, je peux te garantir qu'on ne servira pas de soupe aux pois.

Dorothée regarda les plans, concentrée, et fit tout de suite plusieurs propositions. Elle suggéra à Marlène différentes combinaisons de couleurs, sortit un crayon de son sac et annota les marges, tandis que mon père assistait à la scène, perplexe.

— Choisis plutôt du blanc, on peut toujours repeindre par-dessus. Ou de la peinture au latex, ça se nettoie à l'eau.

— Papa !

— Heinz…

— Oh, je disais ça comme ça. Et qu'est-ce que je vais faire, moi ? Je déteste peindre, ça tache trop.

— Je préférerais m'en occuper moi-même, de toute façon, dit Dorothée. À mon avis, quelques motifs maritimes par-ci par-là, ce ne serait pas mal. Je les peindrai à même le mur. J'espère que tu me fais confiance, Marlène.

— C'est bien pour ça que je t'ai demandé de venir, acquiesça cette dernière en hochant la tête. J'ai engagé quelques étudiants pour passer la première couche sous ta direction, ça te laissera du temps pour les finitions.

— Génial. Je sens que ça va me plaire.

— Reste à savoir comment on va se répartir les tâches. Comme toutes les chambres sont prises, je ne pourrai pas me libérer avant 10 heures. L'employée qui sert le petit déjeuner d'habitude s'est blessée au pied, elle a trois semaines d'arrêt de travail. Tu pourras t'en charger, Christine?

Je hochai la tête.

— Les ouvriers arrivent à 8 heures. Ils ont encore le carrelage à poser dans les toilettes et l'électricité à finir. Dorothée, je ne sais pas à quelle heure tu veux t'y mettre le matin, mais j'ai besoin que quelqu'un soit présent.

Dorothée sursauta.

— 8 heures? Tu es sérieuse? Je ne conseille à personne de m'adresser la parole à cette heure-là.

— Surveiller les ouvriers, c'est une affaire d'homme, dit Heinz en bombant le torse. À 8 heures, je serai à pied d'œuvre. Aucun problème.

Marlène lui sourit.

— Voilà ce que je voulais entendre. Mais sache que tu ne seras pas obligé de rester planté là à les regarder toute la matinée. J'ai juste besoin de quelqu'un pour leur ouvrir et intervenir en cas de souci.

— Je sais comment m'y prendre avec les ouvriers. Il faut faire preuve d'autorité, sinon on se fait mener par le bout du nez. Et comme toi, tu es trop gentille, il vaut mieux que ce soit moi qui m'en charge. Je pourrai toujours aller voir Kalli dans l'après-midi ou dans la soirée. Les travaux avant tout.

Sur le chemin du retour, je gardais le silence tandis que mon père, tout fier, nous racontait ses différentes expériences avec les ouvriers. Je connaissais déjà la plupart de ces anecdotes grâce à ma mère et je me gardai bien de donner une autre version des faits, moins rassurante, celle-ci. Une fois arrivés devant Chez Theda, nous saluâmes Marlène.

— À demain. Vous prendrez votre petit déjeuner à la pension. Ensuite, Heinz et Dorothée, je vous accompagnerai au bistrot et, Christine, je te montrerai ce que tu auras à faire. Dormez bien.

— Bonne nuit, Theda. Euh… pardon, Marlène, répondit mon père. Bonne nuit, Marlène.

Je me rendis compte que nous n'avions pas encore évoqué Theda ni son nouveau compagnon.

— Au fait, Hubert et Theda n'étaient pas censés venir ?

— Si, mais pour l'instant, ils sont encore au lac de Constance. D'après Theda, les fleurs sont superbes, là-bas. Nos deux tourtereaux arriveront le week-end prochain, le temps de faire le trajet.

— Les voyages forment la jeunesse, voilà ce que j'en dis, répondit Heinz d'un ton solennel. Sur ce, bonne nuit, tout le monde.

Il tourna les talons et se dirigea vers l'appartement.

— Je dois le rattraper, il n'a pas la clé, dis-je à Marlène en lui faisant la bise. Dors bien.

— Christine, la porte est fermée ! entendis-je avant que Dorothée ait eu elle aussi le temps de prendre congé.

À minuit, je fumais enfin une cigarette, assise sur les marches qui menaient au jardin. Un grand silence régnait, il n'y avait pas de Heinz à l'horizon et je regardais les étoiles.

J'avais rangé les vêtements de mon père tandis que ce dernier m'observait, assis au bord du lit.

— Tu peux peut-être faire des piles avec les habits qui vont ensemble, comme ça, je n'aurai pas à te demander confirmation sans arrêt. De toute façon, on ne sortira jamais séparément, hein?

Percevais-je une pointe de peur dans sa voix?

— Tu ne te sens pas à l'aise, ici?

Il réfléchit un instant.

— Eh bien, il faut d'abord que je découvre l'île à mon rythme. Mais sans nous, Marlène serait complètement perdue. Il faut savoir faire des sacrifices.

Je venais de finir ma cigarette lorsque j'entendis des pas derrière moi.

— Tu me fais une petite place?

Mon père, vêtu d'un pyjama rayé bleu et blanc, s'assit à côté de moi.

— Les voisins font un barbecue? Ça sent la fumée. Regarde le ciel et fais un vœu si tu vois une étoile filante.

Nous contemplâmes le ciel. Soudain, nous aperçûmes une étoile filante, très vite suivie d'une autre. Aucun de nous n'ouvrit la bouche. Je ne voulais pas perturber cette paisible atmosphère. J'avais fait deux souhaits, puisque nous avions vu deux étoiles filantes: que nous passions de bonnes vacances et que ma mère se remette vite de son opération. Mon père bâilla et s'étira.

— Et voilà. Je ne te dis pas mon vœu, sinon il ne se réalisera pas. Ah! là, là, j'ai hâte d'être à demain. Bonne nuit, ma fille, dors bien. En cas de problème, je suis juste à côté.

Je restai là encore quelques minutes. Pas d'autre étoile filante en vue. Mais deux, ce n'était pas si mal pour un début. Qui sait ce qui se passerait au cours de ces vacances…

La fête peut enfin commencer

Je marchais pieds nus sur le sable, face au soleil, la mer à perte de vue. Plus loin, sur la plage, quelqu'un m'attendait, j'étais surexcitée et j'avais le cœur qui battait la chamade. L'herbe de la dune me chatouillait le mollet gauche. Soudain, je remarquai que les églantiers qui poussaient un peu partout n'avaient absolument pas le même parfum que d'habitude. J'ouvris les yeux. Mon père, assis à l'autre extrémité du lit de camp, sentait l'eau de toilette et me caressait le mollet avec un stylo-bille. Je repliai la jambe et m'éclaircis la voix. Celle de mon père était déjà posée.

— Bonjour. Alors, bien dormi ? Tu as fait de beaux rêves ?

— Arrête, papa, répondis-je en roulant sur le côté et en tirant la couverture.

— Allez, dis-moi. Ensuite, je te raconterai le mien.

— J'ai rêvé d'églantiers qui sentaient l'eau de toilette, marmonnai-je, la tête enfouie sous l'oreiller.

— Comment ? Oh, après tout, tu n'es pas obligée de me le dire, tu peux aussi le garder pour toi. On prend le petit déjeuner à quelle heure ? J'ai très faim. Et soif, aussi.

Je fis un effort surhumain pour me redresser et m'asseoir au bord du lit. Mon regard se posa sur mon mollet et les traits bleus qui la décoraient.

— Papa, tu m'as dessiné sur la jambe !

Il regarda le stylo-bille qu'il tenait à la main, ébahi.

— Il doit être cassé alors, car j'avais bien rentré la mine. Bah, ça part facilement. Tu te lèves?

Je n'eus même pas le courage de protester et me traînai jusqu'à la salle de bains, complètement endormie. Ma montre était posée près du lavabo. 6 heures. La journée commençait plus tôt que prévu.

Super, pensai-je en voyant ma mine fatiguée dans le miroir. C'est pour toi que j'endure tout ça, maman. Et pour ton fichu genou.

Une demi-heure plus tard, mon père et moi nous rendîmes à la pension. Il avait fait irruption dans la chambre de Dorothée en criant que le soleil brillait et qu'il fallait se lever, ce qui lui avait valu de se prendre un oreiller dans la figure et de se faire traiter de fou. Heinz avait ramassé l'oreiller, l'avait reposé soigneusement sur une chaise, puis avait quitté la pièce sur la pointe des pieds en fermant la porte tout doucement derrière lui, avant de m'avertir du regard, un doigt sur les lèvres.

— Chut, Dorothée est encore fatiguée, il faut qu'elle se repose. Elle est en vacances, après tout.

Heureusement que j'avais ma brosse à dents dans la bouche. Il était trop tôt pour commettre un parricide.

Nous entrâmes dans la pension par la porte de derrière et faillîmes bousculer Marlène, qui portait un plateau. Elle sursauta.

— Vous êtes tombés du lit ou quoi? Il n'est que 6 h 30.

— Le monde appartient à ceux qui se lèvent tôt, répondit mon père.

Il débarrassa Marlène de son plateau et la regarda, perplexe.

— Ça va où, ça?

— Dans la cuisine.

Il réfléchit quelques instants puis me tendit le plateau.

— Tu es déjà venue ici, toi, donc tu connais le chemin. De toute façon, je le poserai forcément là où il ne faut pas. Dis-moi, Marlène, le petit déjeuner est prêt ?

Je me dirigeai vers la cuisine, le plateau à la main. Marlène et Heinz m'emboîtèrent le pas. Dans la petite pièce, nous nous gênions les uns les autres. Marlène me prit le plateau des mains. Mais en voulant le poser derrière mon père, elle fit tomber deux corbeilles à pain.

— Hou ! là, là !

Mon père se pencha, entraînant le paquet de café avec lui.

— On est à l'étroit, ici.

Marlène et moi nous accroupîmes en même temps et nous cognâmes mutuellement la tête. Mon père, en se relevant, me donna un coup de genou dans la hanche. Dire qu'il n'était pas encore 7 heures... Je gémis, mon père me réprimanda du regard et Marlène nous poussa tous les deux hors de la cuisine.

— Je vais devenir folle. Allez prendre votre petit déjeuner dans la salle à manger. La table du fond, près de la fenêtre, vous est réservée. J'arrive tout de suite.

— Christine n'est pas du matin, comme sa mère, remarqua mon père. Elles mettent une éternité à se réveiller. Mais après, tout va bien.

Je me redressai et sortis. Une fois dans la salle à manger, je m'arrêtai et attendis mon père, qui inspectait le buffet. Je redoutais le commentaire à venir, mais il se contenta de sourire.

— Tu as vu ce choix ? Cinq sortes de saucisses différentes, des fruits et même du saumon. Comme ça, il y en a pour tous les goûts. Parfait.

Marlène apporta une cafetière juste au moment où je bâillais sans mettre la main devant ma bouche.

— Ben alors, pourquoi tu n'es pas restée au lit plus longtemps? On avait convenu de se retrouver à 8 heures. Où est Dorothée?

— Elle a le droit de dormir, elle.

Je me frottai les yeux. J'avais oublié de me maquiller, mais tant pis. Le regard de Marlène se posa d'abord sur moi, puis sur Heinz, qui ouvrait les pots de confiture.

— Bois ton café et réveille-toi tranquillement. Aucun client ne descendra avant 8 heures.

— Mon père prend du déca, sinon il ne se sent pas bien.

— Pas de problème. Qu'est-ce que tu as sur la jambe?

Comme c'était l'été, je portais un short. Je regardai mon mollet.

— Du stylo-bille, mais ça partira facilement. Demande à Heinz.

Ce dernier fit mine de n'avoir pas compris et s'assit à notre table, une assiette bien garnie à la main. Il contempla son petit déjeuner et leva la tête vers nous, tout sourire.

— Ça a l'air très bon, Marlène. Va te servir, Christine. Tu sais ce qu'on dit: manger comme un roi le matin, comme un prince le midi et comme un pauvre le soir.

Marlène le regarda, décontenancée. Je lui pris la cafetière des mains.

— Le principe de base d'une alimentation saine. C'est du café normal?

Elle hocha la tête.

— Je vais faire du déca, répondit-elle avant de disparaître en cuisine.

La demi-heure suivante se déroula sans incident notable. Je connais peu de personnes capables de manger avec autant d'application et d'organisation que mon père. Il avait disposé tout ce qu'il comptait avaler sur son assiette avec une précision millimétrique. En aucun cas les différents aliments ne devaient se toucher. La charcuterie, le pain et la confiture se trouvaient à distance suffisante les uns des autres.

Mon père commença par beurrer minutieusement une tranche de pain noir. Il fallait que le beurre soit étalé uniformément et qu'on ne voie plus un millimètre carré de pain. Seule la croûte restait visible. Puis il posa le coquetier pile dans l'axe de symétrie de l'assiette et cassa prudemment la coquille à coups de petite cuillère dans le tiers supérieur de l'œuf, qui devait être découpé dans un cercle parfait. Il souleva brièvement l'œuf, déposa la coquille précédemment enlevée au fond du coquetier et le reposa, avant de le saler et de le déguster. Puis vint le tour du petit pain : pas du pain au maïs, ni du pain complet, ni du pain au pavot. Du pain tout à fait ordinaire. Il en mangea la partie inférieure avec une tranche de jambon, non sans avoir passé dix minutes à retirer la couenne, qu'il déposa dans la coquille vide. Enfin, il étala de la confiture à la fraise, comme toujours, sur la moitié supérieure. Je l'observais en mâchant un pain au raisin, fascinée. Il était extrêmement concentré, ne levait pas les yeux, ne disait rien, l'esprit entièrement absorbé par son petit déjeuner. J'étais comme apaisée. Ça, au moins, je connaissais. Depuis toujours. Rien n'avait changé.

Après ces trente minutes de calme, il s'essuya la bouche avec une serviette, poussa son assiette sur le côté et me sourit, satisfait.

— Voilà ce que j'appelle un vrai petit déjeuner.

Je lui fis signe qu'il lui restait de l'œuf au coin de la bouche, mais avant d'avoir eu le temps de lui dire quoi que ce soit, j'entendis du bruit dans le couloir et vis mon père se lever.

— Bonjour, mesdames. J'espère que vous avez bien dormi.

— Ah, notre sauveur, ou devrais-je dire notre chauffeur ! Enfin, ça revient au même. Bonjour !

Mme Weidemann-Zapek avait troqué sa doudoune contre un ensemble veste-pantalon blanc en laine. Elle avait soigneusement relevé ses boucles à l'aide d'une vingtaine de barrettes.

— Quelle magnifique journée, elle ne pouvait pas mieux commencer ! Il reste deux petites places pour nous ?

Elle avait déjà saisi la chaise située à côté de mon père. Mme Klüppersberg, habillée dans cinq teintes de vert différentes, tendit gracieusement la main à mon père. Mais il ne la remarqua même pas, car Marlène entra à ce moment-là.

— Bonjour. J'espère que vous avez bien dormi. Je vous ai réservé cette table-là. Thé ou café ?

Mme Klüppersberg, agacée, retira sa main.

— Je prendrai du thé. Et il reste deux places à cette table-ci.

— Non.

J'avais parlé plus fort que prévu.

— Mon amie Dorothée ne va pas tarder, ajoutai-je plus doucement. Je suis désolée. Vous allez devoir vous asseoir à côté.

Mon père s'excusa d'un signe de tête.

— C'est vrai, mais vous serez installées juste là, dit-il en se rasseyant. Marlène, madame a demandé du thé.

— Toutes les deux ?

Marlène faisait bonne figure, mais j'avais une vague idée de ce qui se passait dans sa tête. En tout cas, elle n'en laissa rien paraître.

— Oui, mais je voudrais du thé de la région, infusé pas plus de quatre minutes et avec de la vraie crème, pas du lait concentré.

— Bien sûr, je vous apporte ça tout de suite.

Marlène me jeta un coup d'œil avant de repartir en cuisine.

— Le petit déjeuner est excellent ici, dit mon père à ces dames. Vous avez beaucoup de choix.

Les deux femmes, aux anges, firent un grand sourire à mon père et allèrent se servir.

— Elles sont gentilles, chuchota-t-il en les suivant du regard.

Je ne répondis pas. Il me tendit sa tasse pour que je le serve alors que la cafetière se trouvait sous son nez. Mme Klüppersberg fut la première à revenir. La vitesse avec laquelle elle avait entassé du pain, du fromage et de la charcuterie sur son assiette ne manqua pas de m'impressionner. Elle empêchait cette montagne de nourriture de tomber en appuyant dessus avec les pouces. Le regard de mon père se posa sur la tranche de saucisson au sommet, marquée par des empreintes digitales. Il leva les sourcils. Mme Weidemann-Zapek, quant à elle, revint avec deux assiettes, l'une chargée de quatre tranches de pain et deux brioches, la deuxième de salade de harengs et de tomates. Mon père avala sa salive. Les deux femmes posèrent leurs assiettes sur la table et repartirent chercher des œufs et du jus de fruit. Mais l'une d'elles se cogna contre la table, ce qui occasionna la chute d'une tranche de tomate sur la nappe et l'apparition d'une tache.

— Elles vont tout manger, tu crois? chuchota mon père, tandis que nous regardions la tache s'étendre.

À cet instant, Marlène revint avec deux théières, les posa sur la table d'à côté et s'assit une minute avec nous.

— Tu veux autre chose, Heinz?

— Non, merci. Je finis mon café et on y va.

— Et toi, Christine?

70

J'avais très envie de fumer une cigarette. Je lançai un regard vers le jardin, où se trouvaient deux guérites de plage ainsi qu'une petite table et un cendrier. Marlène comprit immédiatement.

— Gesa, mon employée, sera là dans dix minutes. Christine, tu pourras l'aider à ranger un peu pour que je puisse accompagner Heinz au bistrot?

Nous hochâmes la tête et Marlène retourna dans la cuisine. À présent, presque toutes les tables étaient occupées. Les cinq couples et le groupe de quatre retraitées avaient salué tout le monde poliment avant de s'installer à leurs tables respectives.

Quant à nos voisines, elles étaient de retour. Mme Weidemann-Zapek versa sans ménagement des sucrettes dans sa tasse et, par la même occasion, tacha une nouvelle fois la nappe.

— Au fait, Heinz… Je peux vous appeler Heinz?

Mme Klüppersberg se pencha vers lui, tout sourire, des graines de pavot coincées entre les dents.

— Pouvons-nous compter sur vous et vos talents de guide pour découvrir l'île, aujourd'hui?

Je me demandai ce qu'il avait bien pu leur dire la veille. Il ne pouvait pas leur avoir parlé de Norderney, puisque c'était la première fois qu'il venait. Donc soit il leur avait parlé de Sylt, soit il avait encore raconté des histoires à dormir debout. J'étais curieuse de voir comment il allait se tirer de ce mauvais pas. Il m'implora du regard, mais je l'ignorai.

— Oh oui, ce serait très aimable à vous, renchérit Mme Weidemann-Zapek en s'emparant de son couteau et de son coquetier. L'île va se souvenir de notre passage.

Elle gloussa et poignarda son œuf en plein milieu. Mon père sursauta. De son côté, Mme Klüppersberg se prépara des sandwichs, les coupa en deux et les enveloppa dans des serviettes en papier tout en mangeant son petit pain au pavot recouvert de salade de harengs, avant de croiser le regard déconcerté de Heinz.

— On a payé pour tout ça, et on ne sera pas obligées d'acheter des sandwichs hors de prix. Vous devriez faire pareil. L'air de la mer, ça creuse.

Même pour mon père, d'habitude si poli, c'en était trop. Il reposa sa tasse de café et se leva.

— On m'attend, mesdames. Vous devrez malheureusement vous passer de mes services, car je suis là pour aider Mme de Vries. Chose promise, chose due, les distractions attendront. Amusez-vous bien, bonne journée.

Il les salua d'un signe de tête, puis me prit par le bras et fit quelques pas. Impressionnante, cette façon de les éconduire tout en restant charmant. La déception se lisait sur leur visage. Je regardai la table dévastée et souris.

— À plus tard.

Lorsque j'entrai dans la cuisine, mon père était en train de tout raconter à Marlène à propos des taches et des sandwichs.

— Elles ont littéralement pillé le buffet. C'est possible d'avoir faim à ce point-là ?

Marlène, qui finissait de remplir le lave-vaisselle, étouffa un petit rire.

— Laisse tomber, Heinz. Qu'elles mangent leurs sandwichs maintenant ou plus tard, ça revient au même.

— Mais quel manque de classe ! On n'est pas au camping.

— Je croyais que tu les appréciais, papa. Le charme est déjà rompu ?

— « Le charme », n'importe quoi ! répliqua-t-il en me réprimandant du regard. Si on n'a même plus le droit d'être aimable… Bon, qu'est-ce qu'on fait, maintenant ? On passe à côté ?

À ce moment-là, une jeune femme blonde, souriante, vêtue d'un jean et d'un T-shirt, entra dans la cuisine.

— Salut, Marlène. Ah, bonjour, dit-elle en nous tendant la main. Je m'appelle Gesa. Christine, je suppose. Et vous, vous êtes son père ? Désolée, j'ai oublié votre prénom.

Mon père fit une petite courbette et lui serra la main.

— Ce n'est pas grave. Je m'appelle Heinz. Les membres du personnel devraient se tutoyer, à mon humble avis.

— D'accord, répondit Gesa en riant. Ravie de travailler avec toi, Heinz.

Gesa étudiait à Oldenbourg et ses parents vivaient à deux pas de Chez Theda. Elle passait les vacances d'été chez ses parents et en profitait pour travailler à la pension et gagner un peu d'argent.

— Bon. Gesa et Christine, vous allez bientôt pouvoir débarrasser la salle à manger. Aucun client n'arrive ou ne repart aujourd'hui. Moi, je vais au bistrot avec Heinz. Avant de nous rejoindre, regardez s'il n'y a rien à faire dans le jardin.

Elle me fit un clin d'œil et entraîna mon père hors de la cuisine.

— Je reviens. À tout à l'heure.

Je me tournai vers Gesa, qui se servait une tasse de café.

— Tu en veux aussi ? Je ne prends jamais mon service avant d'avoir bu un café et fumé une cigarette dans la guérite, dit-elle en souriant. Ça peut paraître incroyable, mais j'ai vingt-quatre ans et mes parents ne savent toujours pas que je fume.

Voilà qui me mettait du baume au cœur.

— Un café, ça me dit bien aussi. Moi, j'ai quarante-cinq ans, et mon père aimerait bien m'interdire de fumer. Et on s'apprête à passer deux semaines ensemble…

— Tu as arrêté, du coup?

— Non, mais je fume en cachette. Comme ça, je ne risque rien. Tu ne connais pas encore mon père.

Après quinze superbes minutes passées dans le soleil du matin, une cigarette à la main, Gesa me montra ce que j'aurais à faire le matin au cours des deux semaines à venir. Je préparerais le petit déjeuner, tandis qu'elle ferait le ménage dans les chambres.

— Normalement, c'est Kathi, ma sœur, qui s'en charge, mais elle s'est fait mal en marchant sur une moule. Ma mère lui a dit que ce n'était pas grave et Kathi l'a crue. Mais comme sa plaie s'est infectée, elle se retrouve sous antibiotiques et ne doit pas poser le pied par terre jusqu'à nouvel ordre.

— Pourquoi ta sœur n'est pas allée voir le médecin? Moi, je n'aurais pas écouté ma mère.

— Ma mère est médecin.

— Ah…

— Mais elle a peur de nous couver.

Visiblement, je n'étais pas la seule à avoir des parents un peu spéciaux.

J'avais déjà débarrassé trois tables, préparé quatre cafetières, resservi de la charcuterie et retenu les noms de trois clients lorsque Dorothée vint prendre son petit déjeuner, vêtue d'un short en jean et d'un T-shirt multicolore. Dans le couloir, elle croisa Gesa, qui s'apprêtait à descendre étendre du linge au sous-sol. Elles s'entendirent tout de suite très bien. Gesa nous proposa de faire une pause dans le jardin.

Alors que Dorothée prenait son petit déjeuner, assise dans une guérite, Gesa nous raconta la fabuleuse histoire d'amour de Theda et Hubert.

— Il possède une usine à Essen qui fabrique je ne sais plus trop quoi, mais ça rapporte. Je le connais depuis toute petite car il passait tous les étés ici avec sa femme, qui est décédée il y a quelques années. Quand Hubert est revenu, il y a deux ans, il a voulu inviter Theda à dîner. Elle a d'abord refusé car elle n'était plus sortie avec un homme depuis la mort d'Otto, il y a vingt ans, mais elle a fini par accepter. Voilà comment tout a commencé.

— Ils ont quel âge ? demanda Dorothée.

— Theda va sur ses soixante-dix ans, je crois, et Hubert en a soixante-quatorze ou soixante-quinze.

— Tu vois, Christine, on se disait qu'à quarante ans passés, on n'avait plus aucune chance de trouver l'amour, mais en fait, on a encore le temps.

Je trouvais cette histoire très romantique.

— Ils sont ensemble depuis combien de temps ?

— Alors… Marlène est arrivée à Norderney en juin de l'année dernière, et ils sont en vadrouille depuis août. Donc ça fait tout juste un an.

— Quelle belle histoire, soupira Dorothée. Mon petit cœur impatient en est tout chamboulé. Trinquons au café !

Nous levâmes nos tasses d'un geste solennel. Mais quand Dorothée demanda où était Heinz, je fus soudain d'humeur beaucoup moins romantique.

— Mon Dieu, Marlène l'a accompagné au bistrot, mais ça fait déjà une heure qu'ils sont partis. J'espère que tout va bien.

— Pourquoi ? Il y a un problème ? demanda Gesa, déconcertée.

Dorothée finit tranquillement son café.

— Ce n'est pas Marlène, le problème. Disons que Christine a du mal à s'y prendre avec son père. Il est… un peu trop spontané, quelquefois.

Comme Gesa comprenait de moins en moins, j'essayai de lui expliquer la situation.

— Mon père n'aime pas voyager. En fait, il ne quitte jamais Sylt, du moins, pas sans ma mère. Et comme c'est la première fois qu'il part seul, il est un peu nerveux.

— « Nerveux », c'est le mot, dit Dorothée en riant. Gesa, ne l'écoute pas, Heinz est très marrant. Allons à côté voir ce qui se passe. Soit Marlène l'a étranglé avec un câble électrique, soit il s'est fait au moins huit nouveaux amis, ce qui est plus vraisemblable. Au fait, Christine, tu as un truc sur la jambe.

Je bois à ta santé, Marie
À notre histooooiiire
Mon père chantait encore plus fort que Frank Zander, dont la rengaine passait à la radio. Par la fenêtre, je l'aperçus en haut d'une échelle en train de boucher un trou dans le mur avec du plâtre. Lorsqu'il nous entendit entrer, il se retourna. Je retins mon souffle en voyant l'échelle vaciller.

— Ne me tombe pas dessus, Michel-Ange.

Une armoire à glace avec un bleu de travail et une grosse barbe se précipita vers lui et rattrapa l'échelle à temps. Mon père lui sourit et s'appuya d'une main sur le trou qu'il venait de reboucher.

— Comme si je pouvais tomber d'une échelle! Ne t'inquiète pas, j'ai un excellent sens de l'équilibre.

L'armoire à glace le regarda, sceptique.

— Christine, Dorothée, je vous présente Onno, l'électricien. Onno, voici ma fille et Dorothée, la célèbre artiste qui repeindra le bistrot.

76

Il se passa la main sur le front, ce qui lui laissa une trace d'enduit. Le gris clair faisait ressortir le bleu de ses yeux.

— Heinz, tu as un truc, là... dit Dorothée en le regardant, fascinée.

— C'est normal, répondit-il en descendant prudemment de l'échelle. On ne fait pas d'omelette sans casser d'œufs. J'ai commencé par reboucher les trous, comme ça, tu peindras sur une surface lisse. Il y avait de vrais cratères, tu n'imagines même pas. Malheureusement, les ouvriers préfèrent aller vite que de fignoler les préparatifs.

Je cherchai ces fameux trous rebouchés, mais ne vis que celui avec l'empreinte de main. Certainement l'emplacement du cratère.

Deux autres ouvriers se trouvaient dans la salle : l'un, assez jeune, avait le même logo qu'Onno sur son bleu de travail ; le deuxième, un peu plus âgé, se tenait avec Marlène près d'une table, un peu à l'écart, et feuilletait un catalogue. Mon père s'essuya les mains sur son jean et nous prit par le bras, Dorothée et moi.

— Les filles, je vous présente toute l'équipe, comme ça, vous saurez avec qui on va travailler. Voici Onno, l'électricien. Il est gentil, un peu taciturne, mais après tout, on ne le paie pas pour faire la causette. Il aime bien la variété allemande, lui aussi, et il connaît Kalli.

— Kalli et moi, on joue ensemble aux cartes.

Onno nous tendit la main et fit une petite courbette. Mon père le regarda, tout fier.

— Et voici Horst, l'apprenti d'Onno.

— 'Jour.

— En revanche, on ne connaît pas celui qui est à côté de Marlène. D'après Onno, il vient du continent, ça doit être le peintre en bâtiment. On dirait un hippie, ajouta-t-il en chuchotant. Je ne sais pas...

Le hippie en question avait une quarantaine d'années, de larges épaules, et des cheveux blonds qui lui arrivaient aux épaules, attachés avec un élastique. Dorothée posa les yeux d'abord sur son dos, puis sur ses fesses.

— Hum…

Nous tournâmes tous les trois la tête vers elle. L'expression de son visage ne laissait guère de place à l'interprétation.

— Dorothée!

J'essayai d'employer un ton réprobateur, en vain. Quant à mon père, il hocha la tête, croyant confirmer ce que pensait Dorothée.

— Ah, toi aussi, tu essaies de voir ce qu'il y a dans ses poches. J'espère qu'il n'a pas de drogue sur lui.

Onno se gratta la tête.

— En tout cas, il n'est pas d'ici.

Entre-temps, le « dos » avait senti que quatre paires d'yeux ne le lâchaient plus. Il glissa un mot à Marlène et se retourna.

— Vous voilà, dit Marlène en s'approchant de nous. Tout va bien?

Je souris. De son côté, Dorothée continuait à reluquer le hippie venu du continent. Quant à mon père et Onno, ils se tenaient derrière nous, prêts à en découdre.

— Il s'est passé quelque chose? demanda Marlène, perplexe.

— Pas encore… répondit Dorothée d'une voix un peu trop lascive à mon goût.

Mon père se fraya un chemin vers Marlène.

— Il faut qu'on sache à qui on a affaire.

— Pardon?

Marlène était de plus en plus perdue. Je donnai un coup de coude à Dorothée pour qu'elle détourne le regard de sa proie.

— Mais non, il ne s'est rien passé. Mon père et Onno voulaient faire les présentations, mais ils ne savent pas qui est l'homme là-bas.

L'homme en question s'approcha. Je lus en Dorothée comme dans un livre : il était encore plus beau de devant que de derrière.

— Je vois, répondit Marlène en poussant un soupir de soulagement. Je croyais qu'Onno le connaissait. Voici Nils Jensen, mon architecte d'intérieur. Nils, je te présente mon amie Christine, son père, Heinz, Dorothée, la décoratrice avec qui tu vas travailler, et Onno Paulsen.

Nils fit un sourire à tomber à la renverse, nous tendit la main et regarda longuement Dorothée.

— Mais oui, on se connaît, dit-il à Onno. Avant, je travaillais pour toi, pendant les vacances. Je suis le fils de Carsten Jensen.

Onno lui serra la main.

— Tu étais plus petit et tu avais les cheveux courts. Je ne t'avais pas reconnu. 'Jour.

Mais Heinz n'était décidément pas prêt à lui accorder sa confiance.

— Votre père sait que vous êtes là ?

— Papa.

— Heinz.

Le regard de Nils se posa d'abord sur Dorothée, puis sur moi, puis sur mon père.

— Évidemment, puisqu'on vit sous le même toit.

— Ah. Il faudrait peut-être qu'on le rencontre, dans ce cas.

À présent, Onno regardait lui aussi son nouvel ami avec la plus grande perplexité.

— Mon père passera certainement. Il veut savoir ce que je vais faire de son vieux bistrot fétiche.

— Vous ne faites pas grand-chose, à part des croquis.

Marlène avala sa salive. Pour ma part, je trouvais que les présentations avaient assez duré.

— Il est midi, papa. Tu as encore quelque chose à régler ici ou tu veux qu'on aille acheter le journal en ville ?

— C'est à ma chef qu'il faut poser la question, dit-il en souriant à Marlène, la figure toujours tachée d'enduit. Si elle me donne quartier libre, on peut aller se balader tous les deux.

Marlène hocha la tête, soulagée.

— Pas de problème. Onno connaît les lieux et Nils et Dorothée parleront boutique. Prenez une longue pause, amusez-vous bien.

Dorothée parvint enfin à quitter Nils des yeux et se tourna vers Heinz.

— Tu comptes sortir comme ça ? Tu es plein d'enduit.

Il s'essuya les mains sur son jean.

— Je ferais mieux de me changer, tu crois ? Ça ne se voit pas trop. Qu'est-ce que tu en penses, Christine ?

— On va passer à l'appartement, répondis-je en le poussant vers la porte. À tout à l'heure, tout le monde.

— J'espère qu'il est clean, ce Nils, chuchota mon père en me laissant passer devant. Il a regardé Dorothée avec un drôle d'air. Compte sur moi pour le garder à l'œil. Il a les pupilles dilatées, non ? Quant à toi, soit tu te laves la jambe, soit tu enfiles un pantalon.

J'hésitai à demander à Nils s'il avait effectivement de la drogue sur lui. En cas de coup dur.

UN AMI, UN BON AMI

Mon père et moi fîmes le tour de la ville en deux heures, montre en main. En allant à la maison de la presse, il remarqua qu'il y avait une Friedrichstraße et une Strandstraße, tout comme à Westerland. Puis il embarqua la marchande de journaux dans une longue discussion sur le plagiat des noms de rues, pour conclure par : « C'est le Sylt du pauvre, ici. »

À cet instant, je sortis du magasin et m'assis sur un banc pour fumer une cigarette. Il me rejoignit un quart d'heure plus tard, prit place à côté de moi et expliqua que la vendeuse s'appelait Helga et qu'elle lui avait offert un livre sur Norderney. Et, comme elle voulait passer le réveillon du nouvel an à Sylt, il lui avait proposé de lui servir de guide.

— Une très belle femme, ajouta-t-il d'un ton élogieux. Elle n'est pas née à Norderney, elle s'est installée ici plus tard. Dis donc, ça sent la fumée. On se remet en route ?

J'accélérai le pas de peur d'être déclarée *persona non grata* dans toutes les boutiques de l'île. Nous passâmes devant de nombreux magasins, je lui montrai où se trouvaient la poste, la banque et la boulangerie, mais sans le laisser entrer nulle part. Mon père parlait de moins en moins. Puis il se mit à boiter et s'arrêta brusquement.

— J'ai mal à la hanche. Je ne suis pas censé marcher aussi vite.

— Ça te dit, une glace?

Moi, j'avais un point de côté. Heinz retira sa casquette et s'épongea le front.

— Ah oui, une glace à la pistache et à la chantilly.

— Tu veux te promener un peu sur la plage? Après, on ira au Surf Café, face à la mer.

— D'accord. Je n'ai aucun problème pour marcher sur le sable, du moment que tu ne me fais pas galoper.

Nous longeâmes donc la mer en silence, bras dessus bras dessous. Mon père contemplait les vagues, ravi.

— Ils ont raison de se vanter de leur plage, on se croirait à la maison.

J'avais retrouvé ma sérénité. Une fois arrivés au Surf Café, nous nous installâmes au soleil, face à la mer, avec une glace à la pistache et à la chantilly. Mon père trouva le service à sa convenance et remarqua même que la glace était deux euros moins chère que dans son café préféré de Kampen.

— C'est pas mal ici. Vraiment pas mal. Et leur glace est bonne.

Il déplia son journal et se mit à lire. Quant à moi, je regardai la mer et me demandai si Dorothée se rapprocherait du bel hippie. C'était fort probable. Je n'étais pas jalouse, je n'aimais pas particulièrement les blonds aux cheveux longs. Cela dit, il avait de belles fesses.

— Dis-moi, mon enfant...

Je sursautai.

— Oui?

— C'est quand même chouette de passer nos vacances ensemble, non?

Je me tournai vers lui. Il avait de la glace à la pistache sur le nez et un peu de chantilly sur le menton. Il pencha la tête sur le côté et sourit.

— Tu trouves que tu as eu une enfance heureuse?

— Tu as déjà fini ton journal?

— Il n'y a pas grand-chose d'intéressant, et autant en profiter pour discuter un peu. Les gens ne communiquent pas assez, de nos jours.

— Et donc, tu veux qu'on parle de mon enfance ?

— Je voulais juste savoir si tu en gardais de bons souvenirs. Moi, j'ai eu une enfance difficile. Après la guerre, c'était dur, on manquait de tout. Mais vous, vous avez eu de la chance, entre la belle maison, la voiture, les vacances, les gâteaux tous les dimanches…

Je revoyais mon père m'apprendre à nager, m'écrire une lettre dès que j'avais su lire, réparer mon vélo et prendre à partie l'arbitre qui m'avait exclue d'un tournoi de hand-ball à cause d'une faute grossière. Gagnée par l'émotion, je pris la main de mon père dans la mienne et la serrai.

— Oui, papa, j'ai eu une enfance heureuse. Je devrais vous en remercier, je sais que…

— Mais non, tout va bien, répondit-il en chassant une guêpe de sa glace. Ton frère et ta sœur sont du même avis, tu crois ?

— Mon fr… Mais oui, évidemment. Pourquoi ?

— Comme ça, pour savoir, dit-il en reprenant son journal. À Bochum, une femme de quarante ans a poignardé ses parents et a coulé leurs cadavres dans du béton pour les punir de son enfance catastrophique. Mais vous, vous êtes contents, hein ?

Nous bûmes un dernier café sans plus de démonstrations d'affection, puis je lus l'article sur la quadragénaire de Bochum. J'étais en train de me demander comment on faisait pour couler le corps de son père dans du béton lorsque Marlène m'appela.

— Christine, vous êtes où ?

— On mange une glace au Surf Café. Dis-moi, il y a une bétonneuse sur ton chantier ?

— Pardon ? Pourquoi tu me demandes ça ?

— Pour rien, je plaisantais.

Ma blague n'était pas particulièrement drôle, mais rien que la tête de mon père valait le coup d'œil.

— Qu'est-ce qui se passe ?

— Kalli Jürgens a téléphoné à la pension. Il voulait savoir si Heinz était arrivé. Vous pouvez passer le voir, il est chez lui.

— Papa, tu as l'adresse de Kalli ?

— Non.

Je me retins de répondre.

— Il me l'a donnée, intervint Marlène, qui avait entendu. 17, chemin des Pins.

Puis elle m'expliqua le chemin.

— Prenez votre temps. On dînera ensemble ce soir, il y aura de la sole au menu. Amuse-toi bien avec les jeunes.

Elle rit et raccrocha.

Je me tournai vers l'un des jeunes en question.

— Tu as entendu ? Kalli a appelé.

— Je croyais que c'était Marlène.

— Kalli a téléphoné à la pension, papa. Et le coup du béton, c'était pour rire. Je suis désolée.

— On ne plaisante pas avec ces choses-là.

— Je te l'accorde. Tu veux aller voir Kalli ?

— Soit.

Je fis signe à la serveuse et sortis mon porte-monnaie. Mon père ne payait jamais quand il était vexé.

Kalli et mon père s'étaient rencontrés à Hambourg dans les années 1950. Ils avaient tous les deux quitté le nord de l'Allemagne pour tenter la grande aventure, mais celle-ci avait vite tourné court. Enfin, sauf si on considère que trouver un travail sur un chantier naval et dormir au YMCA dans une chambre double est une aventure. Kalli et mon père, eux, étaient allés jusqu'à louer un appartement ensemble.

— On était des pionniers.

Mon père prononçait toujours cette phrase de la même façon : avec panache et en se passant la main dans ce qui lui restait de cheveux.

— Eh oui, on faisait les quatre cents coups.

Cela devait être le seul moment où il regrettait de ne pas fumer : il aurait eu l'air encore plus cool avec une cigarette au bec.

Mais lorsque j'avais treize ans, le mythe de l'aventurier s'effondra. Hanna, la femme de Kalli, nous raconta qu'ils louaient en fait deux anciennes chambres d'enfant chez une veuve. Depuis que sa fille avait quitté la maison, Mme Schlüter se sentait seule : elle hébergeait donc MM. Kalli et Heinz et leur faisait la cuisine, la lessive ainsi que le repassage. L'alcool et les femmes étant interdits chez elle, ils passaient leurs soirées à jouer à la canasta tout en dégustant des cornichons.

Six mois plus tard, mon père partit faire son service militaire et Kalli trouva une place de douanier, mais leur amitié résista au temps et à la distance. Faire les quatre cents coups ensemble, ça crée des liens.

Kalli et Hanna vivaient dans une maison rouge au milieu d'un grand terrain. Mon père passa le portail, s'arrêta et examina le jardin de devant.

— Pas d'hortensias et très peu de rosiers. En revanche, les argousiers, ça ne manque pas.

— Il y a des rosiers là-bas, répondis-je en désignant la façade avant de la maison. Quel beau jardin.

— Oui, oh, je ne sais pas… En tout cas, nous, on a plus de rosiers. Kalli n'a jamais eu la main verte.

Je sonnai tout en imaginant un jeune Kalli en train de rempoter les violettes de Mme Schlüter.

— Je me permets de te rappeler qu'à la maison c'est maman qui jardine.

— Elle ne tond jamais la pelouse.

Kalli ouvrit la porte.

— Heinz.

Il tendit la main. Mon père la saisit.

— Kalli.

Kalli posa son autre main sur l'épaule de mon père.

— Ça alors, Heinz.

— Kalli. On s'est vus quand pour la dernière fois?

Ils continuaient à se serrer la main sans montrer le moindre signe de fatigue.

— Ah, Heinz. Après toutes ces années. Ça alors.

— Je sais, Kalli.

Des hommes, des vrais. Des durs à cuire. Mais comme j'étais la fille de Heinz, Kalli me prit dans ses bras.

— Mon Dieu, comme tu as grandi, Christine. Je te vois encore faire ton rototo et régurgiter sur le seul costume que j'avais, une demi-heure avant d'entrer dans l'église. C'était à la confirmation de Volker, il me semble. C'est ça, Heinz? Tu m'avais prêté ta veste, du coup. Qu'est-ce que tu étais mignonne, Christine.

— Ton fils et moi sommes nés la même année. À quatorze ans, je ne faisais plus de rototo, Kalli.

— Ah bon? C'était peut-être à son baptême, alors. Comme le temps passe… Entrez, je vais préparer du café.

Nous le suivîmes dans le salon. Kalli ramassa les journaux, les papiers, le courrier, la couverture, le casque de vélo et le nécessaire à chaussures qui encombraient le canapé et le fauteuil.

— Asseyez-vous, je reviens.

— Il est complètement perdu sans Hanna, ça saute aux yeux, chuchota Heinz. Il me semble que c'est mieux rangé, d'habitude.

Il prit un magazine et commença à le feuilleter tandis que je regardais autour de moi. Le salon était aménagé comme celui de mes parents. À droite, un canapé et deux fauteuils. Devant, une table basse minuscule. À gauche, l'énorme armoire avec meuble télé intégré et minibar. Et enfin, la table avec quatre chaises et le buffet. Les traditionnelles photos de famille étaient accrochées au mur. Au milieu, toute la famille trente ans auparavant : Hanna au centre, Kalli derrière elle, Volker, en pleine puberté, à droite, et Katharina, âgée d'une dizaine d'années, à gauche. Nous avions offert la même photo à mes grands-parents pour leurs noces d'or. À côté, je reconnus Katharina en robe de mariée et Volker en uniforme de la marine, puis plusieurs portraits d'enfant, vraisemblablement la fille de Katharina. Alors que j'essayais de me souvenir quand Kalli et mon père s'étaient vus pour la dernière fois, mon père fronça les sourcils et reposa le magazine sur le tas de papiers.

— Que des recettes de cuisine.

— C'était quand, la dernière fois que vous vous êtes vus ?

— Il n'y a pas si longtemps. Hanna et Kalli passaient leurs vacances au Danemark et sont venus à Sylt en ferry. On venait de paver l'allée.

— Ça fait dix ans, papa.

— Tant que ça ? Je n'aurais pas cru. L'allée est impeccable, les dalles n'ont pas bougé d'un millimètre. On est tombés sur de bons ouvriers.

Kalli revint avec un plateau sur lequel trônaient trois tasses sans soucoupes, un paquet de biscuits entamé et une cafetière dont le contenu était étrangement clair. Il versa le café. Intrigués, nous regardâmes les grains de café se déposer au fond de la tasse. Kalli pencha la tête sur le côté.

— Bizarre. C'est quoi, cette poudre ?

— Tu as pensé à mettre un filtre dans la cafetière ? demanda mon père en remuant délicatement.

Kalli regarda le breuvage de plus près.

— Je ne suis pas stupide, bien sûr que j'ai utilisé un filtre. Ce n'est pas la première fois que je prépare du café.

— Peut-être que le filtre a cédé.

Kalli mélangea le contenu de la cafetière et regarda les grains tourbillonner.

— Qu'est-ce qu'on fait, maintenant?

— On réessaie? proposai-je à la vue du liquide jaune-marron.

Sans hésiter une seule seconde, mon père reversa le contenu de sa tasse dans la cafetière.

— À moins que tu n'aies de la bière?

— Oui. Trop de café, c'est mauvais pour la santé, après tout. J'ai souvent des brûlures d'estomac, en ce moment. Tu préfères peut-être un jus de fruit, Christine?

— Un jus de fruit?

Manifestement, Kalli ne se rendait pas bien compte que j'avais grandi.

— Sinon, j'ai de la liqueur.

En fait, ce n'était pas une question d'âge. La bière, c'était pour les hommes.

— Non merci, Kalli. Juste un verre d'eau.

— Je descends à la cave, je reviens dans deux minutes.

Mon père le suivit du regard et se pencha vers moi.

— Il est complètement débordé sans sa femme. S'il ne sait même pas préparer du café, comment il se débrouille pour le reste? Je ne peux pas rester là les bras croisés, je vais m'occuper un peu de lui. Après tout, ça sert à ça, les amis.

Je ne pus lui demander de préciser sa pensée, car Kalli était déjà de retour. Il ouvrit les bières et apporta des verres. Puis il leva le sien.

— Bienvenue sur mon île.

Mon père et lui burent une gorgée. Puis Kalli me regarda, perplexe.

— Tu ne bois rien ? Ah, j'oubliais, tu voulais de l'eau. Dis, Heinz, ça t'arrive d'être distrait, parfois ?

— Non, grâce aux visites guidées, j'ai une excellente mémoire. Je fais aussi des sudokus. Il faut que tu entraînes tes neurones, c'est un remède efficace contre la sénilité.

— Je fais aussi des visites guidées et…

— Mais Sylt et Norderney, ça n'a rien à voir, c'est beaucoup plus petit. Tu n'as pas grand-chose à retenir.

— Heinz, je t'en prie. Demain, je t'emmène faire le tour de l'île, je te garantis que tu seras épaté.

J'avais la gorge sèche. Je toussotai et Kalli se tourna vers moi.

— C'est très gentil de ta part de partir en vacances avec ton père. Katharina, ça ne lui viendrait même pas à l'idée. Elle a déjà passé un week-end avec Hanna en thalassothérapie, quelque part dans l'Est. Un truc avec des saunas, des enrobages, je ne sais quoi… Mais elle n'a même pas proposé à son pauvre père de les accompagner. J'ai signé le chèque, et c'est tout.

— Pourquoi elles n'en ont pas profité pour faire une cure ? demanda mon père, étonné.

J'avalai ce qui me restait de salive et lorgnai sur sa bière. Il la prit et me réprimanda du regard.

— Quel genre de cure ?

— J'en ai entendu parler quelque part… Des cures mère-enfant, ça doit bien se trouver dans l'Est aussi.

— C'est réservé aux mères accompagnées d'enfants en bas âge, répondit Kalli en secouant la tête. Katharina a trente-cinq ans, tout de même.

— Et alors ? Elle reste votre enfant. Tu as déjà pensé à faire ça avec ta mère, Christine ? C'est sûrement remboursé par les assurances santé.

89

Je m'humectai les lèvres.

— Je peux avoir mon verre d'eau, Kalli?

— Bien sûr, dit-il en souriant avant de se tourner à nouveau vers mon père. Tu crois vraiment qu'on devrait essayer, Heinz? Hanna n'a jamais fait de vraie cure et Katharina non plus. Il faut dire qu'elles n'ont aucun souci de santé. À une époque, je trouvais Katharina un peu trop mince, mais si tu la voyais maintenant...

Je pris congé une heure et deux albums photos plus tard. Kalli proposa à mon père une balade à vélo. Il voulait lui montrer un peu l'île puis voir notre appartement.

Quelques mètres plus loin, j'aperçus un vendeur de boissons. Je m'achetai une bouteille d'eau et la vidai d'un trait. Mon père était peut-être en train de transmettre la passion des sudokus à son vieil ami, puisque c'était si bon pour la mémoire.

Dans le jardin, Marlène et Dorothée examinaient des croquis posés sur la table. En m'entendant arriver, Dorothée leva la tête.

— Tu l'as semé?

— Il a une nouvelle lubie: sauver Kalli de la solitude et de la malnutrition, répondis-je m'installant dans une guérite. Et vous, quoi de neuf? Dorothée?

— Qu'est-ce que tu sous-entends?

— Arrête, j'ai bien vu comment tu lui reluquais les fesses. D'ailleurs, Heinz a décrété qu'il était dangereux. Il repère les drogués, les alcooliques et les criminels à des kilomètres, donc fais attention.

— Vous parlez de Nils? intervint Marlène en fronçant les sourcils. Alors, comme ça, tu reluques ses fesses? Et c'est quoi, cette histoire de drogue?

— Je trouve Nils super mignon. Ne prends pas cet air choqué, Marlène, je suis célibataire, c'est l'été, j'ai encore le droit de me rincer l'œil. Mais je ne vois pas non plus le rapport avec la drogue.

— Mon père s'est toujours méfié des hommes aux cheveux longs, qui plus est attachés en queue de cheval. C'est louche. Onno était sceptique, lui aussi.

Dorothée rassembla ses croquis.

— En tout cas, demain, je vais acheter de la peinture à Emden avec Nils, et je compte sur Heinz pour se souvenir que je ne suis *pas* sa fille. Il n'a pas intérêt à me priver de sortie.

Je préférai ne pas jouer les oiseaux de mauvais augure. Pourquoi l'inquiéter ?

Deux heures plus tard, nous étions dans la cuisine en train de préparer le dîner, et je pleurais en épluchant les oignons. Soudain, nous entendîmes un objet métallique chuter dans l'allée, du verre se briser et un homme vociférer. Je fis un bond tel que mon couteau glissa. Aveuglée de larmes et mon pouce blessé dans la bouche, je me précipitai dans la cour, Marlène et Dorothée sur les talons.

— Papa ! Tu t'es fait mal ?

Sa bicyclette était enfouie sous un container à ordures. Kalli, quant à lui, posa son vélo contre la clôture et nous regarda, tout penaud.

— Heinz a foncé tout droit sur la benne.

Mon père se releva et épousseta son pantalon.

— Forcément, ce vélo n'a pas de freins ! Seulement cinq vitesses, pas de suspension et, pour couronner le tout, des plaquettes de freins complètement usées. Tiens, Kalli, je te rends ta machine infernale.

Quand son regard se posa sur moi, il recula, surpris.

— Qu'est-ce que tu as à pleurnicher comme ça ? Et depuis quand tu suces à nouveau ton pouce ? Quant à toi, Marlène, ta poubelle est vraiment mal placée, on ne l'aperçoit qu'au dernier moment.

Marlène et Dorothée remirent le container en question à sa place initiale.

— Mais pourquoi vous déboulez à toute berzingue dans la cour, aussi ? La poubelle se trouve à cet endroit depuis des années, tu es le premier à foncer dedans.

— Bon, on meurt de faim. Le dîner est bientôt prêt ?

— Oui, mais ramasse d'abord les ordures.

Marlène poussa un balai dans les mains de mon père et retourna en cuisine. Mon père tendit le balai à Kalli et la suivit. Je continuai à sucer mon pouce en regardant Kalli nettoyer, puis rattrapai mon père.

— Kalli a commencé à balayer.

— C'est bien la moindre des choses. Le vélo lui appartient, après tout. J'ai failli mourir, moi.

— Papa !

— Heinz…

— Tout à fait. Mais je peux toujours lui apporter une pelle, ça lui évitera de se salir. Christine, tu veux bien arrêter de sucer ton pouce, à la fin ? Que va penser Kalli ?

Après avoir mis un pansement autour de mon doigt et dressé la table, j'appelai mon père et son ami pour le dîner. Ils entrèrent ensemble dans les toilettes, en ressortirent coiffés et les mains propres et prirent place à table, la mine réjouie.

— Le vélo, ça creuse.

Mon père s'empara du plat de salade de pommes de terre et remplit son assiette.

— Garde un peu de place pour la sole, Heinz.

— Ah oui.

Avec la cuillère qu'il tenait, il poussa la moitié du contenu de son assiette sur celle de son ami.

— Voilà. Maintenant, il y a de la place.

— Merci beaucoup.

Kalli sourit et se tourna vers Marlène, un peu gêné.

— Je me suis plus ou moins invité, mais Heinz m'a dit que vous n'y verriez aucune objection. J'espère que c'est vrai.

— Bien sûr, répondit Marlène en lui servant du poisson. Je prévois toujours trop, de toute façon. Bon appétit.

— Tu vois, Kalli, intervint Heinz en tendant son assiette à Marlène. À partir de ce soir, tu mangeras toujours avec nous. Plus qu'une semaine à tenir avant le retour de Hanna. Si ça se trouve, tu réussiras à me convaincre que Norderney soutient la comparaison avec Sylt.

— Pourquoi ce ne serait pas le cas ? demanda Dorothée en prenant le plat de poisson des mains de Marlène.

— Kalli a tendance à se vanter. Il n'est pas peu fier des trois cent vingt chambres d'hôtel de Norderney. À Sylt, on en a le double.

— Mais c'est beaucoup plus étendu, Sylt.

— Rien à voir, décréta mon père en mâchant avec application. Demain, on visitera le phare.

— Le point culminant de l'île. Cinquante-quatre mètres soixante. On a une superbe vue sur la mer de là-haut.

— Pfff !

Ce que je redoutais était en train d'arriver.

— Celui de Kampen culmine à soixante-deux mètres. Voilà ce que j'appelle un phare, et…

— Mais le nôtre est le plus ancien de la côte, l'interrompit Marlène. Il a été construit en 1874.

— Et celui de Kampen, en 1856, répliqua mon père avec un petit sourire. Encore une fois, le point est pour moi.

Il retira les arêtes de sa sole et se resservit des pommes de terre. Il avait l'air de se porter comme un charme.

À cet instant, je me pris à croire à des vacances détendues. J'allais un peu vite en besogne, parfois.

BEL ÉTRANGER

— Christine! Christine!

Je faillis tomber de mon lit. Mon père se tenait devant moi, encore en pyjama. Il était 7 heures du matin.

— Qu'est-ce qui se passe? Tu veux que j'aie une attaque ou quoi?

— Elle est partie.

Je me redressai lentement et me frottai les yeux.

— Qui ça?

— À ton avis? Dorothée. Elle s'est évanouie dans la nature. Elle a disparu.

Je me rallongeai et fermai les yeux.

— Elle est partie à Emden acheter de la peinture.

— Pourquoi donc?

— Parce qu'il faut bien qu'elle repeigne le bistrot avec quelque chose.

— Elle connaît Emden?

— Nils l'accompagne.

— Vous l'avez laissée entre les mains de ce terroriste aux cheveux longs dans une ville qu'elle ne connaît pas? Mais vous n'avez pas une once de jugeote!

Il s'affala sur le lit et enfouit son visage dans ses mains. Je me redressai de nouveau, cette fois en soupirant.

— Ne monte pas sur tes grands chevaux, papa. Nils n'a rien d'un terroriste, c'est un architecte d'intérieur.

Quant à Dorothée, elle a quarante-deux ans et ce n'est pas ta fille.

— Et alors, je sais l'âge qu'elle a. À soixante-treize ans, il m'arrive encore de me tromper sur les gens.

— C'est nouveau, ça. Je croyais que tu avais toujours raison.

— Baisse d'un ton, je suis ton père, que je sache.

Il se leva et sortit. Après avoir compté jusqu'à douze, je le suivis. Il était assis sur son lit, les yeux rivés sur l'armoire.

— Qu'est-ce qui t'arrive ?

Silence.

— Papa, je t'en prie !

— Ta mère est à l'hôpital, vous prenez des risques et je me sens impuissant !

Cette phrase avait beau défier toute logique, elle parvint à me faire regretter ce que j'avais dit. Je m'assis à côté de lui.

— De nos jours, se faire poser une prothèse de genou, c'est une opération on ne peut plus banale. Quand j'ai téléphoné à maman avant-hier, elle était parfaitement calme et détendue. On la rappellera tout à l'heure, d'accord ?

— Ta mère est toujours détendue, c'est bien ça, le problème. Si je n'étais pas là pour m'inquiéter, personne ne se rendrait compte de la gravité de la situation. Mais je ne peux pas non plus être responsable de tout. Et ce soir, quand on retrouvera le cadavre de Dorothée dans la mer du Nord, vous n'aurez pas intérêt à dire que je ne vous avais pas prévenus.

— Tout va bien, papa, répondis-je en me levant. Va dans la salle de bains et habille-toi, qu'on puisse descendre prendre le petit déjeuner. Ensuite, tu donneras un coup de main à Onno et tu verras Kalli. En plus, il fait un temps magnifique.

Il tourna la tête vers moi.

— Pourquoi tu dors encore avec des vieux T-shirts?
Ta mère s'est acheté de très jolies chemises de nuit. Elle
arrivera encore à les enfiler, avec un peu de chance.

— Papa!

Il était d'humeur Rantanplan, aujourd'hui. Pas de
Terence Hill en vue. J'allais devoir m'accrocher.

Marlène nous apporta du café et s'installa à notre
table.

— Alors, Heinz? Toujours motivé pour m'aider?

— Je n'ai jamais failli à mes obligations de toute
ma vie.

— Onno vient de m'appeler. Horst, son apprenti,
a la grippe. Il voulait savoir si tu pouvais lui donner un
coup de main.

— Il faut d'abord que je prenne mon petit déjeuner.

Marlène m'interrogea du regard. Je lui fis signe de
me suivre dans la cuisine.

— Ma mère se fait hospitaliser aujourd'hui et
opérer demain matin. Il se fait du souci, c'est pour ça
qu'il est de mauvais poil. Et il le restera jusqu'à demain
matin, donc on va devoir le distraire un peu.

— Il y a de quoi faire. Onno a vraiment besoin
d'aide et, en plus, des nouveaux clients arrivent
aujourd'hui: un couple et leurs deux enfants, ainsi
qu'un homme seul. Heinz pourrait aller chercher la
famille à l'embarcadère, tout à l'heure.

— Très bien, tu lui en parleras. Il a besoin de se
sentir investi d'une mission.

Une heure plus tard, je vidai le lave-vaisselle pour
la première fois de la matinée. Mon père s'était traîné
jusqu'au bar, l'air de souffrir le martyre. Il n'avait même
pas mangé d'œuf. Le fait qu'il se soit contenté d'une

tartine de Nutella en disait long sur son désespoir. Je décidai d'appeler ma sœur plus tard dans la matinée. Ines devait conduire ma mère à l'hôpital, mais je ne savais plus à quelle heure exactement. Deux couples se trouvaient encore dans la salle à manger, sans oublier bien sûr Mmes Weidemann-Zapek et Klüppersberg. D'ailleurs, dès qu'elles m'aperçurent, elles me firent de grands signes.

— Bonjour, chère Christine. Pourriez-vous nous resservir un peu de thé, s'il vous plaît? Et où se cache donc monsieur votre père?

Je me forçai à sourire et haussai les épaules.

— Je ne sais pas du tout, mais il ne va sûrement pas tarder.

Je voulais tester les limites de leur patience. Pour l'instant, elles avaient assez à manger et lui, il avait la paix.

Je me retournai et aperçus Gesa dans l'embrasure de la porte, les bras chargés de linge.

— Christine, le nouveau client est arrivé. Tu peux aller à la réception? Marlène est au bistrot.

— Tout de suite.

Je saluai les groupies de papa d'un signe de tête et courus vers la réception. Il n'était même pas 9 heures. Pourquoi le nouveau client avait-il pris un ferry de si bon matin? Sûrement un vieux sénile qui se réveillait trop tôt et qu'on pourrait refiler au trio Onno-Kalli-Papa ou aux deux boute-en-train qui se trouvaient dans la salle à manger.

Je me cognai la hanche contre la porte et faillis pousser un juron, mais je me retins à la vue du nouvel arrivant. Je me maudis d'avoir mis mon vieux T-shirt rayé rose et noir et de ne pas m'être maquillée correctement tout en priant pour que mon père ne débarque pas pile à ce moment-là. Un canon. J'avais enfin trouvé mon idéal masculin. Il y avait du vrai dans cette histoire de coup de foudre. Je le contournai, les jambes en coton, et levai les yeux vers lui une fois derrière le comptoir de la réception. Malheureusement, je n'avais plus de voix. Et plus de cerveau. Je me sentais complètement idiote. À son tour, il posa son regard noisette sur moi.

— Bonjour. J'ai réservé une chambre au nom de Johann Thiess, me dit-il d'une voix douce et grave.

— Oui, il est tôt.

Le son que j'émis ressemblait à un croassement. Je m'éclaircis la voix tout en essayant désespérément de mettre la main sur le registre de l'hôtel.

— Hum… Salut, enfin, je veux dire, bienvenue. Alors, la clé…

Je m'accroupis derrière le comptoir en faisant mine de chercher la clé et en profitai pour lever les bras au ciel, pensant que cela m'aiderait.

Johann se pencha et regarda mon petit manège avec le plus grand intérêt. Je me redressai lentement, essayai de garder un semblant de dignité et fermai les yeux un court instant. Je venais de me ridiculiser devant ce type génial qui devait se demander comment on pouvait laisser une employée aussi étourdie gérer une pension de famille aussi coquette. Sans oublier le T-shirt rayé rose et noir avec un short rouge. Et le stylo-bille n'était pas parti. Soudain, le miracle eut lieu: il me tendit la main. Mais avant que j'aie eu le temps de lui donner la mienne, aux anges – tout juste si je n'entendais pas l'orchestre symphonique –, il réclama la clé.

— J'ai conduit toute la nuit, je suis épuisé.

Heureusement, Marlène vint à ma rescousse.

— Bonjour. Vous êtes bien monsieur Thiess? Vous avez la chambre numéro neuf, au premier étage, avec vue sur la mer. Voici votre clé. Je vous souhaite un très bon séjour.

Il sourit, prit sa valise et se dirigea vers l'escalier. Marlène me donna un coup de coude.

— Qu'est-ce qui t'arrive ? Tu as l'air toute chamboulée.

— Je viens de me conduire comme une demeurée, Marlène.

— Tu peux le dire. Qu'est-ce qui s'est passé ?

— Aucune idée. Le coup de foudre, peut-être.

— Tu couves quelque chose ? demanda Marlène en me posant sa main sur le front.

— Il m'a surprise en train de lever les bras au ciel.

Marlène comprenait de moins en moins.

— Écoute, tu as peut-être un coup de fatigue, entre le réveil matinal, Heinz et le genou de ta mère, mais ce n'est pas une raison pour te mettre dans tous tes états. Tu sais quoi ? Tu vas prendre mon vélo, aller jusqu'à la Dune blanche et piquer une tête. Je m'occupe du reste. À tout à l'heure.

Alors que je me trouvais devant le garage à vélos, perdue dans mes pensées, mon père sortit du bistrot. Il m'aperçut, me fit un signe de la main, s'approcha de moi et me lança un regard inquisiteur.

— Alors ?

— Alors ?

— Qu'est-ce que tu fais là ?

— Je voulais emprunter le vélo de Marlène et aller à la plage.

— Pour te baigner ?

— Oui.

— Je peux venir ?

— Il y a quelqu'un pour aider Onno ?

— Kalli vient d'arriver.

— Tu as un vélo ?

— Kalli m'a prêté sa nouvelle bicyclette. Hier, j'avais pris l'ancienne.

— D'accord.

— Alors allons-y.

N'OUBLIE PAS TON MAILLOT DE BAIN

Dix minutes plus tard, nous prîmes la direction de la plage de l'Est et passâmes devant les centres de cure thermale. Nous regardions l'horizon en silence. Je pensais tour à tour au désastre de la réception et à ma mère.

Au bout d'une demi-heure, nous arrivâmes à la Dune blanche par l'ouest. Nous posâmes nos vélos l'un à côté de l'autre et les attachâmes avec un antivol. Au sommet de la dune, alors que nous voyions déjà la mer, la même pensée nous traversa l'esprit. Mon père se tourna vers moi.

— Tu as pensé à prendre mon maillot de bain ?

— Non. Et toi, tu n'as pas le mien, par hasard ?

— Eh oui, on est à Norderney, soupira mon père en secouant la tête. Tout le monde se baigne habillé, ici. Ce que les gens peuvent être coincés. Bon, qu'est-ce qu'on fait ?

— Soit on va à la plage naturiste qui est à deux kilomètres, soit on reste ici et on prend le risque de se faire arrêter pour attentat à la pudeur.

— Je te demande pardon ? Je suis plutôt bien conservé. Je connais même deux clientes de la pension qui aimeraient bien me voir dans le plus simple appareil, ajouta-t-il en gloussant, avant de se mettre la main devant la bouche. J'espère n'avoir rien dit de sexiste.

Lorsqu'il prononça le mot « pension », je revis les yeux noisette et mon cœur se mit à battre à tout rompre. Mais, de toute façon, Johann Thiess était soit déjà marié, soit homosexuel. Des hommes comme lui ne restaient jamais seuls bien longtemps. Mon père m'entendit pousser un gros soupir et me prit le bras.

— Toi aussi, tu t'inquiètes pour ta mère. Je plaisantais quand je parlais des deux clientes, je ne ferai jamais une chose pareille, enfin, je veux dire, je ne me montrerai jamais nu devant elles. Jamais, je te le jure. Tu peux en être sûre.

Je préférai ne pas dissiper ce malentendu.

— Je sais, papa. L'opération se passera bien. On téléphonera à maman tout à l'heure. En attendant, quittons cette plage de coincés et allons nous baigner ailleurs.

La plage naturiste était au moins aussi belle que l'autre, et surtout moins fréquentée. Mon père mit tout au plus trois minutes pour se déshabiller, puis courut vers l'eau comme un enfant et plongea la tête la première. Envolé, le mal de hanche. Il se tourna vers moi avec un grand sourire, tout en faisant la planche.

— Elle est bonne! cria-t-il pour couvrir le bruit des vagues. Aussi bonne qu'à la maison.

Il avait retrouvé son regard à la Terence Hill.

Nous nous enroulâmes dans nos serviettes et marchâmes le long de la mer, face au soleil. De temps à autre, mon père se penchait pour ramasser un coquillage, qu'il rejetait ensuite à la mer. À un moment, il s'arrêta et me tendit un coquillage rose.

— Qu'est-ce que c'est joli, cette nacre. Je le garde, celui-là, je le donnerai peut-être à ta mère. On rentre?

Le soleil dans le dos, nous revînmes sur nos pas. Quand j'étais petite, je passais quasiment tous mes étés sur la plage de Sylt. Entre le sel collé sur la peau, le bruit des vagues, les pieds dans l'eau, la présence de mon père et le début d'un coup de soleil, je me sentais trente-cinq ans plus jeune.

— Et si on organisait un tournoi de beach-volley ou de foot, demain? On apporterait une glacière, un parasol, un pique-nique, quelques journaux et de la crème solaire. On passerait la journée ici, comme dans le temps. Kalli, Dorothée et Gesa pourraient nous accompagner.

De son côté, mon père semblait avoir retrouvé ses trente ans.

— Oui, le foot, c'est une bonne idée, ajouta-t-il, de plus en plus enthousiaste. Deux contre deux, Gesa fera l'arbitre.

— Et, le soir, plus personne n'aura la force de monter les escaliers.

— Dorothée et toi, vous n'êtes pas très sportives, hein? Mais ce n'est pas grave si je ne joue pas dans la même équipe que Kalli. Toi et moi contre Kalli et Dorothée, sinon vous n'aurez aucune chance. Ce serait bien. Je demanderai à Kalli où on peut trouver de bons ballons. Mais est-ce qu'on aura le temps de…?

Nous cherchions nos affaires depuis déjà un bon bout de temps. Mon père prétendait avoir bien repéré le lieu où nous nous étions déshabillés et il était persuadé que, moi, je n'y avais pas prêté attention. Mais à l'endroit en question, aucune trace de nos vêtements.

— Incroyable! On nous a piqué nos affaires! s'écria-t-il en regardant fixement le sable et en secouant la tête, hébété. Ce n'est pas possible. Mon bermuda préféré. À Sylt, personne n'oserait faire une chose pareille. Qu'est-ce qu'on fait maintenant? Je ne peux pas monter sur mon vélo en serviette, sans rien en dessous.

Je me mordis la lèvre inférieure, mais la perspective de longer tous les deux les centres de cure thermale guillerets et simplement vêtus d'une serviette qui flottait au vent ne me fit pas rire longtemps.

— Je ne pense pas qu'on nous ait volé nos vêtements.

— Ah oui ? rétorqua impatiemment mon père. Je les ai enfouis dans le sable, peut-être ?

— Mais non, papa. On a dû passer devant sans les voir.

— N'importe quoi ! J'aurais reconnu mon bermuda rouge, quand même, mon bermuda préféré !

— Oui, sauf que tu ne le portais pas ce matin. Tu es venu en jean.

Je retournai sur mes pas tout en continuant à fouiller la plage du regard, mon père sur les talons.

— Il fait chaud, donc j'avais forcément un bermuda. Crois-moi, on nous a tout volé.

J'étais à présent certaine de suivre la bonne piste, et nous finîmes par trouver nos affaires deux cents mètres plus loin.

— Tiens, ton jean.

— Il tire sur le rouge, quand même.

Il s'agissait d'un jean bleu tout à fait normal. Gêné, mon père enfila son slip, puis son jean.

— Et j'ai retroussé les jambes pour en faire un short.

— Tu as raison. Maman a dû le laver avec des chaussettes écarlates, il a des reflets rouges au soleil.

— Ah, tu vois, répondit-il en hochant la tête, satisfait. En revanche, que tu n'aies pas repéré l'endroit où on s'est déshabillés, voilà qui est un peu imprudent de ta part. Tu devrais faire un peu plus attention à tes affaires. On va s'acheter quelque chose à boire ?

— Tu as de l'argent sur toi ?

— Bien sûr, j'ai cinquante euros dans ma poche.

— Papa… Et tu les laisses traîner là sans surveillance ?

— Oui, on ne risque rien ici. Qui pourrait bien voler de l'argent sur une plage ? Allez, viens, je meurs de soif.

Après nous être acheté deux bouteilles d'eau, nous nous installâmes sur un banc, face au soleil. Mes pensées se tournèrent de nouveau vers Johann Thiess. Cette baignade m'avait vraiment remis les idées en place. Il ne me considérait sûrement pas comme la femme la plus belle et la plus intelligente qui soit, mais il venait d'arriver, après tout. Désormais, je n'avais plus droit à l'erreur. Il devait au moins me trouver pas trop désagréable à regarder, un peu comme un coquillage nacré... J'ouvris les yeux et me levai brusquement.

— Je crois que j'ai un début d'insolation.

— Oui, ça va vite. Tu devrais mettre une casquette, comme moi. Ça garde le cerveau au frais.

Il se tourna vers la mer.

— Ça y est, ta mère doit être arrivée à la clinique. J'espère qu'elle a une belle chambre et qu'elle ne la partage pas avec quelqu'un qui ronfle.

— Les chambres ne sont pas mixtes.

— Je sais bien, mais elle aussi, elle ronfle.

— Ah bon?

— Oui, c'est d'elle que tu tiens ça.

— Moi? N'importe quoi, je n'ai jamais ronflé de ma vie.

— Si. Quand j'ai voulu te réveiller hier matin, tu faisais un sacré boucan. Mais heureusement, personne d'autre ne t'a entendue. Moi, je suis ton père, je m'en fiche.

Mieux valait tirer un trait sur Johann Thiess. C'était bien trop risqué.

Il était presque 14 heures lorsque nous revînmes tranquillement à la pension. Mon père avait encore voulu manger une glace, acheter son journal et faire un petit tour à vélo.

— C'est juste pour m'habituer à la bicyclette de Kalli.

— Il utilise laquelle, du coup ?

— Celle de Hanna. Pour ma part, hors de question que je roule avec un vélo de femme, sinon tout le monde va croire que je suis trop vieux pour passer la jambe par-dessus le cadre.

— Marlène a un garage rempli de vélos.

— Oui, j'ai vu, mais ils ne sont pas terribles. Celui-là, au moins, il est plus ou moins entretenu et relativement récent.

Nous garâmes les bicyclettes près de la porte de derrière et retirâmes nos serviettes des porte-bagages. Mon père me tendit la sienne.

— Tiens, je ne sais pas où ça se met.

— À la machine à laver, peut-être ?

— Donc tu peux prendre la mienne, si tu descends à la buanderie. Je dois d'abord passer au bistrot voir ce que font les jeunes.

Il me laissa plantée là et disparut. Il avait retroussé les jambes de son jean chacune à une hauteur différente et il était complètement débraillé. Seule la casquette était bien en place. Il avait donc le cerveau au frais.

— Salut. Alors, cette baignade ? me demanda Gesa.

— C'était bien. On est allés à la plage naturiste.

Gesa laissa échapper un sifflement élogieux.

— Heinz pratique le naturisme ? Il fait ça par conviction ?

— Non, il ne supporte pas d'avoir un maillot de bain mouillé sur la peau et, de toute façon, il avait oublié d'en prendre un. Moi aussi, d'ailleurs. À Sylt, presque tout le monde se baigne sans rien.

— Si Mmes Weidemann-Zapek et Klüppersberg savaient ça... Elles l'ont attendu jusqu'à 10 h 30. Heureusement, je leur ai expliqué que je devais passer l'aspirateur dans la salle à manger, sinon elles y seraient encore.

— Elles ont du mal à lâcher le morceau. Enfin, Heinz ne peut s'en prendre qu'à lui-même. Dorothée est rentrée?

— Aucune idée, répondit Gesa en haussant les épaules. Je ne l'ai pas vue de la matinée. Maintenant, je vais profiter de mon après-midi libre pour aller à la plage. À part le lave-vaisselle à vider, il n'y a plus rien à faire.

— C'est la meilleure nouvelle de la journée. Merci, Gesa.

Elle rit, mit son sac en bandoulière et enfourcha son VTT.

Et tu es apparu

J'entendis une fenêtre se fermer au premier étage et levai la tête. S'agissait-il de la chambre de Johann Thiess? Guettait-il son âme sœur? Je me repris et décidai de me doucher puis d'aller m'acheter une casquette.

Alors que je m'appliquais de la crème hydratante, je me rendis compte que cette matinée s'était soldée par un coup de soleil. De plus, je ne pouvais pas atteindre l'endroit en question, situé entre les omoplates. D'où mon soulagement lorsque j'entendis la clé tourner dans la serrure.

— Tu peux venir, papa? J'ai attrapé un coup de soleil dans le dos.

Dorothée déboula dans la salle de bains.

— Et tu crois que Heinz aura la solution? Il faut te protéger, très chère. À ton âge, le moindre coup de soleil se paie au prix fort.

— D'abord, tu n'as que quatre ans de moins que moi, et en plus ta peau est beaucoup plus sensible, répondis-je en lui tendant le lait après-soleil. Moralité: arrête un peu de te vanter et tartine-moi le dos. Pas si fort, ça brûle vraiment.

Dorothée ne lésina pas sur la crème. Une fois qu'elle eut terminé, je regardai le résultat dans le miroir. Je ressemblais à une écrevisse. Et je n'avais apporté qu'une seule robe, aussi rouge que moi, avec un grand décolleté dans le dos. Je pouvais la laisser dans l'armoire pour l'instant.

Je m'installai sur le bord de la baignoire, à côté de Dorothée qui affichait une mine radieuse.

— Ah! là, là, Christine, j'ai vraiment passé une super journée. Emden est une ville charmante. On est allés à la galerie d'art, sur le port, on a mangé et on a un peu flirté.

— Je croyais que vous vouliez… Vous avez quoi?

— Christine, ce mec est génial et, en plus, il vit à Oldenbourg. On met combien de temps pour faire Hambourg-Oldenbourg?

— Deux heures, il me semble. Mais tu ne voulais pas qu'un amour de vacances? En tout cas, tu ne perds pas de temps. C'était bien?

— Comment ça, « bien »? Nils est sensationnel! Je crois que je m'apprête à vivre le plus bel été de ma vie.

Je me levai et allai dans la chambre de Dorothée, car j'avais rangé mes vêtements dans son armoire. Elle me suivit en esquissant quelques pas de danse et s'affala sur le lit. Tandis qu'elle ne tarissait pas d'éloges sur Nils, architecte d'intérieur à son compte, fossettes, surfeur, célibataire depuis un an, yeux bleus, fervent lecteur de Boyle et de Murakami, né sous le signe de la Vierge, drôle, etc., je fouillai dans mes affaires avec un désespoir grandissant. Je n'avais apporté que des vêtements pratiques: des jeans, des pulls, des jeans, des T-shirts, des jeans, un cardigan. Et la robe rouge. Je gémis, ce qui interrompit Dorothée en plein concert de louanges.

— Qu'est-ce que tu cherches, au juste?

— Quelque chose de joli à me mettre. J'étais tellement perturbée par la venue de mon père que je n'ai pris que des vieilles fringues.

Dorothée me regarda avec de grands yeux et attendit que je daigne éclairer sa lanterne.

— Un nouveau client est arrivé ce matin. Johann Thiess. Il m'a vue à la réception avec mon T-shirt rayé et mon short rouge.

— Et alors?

— Dorothée, Johann Thiess est le plus beau mec que j'aie rencontré.

— Oh!…

— Mais tout ne s'est pas passé comme prévu. Enfin, je crois que j'ai eu un comportement assez étrange.

— C'est-à-dire?

— Peu importe, il a dû me prendre pour une hystérique. Je préfère ne pas revenir là-dessus. J'ai tout fait foirer, Dorothée. Je ne m'attendais pas à ce qu'un homme pareil débarque. Mon Dieu, je me suis comportée comme une gamine de quatorze ans.

Je m'affalai au bord du lit. Dorothée me tapota le dos en signe de réconfort, mais je sursautai à cause de mon coup de soleil.

— Ça a peut-être un rapport avec la présence de Heinz. Quand on est avec son père, on a toujours l'impression de retomber en enfance.

— Heinz n'est pas du tout au courant.

Dorothée rit.

— Ça vaut peut-être mieux. Imagine qu'il s'en soit mêlé. Comment il réagissait quand tu lui présentais quelqu'un?

— Normalement, répondis-je après réflexion. Il trouvait Holger trop brutal, Jörg trop mou et Peter trop bête, et, avant que j'épouse Bernd, il m'a conseillé de rédiger un contrat de mariage. Quand on a divorcé, il a sauté de joie et m'a invitée au restaurant. En clair, il s'est toujours montré très solidaire.

Dorothée se leva et se dirigea vers l'armoire.

— Il ne pense pas à mal. Bon, j'ai apporté trois robes sexy qui t'iront aussi. Avec ça, si on ne passe pas le plus bel été de notre vie...

Elle me tendit une robe noire décolleté devant et tout à fait classique derrière.

— Tiens, enfile ça. Avec un peu de chance, Heinz ne comprendra pas que tu es en chasse. Mais je n'y crois pas trop, bizarrement.

Nous nous regardâmes longuement, puis je hochai la tête. Je n'y croyais pas trop non plus.

Une heure plus tard, je lisais le journal, assise dans la guérite, tandis que Dorothée s'était éclipsée pour une sieste. Se lever à 5 heures du matin ne lui convenait vraiment pas. Marlène faisait les courses, Kalli était parti chercher la famille à l'embarcadère et mon père prenait sa douche. Je survolai un article dans la rubrique locale intitulé : « La ruée vers la plage », persuadée qu'il s'agissait d'un pastiche. Aucun être doué de raison ne pouvait écrire ainsi. Je ne pus m'empêcher de m'esclaffer devant cette arrogance et ce don d'user le moindre jeu de mots jusqu'à la corde. L'article était signé GvM. Drôle de bonhomme, pensai-je avant d'entendre des pas derrière moi.

— Rebonjour.

Je sursautai. Avant que j'aie eu le temps de répondre, Johann Thiess apparut devant moi.

— Excusez-moi, je ne voulais pas vous faire peur. C'est sympa, ici. Je peux? demanda-t-il en désignant une chaise.

Il sourit tandis que j'avalais ma salive.

— Bien sûr... Un café?

— Avec plaisir. Enfin, si ça ne vous dérange pas.

Je bondis et me précipitai à l'intérieur presque en courant. Cela ne me dérangeait pas le moins du monde, au contraire, j'étais sauvée. J'allumai la cafetière tout en pratiquant quelques exercices de respiration. Je priai également Dieu pour qu'il me laisse formuler des phrases cohérentes et que mon père se douche en prenant tout son temps. Une fois calmée, je rapportai deux tasses de café dans le jardin. Johann Thiess lisait l'article sur la « ruée ». Me voyant revenir, il sourit et replia le journal.

— Vous avez lu l'article sur le tourisme ? C'est tellement mal écrit que ça en devient presque drôle.

On est sur la même longueur d'onde, pensai-je avant de chasser cette pensée de mon esprit. Sois belle et tais-toi.

Johann Thiess versa un peu de lait dans son café et mélangea le tout.

— Vous vivez sur l'île toute l'année ?

Il avait un regard intense et moi, une bouffée de chaleur.

— Non, j'habite à Hambourg. Je suis venue aider Marlène à rénover son bistrot.

— Vous restez combien de temps ?

— On est arrivés avant-hier, donc il nous reste presque deux semaines complètes.

— Ah, c'est bien.

Je perdais tous mes moyens face à ce beau regard noisette.

— Et vous, vous venez d'où ?

Il hésita.

— Moi ? Euh… de Brême.

— Ah. C'est une jolie ville.

Je recommençais à raconter n'importe quoi, mais heureusement, il ne tenta pas d'approfondir le sujet.

— Je ne connais même pas votre prénom.

J'avais rarement vu un homme avec des traits aussi fins.

— Christine. Christine Schmidt.

— Christine.

Et j'avais rarement entendu mon prénom prononcé ainsi. J'en frémis.

— Quel joli prénom.

— Johann, ce n'est pas mal non plus.

Nous nous regardâmes longuement sans rien dire. Puis nous nous mîmes à parler pile en même temps.

— Est-ce que… ?

— Ça te dirait de… ?

— Toi d'abord.

Impossible de vouvoyer un homme qui me faisait fondre ainsi. Johann sourit.

— On dîne ensemble, ce soir ?

— Christiiine !

Mon père aurait aussi bien pu me verser un seau d'eau glacée sur la tête. Je me levai précipitamment. Les présenter l'un à l'autre me paraissait pour le moins prématuré.

— Je suis désolée, il faut que je passe chez nous deux minutes. C'est mon père. Tu m'attends là ?

— J'ai un truc à faire, répondit Johann en regardant sa montre. On se recroisera sans doute plus tard. Merci pour le café.

— Christiiine !

— J'arrive !

Je poussai un hurlement tel que Johann sursauta.

— Tu ferais mieux d'y aller. À plus.

Il se dirigea lentement vers la pension. Je me retins de lui courir après. Puis je pris une profonde inspiration et partis rejoindre l'homme qui venait de gâcher ce qui s'annonçait comme la plus belle soirée de ma vie.

Il était penché par la fenêtre de notre cuisine, vêtu d'un peignoir de bain. Alors qu'il avait le sourire aux lèvres, moi, j'étais verte de rage.

— Pourquoi tu ameutes tout le quartier? Qu'est-ce qui se passe?

— C'est ta sœur au téléphone. Maman va bien. Tu veux parler à Ines?

Lorsque mon père me tendit son portable, je m'efforçai de ne pas le fusiller du regard.

— Allez, discute un peu avec ta sœur. Je ne suis pas prêt, de toute façon, ajouta-t-il en fermant la fenêtre.

J'inspirai profondément avant de saisir le combiné.

— Bonjour, Ines.

— Hou! là, là, tu m'as l'air bien énervée. C'est papa qui te tape sur le système?

Je repensai à son visage rayonnant lorsqu'il sautait dans les vagues et me calmai.

— Un peu. Il manque de jugeote, parfois. Enfin, à part ça, ça va. Et maman?

— La clinique lui convient, elle a une chambre individuelle et l'opération est prévue demain matin à 8 heures. Elle se sent bien et moi aussi, donc tu peux rassurer papa. Je rappellerai demain matin quand tout sera terminé. Ne vous inquiétez pas.

— Mais tu connais papa. Déjà ce matin, il était d'humeur massacrante. Il va falloir le distraire. Bon, à demain. Et passe le bonjour à maman de ma part.

Je posai le téléphone sur le rebord de la fenêtre et retournai dans le jardin. Je m'assis dans la guérite, là où je voyais la vie en rose quelques instants auparavant, et fixai la chaise vide. Mon père n'aurait pas pu hurler dix minutes plus tard, le temps que je décroche un rendez-vous? Super timing. Je relevai la tête, vérifiai que mon père n'arrivait pas et m'allumai une cigarette.

Essaie un peu de m'en empêcher, papa, pensai-je.

Je passai une demi-heure assise là à attendre une deuxième chance, le cœur battant. En vain. Ma soirée était tombée à l'eau pour de bon, et ce, grâce aux beuglements de mon père. Lorsque je me levai, le cœur lourd, je vis Kalli arriver en voiture et partis à sa rencontre. Puisque j'étais condamnée à vivre dans un tel désert affectif, autant me rendre utile.

PAS UNE MINUTE À MOI

Les quatre membres de la famille descendirent de voiture et Kalli ouvrit le coffre.

— Salut, Christine, dit-il en me tendant deux sacs de voyage, je te présente les nouveaux clients de Marlène. Regarde, de vraies jumelles. C'est marrant, hein ?

Je me tournai vers deux fillettes rousses qui me dévisageaient avec le plus grand sérieux. En effet, la ressemblance était frappante.

— On n'est pas marrantes.

— Bien sûr que non, mais M. Jürgens trouve marrant que vous soyez jumelles, intervint leur mère.

— Pourquoi ?

Les deux fillettes fixaient Kalli. Ce dernier se gratta la tête.

— Pourquooooiii ?

Elles étaient coriaces. Heureusement, Kalli fut tiré de ce mauvais pas par l'arrivée de Marlène.

— Bonjour et bienvenue.

Elle posa délicatement son vélo chargé de courses contre le mur de l'hôtel et nous rejoignit.

— Je m'appelle Marlène de Vries. Vous avez fait bon voyage ?

— Oui, merci, répondit la mère des jumelles en lui tendant la main. Je suis Anna Berg, voici mon mari, Dirk, et nos filles, Emily et Lena. Merci beaucoup d'être venu nous chercher. Les vacances s'annoncent bien.

— Alors qui est qui? demanda Marlène en s'accroupissant devant les deux fillettes.

— Moi, c'est Emily, et elle, c'est Lena, répondit la jumelle de gauche. On s'habille différemment pour aller à l'école. Moi, je porte toujours quelque chose de bleu. Et on n'est pas marrantes, ajouta-t-elle en regardant longuement Kalli, puis de nouveau Marlène.

— Je vois. Et vous avez quel âge?

— Sept ans, répondirent-elles en chœur.

— Sept ans? répéta Kalli. Une fois qu'on a l'âge de raison, on n'est plus marrant. Vous êtes de grandes filles.

Emily réfléchit un court instant, puis donna un coup de coude à sa sœur. Toutes deux saluèrent Kalli de la tête avec le plus grand sérieux. Apparemment, il s'était bien rattrapé.

Tandis que Marlène me présentait, Kalli déchargea le reste des bagages.

— Je vais vous montrer votre chambre, dit Marlène en me prenant les deux sacs de voyage des mains. Kalli, tu peux m'aider à monter tout ça? Et toi, Christine, tu peux aller poser les courses dans la cuisine? Sinon, le beurre va fondre.

Dirk Berg s'empara de la plus grosse valise.

— Je m'en occupe. Merci beaucoup, monsieur Jürgens, mais c'est déjà très aimable à vous d'être allé nous chercher. Les filles, prenez vos sacs à dos et vos K-way. Vous avez entendu ce qu'il a dit, vous êtes de grandes filles.

Kalli suivit la famille du regard tandis que je m'occupais des courses. Je pris deux sacs dans chaque main et rentrai, Kalli sur les talons.

— Je te soulagerais avec plaisir, mais je ne veux pas non plus te couper dans ton élan.

— Merci, Kalli, ça va aller.

Une fois dans la cuisine, je posai lourdement les sacs de courses sur le plan de travail et frottai mes paumes endolories.

— Alors, ils sont sympas ?

Kalli hocha la tête.

— Très. Ils habitent à Dortmund. Bien sûr, tu connais le Borussia Dortmund. C'est mon équipe préférée, ce qui met Heinz hors de lui, vu qu'il est pour le Hambourg SV. Mais Dortmund joue mieux, et Onno est du même avis, bien qu'il soutienne le Werder de Brême. Hambourg est mal barré, en ce moment. J'ai hâte de voir les prochains matchs, mais c'est plutôt calme, en ce moment. Au fait, où est Heinz ?

— À l'appartement, répondis-je en rangeant une partie des courses dans le réfrigérateur. Tu peux aller le chercher, si tu veux. Il doit avoir faim.

— C'est touchant comme tu prends soin de lui, Christine. Moi aussi, j'aurais bien aimé partir en vacances avec mes enfants.

Il sortit de la cuisine. J'avais l'impression d'être quelqu'un d'exceptionnel.

— Quoi de neuf ? dit Marlène en s'affalant sur une chaise et en tendant les jambes. La journée a été chargée. Merci d'avoir rangé les courses. Tout va comme tu veux ?

— Bien sûr que oui, répondis-je en poussant deux bricks de lait au fond du frigo.

— Comment ?

— Oui, tout va bien, dis-je en me retournant. N'hésite pas à me demander, si tu ne retrouves pas quelque chose.

— Je vais faire du riz au lait pour le dessert.

Je ressortis tout ce que j'avais rangé devant les bricks de lait et recommençai.

— Ça va rendre mon père malade, il a du mal à digérer ce genre de plat.

— Dans ce cas, il devra se rattraper sur les harengs frits. Tu en as, une jolie robe. Bien trop chic pour ma cuisine.

— C'est Dorothée qui me l'a prêtée. Je n'ai rien d'élégant à me mettre, j'irai sûrement faire du shopping demain.

— Pourquoi ? Tu as une idée derrière la tête ?

— Non, mais je ne vais pas passer mes journées en short. On ne sait jamais.

Je rougis, ce qui n'échappa pas à Marlène. Elle se leva et se campa devant moi.

— Dis donc, tu étais sérieuse ce matin ?

— À propos de ?

— De M. Thiess. Je n'arrive pas à y croire.

— Il a failli m'inviter à dîner il y a deux minutes, répondis-je en repliant soigneusement les sacs en plastique. On a bu un café dans le jardin. Je le trouve vraiment charmant.

— Comment ça, il a failli t'inviter à dîner ?

Je rangeai les sacs dans le tiroir à couverts.

— Mon père s'est rappelé à mon bon souvenir pile à ce moment-là.

— Les sacs vont dans l'armoire là-bas. Il t'a un peu parlé de lui, ce Thiess ?

— Il s'appelle Johann et vit à Brême. Et il a de ces yeux…

Je m'appuyai contre le réfrigérateur et repensai à ce regard qui me faisait fondre.

Mais l'expression de Marlène changea du tout au tout et son ton me tira de ma rêverie.

— À Brême ?

— Oui, à Brême. Quelque chose ne va pas ?

— Sans vouloir jouer les rabat-joie, il m'a fait une impression bizarre. Il s'est trompé deux fois en écrivant son nom, et son adresse est illisible.

Je me remémorai notre première rencontre.

— Il faut dire que je lui ai réservé un drôle d'accueil.

— Oui, mais... Tu ne trouves pas ça étrange qu'il prenne le ferry de nuit? Brême est à deux heures d'ici, même pas.

— Peut-être qu'il venait d'ailleurs. Tu regardes trop de mauvais films. Tu crois quoi? Qu'il s'est échappé d'un asile?

— Ne monte pas sur tes grands chevaux. Je me suis demandé s'il n'était pas de la concurrence. Un hôtelier d'Aurich a l'intention d'ouvrir un nouveau bar sur le front de mer. Il l'a peut-être envoyé en éclaireur.

— Dans ce cas, pose-lui directement la question, Marlène. Tu es comme mon père. D'ailleurs, il ne va pas tarder, alors sois gentille et ne vends pas la mèche. Je n'ai pas la moindre envie d'aborder ce sujet avec Heinz.

Le sort s'acharnait contre moi: je m'étais couverte de ridicule, j'avais failli avoir une seconde chance, que mon père avait complètement fichue en l'air, et je ne pouvais même pas compter sur le soutien de mon amie. Vexée, je saisis la marmite qui se trouvait sur la cuisinière et commençai à éplucher les pommes de terre. Marlène me regarda faire sans broncher, puis prit une grande inspiration en voyant mon père et Kalli débouler dans la cuisine.

— Bonsoir. Vous avez déjà faim?

Mon père s'arrêta net.

— Il y a de la tension dans l'air, par ici?

Je secouai la tête. Mon père avait bien choisi son moment pour développer son sixième sens.

— Non, tout va bien, papa. On mange dans une demi-heure, le temps que Marlène prépare son riz au lait.

— Beurk. Mais je vois que tu épluches des pommes de terre, donc je me rattraperai là-dessus. À tout de suite. Viens, Kalli, allons-nous installer dans la guérite avec une bière.

— Tu tiens ta revanche avec le riz au lait, dit Marlène en s'emparant d'un deuxième couteau. Je n'ai rien dit de méchant sur M. Thiess. Peut-être que je me trompe et que c'est un vrai gentleman.

— J'en mettrais ma main au feu.

Mais Marlène restait sceptique.

Mon père m'observa attentivement lorsque nous nous assîmes à table.

— Alors, Christine, qu'est-ce que tu as fait de ta journée?

— On l'a quasiment passée ensemble, papa!

— N'importe quoi.

Il se servit une portion généreuse de harengs frits et se pencha vers Marlène.

— On est allés à la plage, puis Christine s'est évanouie dans la nature. Je suis passé au bistrot pour vous donner un coup de main, mais, là non plus, aucune trace de ma fille. Elle avait disparu.

— Tu n'es qu'un sale rapporteur, Heinz, dit Dorothée en rapprochant le plat de pommes de terre.

— Je m'inquiète. Je suis son père, après tout, et un père a toujours peur quand son enfant prend la poudre d'escampette.

Je le regardai innocemment sans répondre. S'il croyait que j'allais mordre à l'hameçon, il se fourrait le doigt dans l'œil. Kalli, lui, le prit au sérieux.

— Arrête, Heinz, Christine est une adulte et, dans le pire des cas, elle a un portable. N'est-ce pas, Christine? Et puis, tu sais te repérer sur l'île. Qu'est-ce qui pourrait bien t'arriver?

Mais mon père ne lâcha pas prise.

— Je t'ai entendue parler avec un homme dans le jardin. C'était qui?

— Heinz, ça suffit! intervint Dorothée en lui donnant un coup de coude. Bon, pour changer de sujet, Nils devait envoyer deux jeunes étudiants pour m'aider à peindre. Ils sont venus?

Mon père préféra se concentrer sur une minuscule arête. De son côté, Kalli avala de travers et fut pris d'une quinte de toux. Je lui tapai dans le dos.

— Mets tes lunettes quand tu manges du poisson, Kalli. Ça peut aider.

— Merci, mais c'est inutile. Je ne mange pas de harengs.

— Alors pourquoi tu as avalé de travers?

D'un regard, Kalli appela mon père à la rescousse, tandis que Heinz continuait à se concentrer sur son arête. Marlène, Dorothée et moi nous regardâmes. Dorothée haussa un peu le ton.

— Heinz, si les deux peintres sont venus, j'aimerais autant le savoir.

— Ce sont des bons à rien. Je peux me resservir? Kalli ne mange pas sa part de harengs.

Il tendit son assiette à Marlène.

Je commençais à sentir l'angoisse monter en moi.

— Comment ça, des bons à rien?

Mon père but un verre d'eau et se servit des pommes de terre, le tout en prenant bien son temps. Marlène commençait à s'impatienter.

— Vous pourriez être plus clairs? Ils sont venus, oui ou non?

Mon père nous fit signe qu'il avait la bouche pleine.

— Kalli?

— Oui, ils sont venus. Mais ils ne nous ont pas fait bonne impression.

Kalli regarda furtivement mon père, qui continuait à mâcher sans montrer le moindre signe de fatigue.

— J'ai eu un mauvais pressentiment, et Onno aussi, je crois bien. Heinz se trompe rarement sur les gens. Ils étaient jeunes et pas très propres. Ils sentaient mauvais.

Notre regard se posa d'abord sur Heinz, puis sur Kalli, puis de nouveau sur Heinz. Mon père se trompait rarement sur les gens? Mieux valait en rire.

— Et ensuite, papa?

— Et ensuite, rien, rétorqua mon père en avalant enfin sa bouchée. Qu'est-ce que tu crois? Je les ai longuement interrogés et observés. On a décidé qu'ils ne nous convenaient pas.

— Comment ça, qu'ils ne vous convenaient pas? s'écria Dorothée, à présent énervée. Et d'abord, c'est qui, « on »?

— Kalli et moi. Onno les a regardés de travers, lui aussi. Il n'a rien dit, mais j'ai bien vu qu'il était d'accord avec nous. Ils étaient trop jeunes, trop sales, je me suis même demandé s'ils ne buvaient pas. Bref, je leur ai annoncé qu'on se passerait de leurs services et qu'ils allaient devoir chercher du boulot ailleurs. Ils ne nous auraient attiré que des ennuis, c'est moi qui vous le dis.

Il enfourna un autre hareng.

— Dis-moi, Heinz, où tu as la tête, au juste? Nils m'a envoyé ces deux jeunes pour qu'ils m'aident à repeindre le bistrot. Je ne vais pas y arriver toute seule. Il faut commencer demain, sinon on n'aura jamais terminé la semaine prochaine. Tu le sais, pourtant. Où est-ce que je vais bien pouvoir trouver deux autres personnes?

Plus Dorothée parlait, plus elle s'énervait. Kalli était recroquevillé sur lui-même et gardait les yeux baissés, tandis que mon père continuait à manger, imperturbable.

— Ne sois pas fâchée, Dorothée, au contraire. Je t'ai évité bien des histoires. En plus, mon ami Kalli pourra te prêter main-forte, pas vrai?

— Oui, avec plaisir, répondit celui-ci en hochant timidement la tête. Je suivrai tes instructions.

— Merci, Kalli, mais est-ce que tu peins pour deux?

— Heinz pourra lui aussi...

Mon père secoua la tête en souriant.

— Kalli, tu oublies que je suis daltonien et que j'ai mal à la hanche. En plus, il faut bien que quelqu'un supervise les travaux.

Marlène et Dorothée le fixèrent sans piper mot. Heinz soutint leur regard.

— Christine fera parfaitement l'affaire. Quand elle a aidé Ines à rénover sa maison, l'année dernière, elle s'est débrouillée comme un chef. Elle s'y collera après avoir servi le petit déjeuner. Ne vous faites pas de mauvais sang, on va y arriver.

Je me levai et me dirigeai vers la porte. Marlène, perplexe, parvint enfin à détacher le regard de mon père, particulièrement fier de lui.

— Où tu vas, Christine?

— Chercher le riz au lait pour Heinz.

AU SECOURS

— Personne ne t'a empoisonné.

Je fus réveillée le lendemain matin par la voix de Dorothée. Je gardai les yeux fermés et essayai d'ignorer le drame qui se profilait à l'horizon. On ne parlait pas de moi : d'une part, sa voix me parvenait à peine car la porte était fermée, d'autre part, je me sentais parfaitement bien. J'entendis ensuite mon père répondre, mais je ne compris pas.

— Ne commence pas à me faire tourner en bourrique, Heinz. On doit s'y mettre dans une demi-heure... Quoi ? Non, je m'en fiche. Tu as intérêt à te lever.

Une porte claqua. J'enfouis ma tête sous la couverture. Dorothée et moi étions amies depuis longtemps, nous partagions beaucoup de choses, alors pourquoi pas mon père ? Chacun son tour. La porte du salon s'ouvrit brusquement et Dorothée s'affala au bord du lit.

— Tu es réveillée ? Heinz se dit victime d'une intoxication alimentaire et prétend être sur le point de passer l'arme à gauche. Tu veux lui parler une dernière fois ?

— Non, je préfère garder l'image d'un homme en bonne santé. Qui l'a empoisonné ?

— Il ne sait pas trop, donc, dans le doute, ses soupçons se portent sur toi. Avec le riz au lait. Il n'a pas la moindre envie de mettre la main à la pâte, mais je n'en ai rien à faire. Il nous reste encore les plinthes et les cadres des fenêtres à protéger avec du ruban adhésif. Ça ne lui suffit pas de virer les gens qui étaient censés nous aider, maintenant, Monsieur préfère rester couché. Je rêve.

Elle bondit et rouvrit brusquement la porte.

— On part dans dix minutes, Heinz! Pas habillé, pas rasé, je m'en fiche! Dépêche-toi!

Elle se rassit.

— Voilà, tu vas pouvoir traîner un peu au lit. Il a décidé de m'énerver, aujourd'hui.

— Maintenant, tu sais comment je me sens depuis samedi, très chère, répondis-je avec un sourire compréhensif. En fait, quand j'y pense, ça fait quarante ans qu'il me tape sur les nerfs. Mais on apprend à vivre avec.

Toujours en pyjama, mon père entra dans le salon en se tenant le ventre à deux mains, l'air de souffrir le martyre.

— Bonjour, dit-il d'une voix à peine audible. J'ai le temps de vomir une dernière fois? Ça me soulagera peut-être.

— Bien sûr, répliqua Dorothée en lui lançant un regard noir. Vomis autant que tu veux, mais grouille.

Il gémit et se traîna jusque dans la salle de bains. Je me redressai et me frottai les yeux.

— J'espère qu'il n'est pas malade pour de vrai.

— Arrête, n'entre pas dans son jeu et tiens-lui tête, pour changer, répondit Dorothée en se levant et en se dirigeant vers la terrasse. Tiens, qu'est-ce qu'il fait là, lui?

— Qui ça?

— Le nouveau client de Marlène. Il prend la pension en photo. Il y a quand même mieux à faire sur l'île. Pas mal... Quand est-ce qu'il passe nous voir?

Je me plaçai à côté d'elle et vis Johann Thiess prendre la direction du front de mer comme si de rien n'était, tout en glissant son appareil photo dans sa poche. Dorothée se tourna vers moi.

126

— Bel homme.

— Marlène le trouve bizarre. Il se serait trompé deux fois en écrivant son nom sur le registre.

— Ah, Marlène… Elle travaille trop et ne s'amuse pas assez. Il est très bien, ne te laisse pas influencer. Prendre des hôtels en photo, il y a pire comme passe-temps. Tu lui poseras la question quand vous dînerez ensemble.

— Ça a failli arriver, hier soir.

Je lui résumai la scène du café dans le jardin. Dorothée était ravie.

— Je te l'avais dit. Ma robe noire les fait tous tomber. Bon, il faut te bouger, Christine. Débrouille-toi pour que Heinz et Marlène te lâchent, et passe à la vitesse supérieure. Tu vas voir, les vacances vont être super.

— Le ciel est bien gris.

Mon père parlait toujours aussi doucement mais, au moins, il était habillé.

— Et mon état ne s'arrange pas, au cas où ça intéresserait quelqu'un.

— Bonjour, papa.

— Tu n'as pas encore pris ta douche ? Je croyais que tu voulais peindre.

— Papa, la question n'est pas de vouloir peindre, mais de *devoir* peindre. Il y a une différence. Et tout ça parce que tu as viré les…

— Vous radotez, à force. Qu'est-ce qu'on attend, Dorothée ? On y va ? Je suis prêt, moi.

Lorsque j'arrivai à la pension une demi-heure plus tard, Heinz et Dorothée se trouvaient déjà au bistrot. Dans la cuisine, Marlène me tendit une tasse de café.

— Bonjour. Vous vous êtes disputés ?

— Si peu. Dorothée est énervée à cause du renvoi des deux jeunes, et Heinz croit dur comme fer que quelqu'un l'a empoisonné. Il devait espérer que les malades et les enfants étaient dispensés de travail, mais son plan n'a pas fonctionné. C'est entièrement ma faute, de toute façon. Et, cerise sur le gâteau, il s'inquiète pour ma mère, car elle se fait opérer aujourd'hui.

— Il devrait le dire franchement.

— Marlène, mon père est un homme, un vrai. Montrer ses sentiments ? Plutôt mourir.

Je finis mon café et posai la tasse dans l'évier.

— Tu as encore besoin de moi ou j'attaque la peinture ?

— J'ai quatre départs aujourd'hui, donc il faudrait que tu serves le petit déjeuner. Là-bas, ils en sont encore à poser le ruban adhésif, ce n'est pas très palpitant.

— D'accord.

Je repensai aux yeux noisette et sentis mon cœur s'accélérer. Avec un peu de chance, il repasserait à la pension pour prendre le petit déjeuner.

— Je vais voir ce qu'il y a à faire.

— Youhou ! Regarde, sa fille est là !

Mme Weidemann-Zapek portait une doudoune qui lui donnait de faux airs de bonhomme Michelin. Elle me regarda avec un grand sourire, tandis qu'elle avançait en prenant soin de ne pas faire tomber son assiette. Mme Klüppersberg, toute de bleu vêtue, me salua d'un signe de tête, finit de mâcher et avala.

— Alors, comment ça va ?

— Bien, merci.

Je leur souris poliment et repérai avec soulagement une assiette de fromage à moitié vide sur le buffet.

— Je dois vite vous ravitailler.

Je passai les quarante-cinq minutes suivantes à préparer du café, du thé et du chocolat. Dès que j'entrais dans la salle à manger, je fixais des yeux la table dressée pour une personne près de la fenêtre. Aucune trace de

Johann Thiess. Et dire que j'allais passer des heures à peindre… Lorsque j'apportai une troisième cafetière à Mme Klüppersberg, son amie m'attrapa par le bras.

— On s'inquiète pour votre père. On ne le voit plus. Est-ce que tout va bien ?

— Tout va pour le mieux. J'ai décrété que j'avais eu une enfance malheureuse et je l'ai coulé dans du béton.

Je compris à leur réaction que j'avais parlé tout haut. Les deux femmes me regardèrent avec indignation. Paniquée, je cherchai à embrayer sur autre chose. La sonnette du vélo de Kalli me tira de ce mauvais pas.

— Ah, voilà Kalli, l'ami de mon père. N'hésitez pas à lui poser directement la question.

Encore sous le choc, Mme Klüppersberg écarta les rideaux et braqua son regard sur Kalli, qui prenait son temps pour descendre de vélo et attacher l'antivol.

— Oh ! regarde, Mechthild, c'est le monsieur qu'on a croisé hier soir et qui nous a saluées si poliment.

Mechthild Weidemann-Zapek se pencha sur la table, sa poitrine juste au-dessus d'une assiette remplie à ras bord.

— Ah oui. Un monsieur fort sympathique.

Elle se rassit et me regarda d'un air désapprobateur.

— On n'a plus besoin de rien, merci.

Un petit morceau de saucisse tomba de sa doudoune.

Lorsque Gesa entra dans la cuisine et m'annonça qu'elle allait ranger la salle à manger afin que je puisse me consacrer à la peinture, Johann Thiess n'avait toujours pas pointé le bout de son nez. Pas faute d'avoir croisé les doigts. Gesa se servit un café et s'appuya contre le réfrigérateur.

— Tu peux aller travailler l'esprit tranquille. Presque tous les clients sont descendus, je m'occupe du reste.

C'était justement à cause du reste que mon cœur battait la chamade. Frustrée, je jetai le torchon dans l'évier. Gesa comprit mon geste de travers.

— Moi non plus, à ta place, je n'aurais pas la moindre envie de peindre, dit-elle en riant. En plus, tu as un peu de mal avec ton père, d'après ce que m'a raconté Marlène. C'est vrai que Heinz est un peu spécial.

— Très drôle, Gesa. Je te souhaite de te faire surprendre par ton père en train de fumer une cigarette, un de ces quatre. Bon, j'y vais. Au fait, les deux grâces ont encore saccagé leur table. Bon courage. Et mêle-toi de tes affaires, au lieu de ricaner.

Je sortis de la cuisine et traversai la cour, où j'aperçus Kalli en grand danger. Cerné par Mmes Weidemann-Zapek et Klüppersberg, il affichait un air désespéré et ses tympans étaient mis à rude épreuve. Je ne pris même pas la peine de ralentir le pas, c'était un grand garçon, après tout.

— Bonjour, Christine, s'écria-t-il d'un ton plaintif. Attends-moi, s'il te plaît. J'arrive.

Kalli laissa les deux femmes en plan et me rattrapa en courant.

— Au secours. C'est qui, ces deux-là ? chuchota-t-il en baissant la tête.

Nous fîmes quelques pas en nous retenant d'accélérer. Je sentais qu'on continuait à nous fixer du regard.

— Ces deux-là, comme tu dis, ce sont les plus grandes fans de mon père. Le bonhomme Michelin s'appelle Mechthild Weidemann-Zapek et le Schtroumpf, Mme Klüppersberg, dont je ne connais malheureusement pas le prénom.

— Hannelore, mais elle a insisté pour que je l'appelle Hanne. Heinz les a dégotées où ? Ta mère est au courant ? Et qu'est-ce que c'est que cette histoire de béton ?

— Elles ont fait la connaissance de Heinz sur le ferry, donc c'est tout frais. Mais il est hors de question que ma mère se tracasse. Quant à cette histoire de béton, je t'expliquerai quand on sera au calme. D'ailleurs, il se pourrait que j'aie besoin de ton aide.

— Tu peux compter sur moi. Ah! là, là, Heinz a toujours su y faire avec les femmes, déjà quand on était jeunes. Dès que ça devenait trop sérieux, il prenait ses jambes à son cou. Ensuite, je devais ramener les filles chez elles et, crois-moi, ce n'était pas beau à voir. Je n'ai pas la moindre envie de remettre ça, ce n'est plus de mon âge.

— Alors dis-le-lui.

Je poussai la porte du bistrot et vis mon père assis sur une caisse, avec des yeux de chien battu. Lorsque nous arrivâmes devant lui, il leva la tête vers nous. Kalli s'accroupit.

— Quoi de neuf?

— Et toi, quoi de neuf?

Heinz secoua la main pour se débarrasser d'un morceau de ruban adhésif.

— Je déteste avoir ce genre de truc sur les doigts, dit-il en secouant de plus belle. C'est dégoûtant.

— Heinz, je viens de croiser deux femmes dans la cour, elles…

— Enfin, Kalli, permets-moi de te rappeler que tu as soixante-quatorze ans et que tu es un homme marié. Et, franchement, je n'ai ni le temps ni l'envie de discuter de ta vie privée, et encore moins devant les filles.

Kalli rougit.

— Mais Heinz…

— Pas maintenant. On en parlera plus tard.

Dorothée s'était approchée, désireuse d'en savoir plus.

— Du nouveau dans la vie amoureuse de Kalli?

— Tu vois?

Mon père bondit, énervé.

— On pourrait au moins faire preuve de discrétion. Rien, Dorothée. À soixante-quatorze ans, Kalli n'a pas de vie amoureuse. Bon, et si on se remettait au travail ?

— Plutôt deux fois qu'une, dit Dorothée en balayant la salle du regard. Tu n'as pas encore fini de poser le ruban adhésif, il reste encore tout ce coin-là à faire. Kalli et Christine, vous pouvez commencer à peindre le mur du fond, les pots de peinture sont là.

Mon père se rassit et continua à enlever le ruban adhésif de ses doigts.

— Ça colle, c'est dégoûtant, j'en ai marre. À vous de vous appliquer, après tout. Quand on peint correctement, inutile de tout protéger avec du ruban adhésif.

— Heinz ! C'est toi qui as viré les deux jeunes, donc tu continues à travailler. Fin de la discussion. Je vais chercher Nils au ferry. Bon courage.

Heinz attendit qu'elle soit sortie.

— Christine, je n'apprécie pas trop le ton sur lequel ton amie me parle. Elle s'adresse à moi comme si j'étais son larbin.

— Papa, c'est un peu tard pour…

Il ramassa le rouleau de Scotch et le jeta à l'autre bout de la salle.

— Vous savez quoi ? Vous pouvez toujours courir. Je vais acheter le journal. Voilà. Et n'essayez pas de m'en empêcher.

Il claqua la porte derrière lui. Onno, en équilibre précaire sur l'échelle, se frottait le dos à l'endroit où il avait reçu le rouleau de ruban adhésif.

— Mais quelle mouche l'a piqué ?

— Aucune idée, répondit Kalli, profondément attristé. Je n'ai rien dit, pourtant. Je n'avais pas remarqué qu'il était de si mauvais poil. Qu'est-ce que je peux faire ?

— Peindre, Kalli. Papa se calmera tout seul. Ma mère se fait opérer du genou aujourd'hui, c'est sûrement pour ça qu'il est dans cet état.

— Mais ce n'est qu'une petite opération de rien du tout, intervint Onno en descendant de l'échelle. En plus, c'est l'assurance santé qui paie tout, non ? Je vais mettre un peu de musique.

Il alluma la radio et chercha une fréquence. Dès que Karel Goot entonna « Babutschka », Onno retourna à ses plafonniers. Kalli se baissa et ramassa le rouleau de ruban adhésif.

— Je vais finir de poser le scotch. Il faut reconnaître que ce n'est pas terrible, quand ce truc refile des boutons.

— Papa n'est pas allergique, il a la flemme de s'y mettre, nuance.

— Peu importe, je finis ça vite fait. Il trouvera bien de quoi s'occuper tout à l'heure, ce ne sont pas les activités qui manquent, ici.

Mon père avait beau se montrer désagréable, il ne se mettait jamais personne à dos. Incroyable. Je me plantai face au mur avec l'envie de me cogner la tête. Mais voyant que cela ne m'avancerait à rien, j'ouvris un pot et plongeai d'un geste résolu le pinceau dans la peinture rouge carmin.

Alors que j'avais presque terminé de repeindre la moitié du mur et que Kalli passait un coup de pinceau sur les plinthes, la porte s'ouvrit brusquement.

— Le Hambourg SV a perdu un à trois, quatre cartons jaunes, un rouge et Mehdi s'est fait un claquage. Quelles vacances pourries.

— Je suis désolé, mais la chance va bien finir par tourner, répondit Kalli. Comment a joué Dortmund ? Et le Werder de Brême ?

— Aucune idée, répondit mon père en reprenant sa place sur la caisse. À toi de te renseigner sur
ton équipe.

Je continuai à me concentrer sur la peinture.
Je savais qu'il connaissait les résultats. Ce bol d'air frais
ne l'avait pas calmé.

— Personne n'a appelé, Christine ?

— Non.

— Mais il est déjà midi.

— Oui, je sais. Il n'empêche que personne n'a
téléphoné.

Je jetai un coup d'œil par la fenêtre et vis Dorothée
arriver en voiture.

— Voici notre contremaître et l'architecte d'intérieur. Tu ferais mieux de te lever, sinon Dorothée va
croire que tu as passé la matinée sur cette caisse.

— N'importe quoi. Et que ce hippie ne s'avise pas
de me faire la moindre remarque.

Toutefois, mon père bondit. Juste au moment où
il regardait discrètement par la fenêtre, Nils embrassa
Dorothée.

— Mais qu'est-ce que c'est que ça ? Tu as vu ? Kalli,
Onno, ce Nils est en train de flirter avec Dorothée. Mais
je rêve, quel toupet ! Fais quelque chose, Christine !

— S'il te plaît, papa, ne commence pas.

— Ils sont jeunes, Heinz.

Onno descendit de deux barreaux de façon à avoir
vue sur la cour. Kalli, quant à lui, se hissa sur la pointe
des pieds.

— Ils vont bien ensemble : un blond et une brune.

Mon père recula d'un pas et apostropha ses collègues
de travail.

— Arrêtez de les regarder comme ça. Mais quelles
commères vous faites, c'est dingue. En plus, on a du
pain sur la planche.

Il s'empara de la perceuse d'Onno et la mit en marche quelques instants.

— Bon, on les fixe où, ces linteaux ?

Dorothée tint la porte à Nils qui, chargé de cartons et de sacs, n'avait pas de main libre.

— C'est l'heure de la pause déjeuner. Oh, je vois que ça travaille dur, ici.

Nils posa doucement les cartons par terre et balaya la salle du regard.

— Où sont passés Jan et Lars ?

— Je t'expliquerai ça plus tard, mon chéri, répondit Dorothée. Vous avez bien avancé. Le ruban adhésif est posé partout. Tu vois, Heinz, tout va bien.

Kalli gardait les yeux rivés sur ses chaussures, tandis que Heinz soutenait le regard de Dorothée.

— Ne me dis pas ce qui va ou ne va pas. Ce n'est pas ma réputation qui est en jeu.

— Papa, s'il te plaît !

Le regard déboussolé de Dorothée se posa d'abord sur moi, puis sur mon père.

— J'ai loupé un épisode ?

Mon père tint la perceuse d'Onno comme un revolver et la laissa tourner dans le vide.

— Qui peut me dire où on doit fixer les linteaux ?

— Éteins-moi ce truc, papa.

— Toi, laisse-moi tranquille.

Il recula d'un pas et se cogna contre l'échelle. Onno perdit l'équilibre, se rattrapa au dernier moment en s'appuyant sur l'épaule de mon père, l'échelle tint bon mais la perceuse tomba et se tut sur-le-champ, cassée en trois.

— Elle est fichue, murmura Kalli après quelques instants de silence.

Onno descendit lentement de l'échelle et s'accroupit devant les vestiges de sa perceuse.

— Elle n'avait même pas six mois.

— Voilà ce qui arrive quand on met l'échelle en plein milieu du passage, Onno. Heureusement que j'ai apporté ma perceuse. Elle est à la pension, chargée et intacte. Va la chercher, Christine.

J'ouvris la bouche pour protester.

— S'il te plaît, ajouta-t-il. Et profites-en pour demander si quelqu'un a téléphoné.

— Vous attendez un coup de fil de qui? demanda Dorothée en ramassant ce qui restait de la perceuse.

— Ines. Pour donner des nouvelles de ma mère.

— Ah oui, c'est vrai, elle se fait opérer aujourd'hui. Mais elle appellera sur ton portable ou sur celui de ton père.

— Sûrement.

— Mais non, rétorqua mon père avec un geste impatient de la main. Je les ai éteints. Les radiations, très peu pour moi.

— Tu les as éteints alors que tu attends un appel? demandai-je, perplexe. Mais…

— Ça fait tripler les oreilles de volume, je l'ai lu dans le journal. Je ne prends pas le risque. Hors de question de me retrouver dans un espace clos avec des portables allumés, je ne suis pas fou.

Furieuse, je cherchais quelque chose à répondre lorsque la porte s'ouvrit encore une fois. La cerise sur le gâteau.

— Bonjour, bonjour, on est venues voir ce que faisaient nos courageux ouvriers.

Au moins, Mmes Weidemann-Zapek et Klüppersberg n'avaient pas enfilé de bleu de travail. Onno fut le premier à réagir.

— 'Jour. On est fermés pour travaux.

— Parfait. On se demandait si on pouvait kidnapper un de ces messieurs, le temps d'une petite pause.

Dorothée fusilla mon père du regard.

— Bon, ça suffit, rétorqua ce dernier en secouant la tête. On n'est pas dans une agence matrimoniale. Kalli, on continue à travailler. Le boulot avant tout, et ça vaut pour tout le monde. On aura l'occasion de se recroiser, mesdames, l'île n'est pas si grande. Christine, ma perceuse, s'il te plaît.

Pour éviter d'éclater de rire au nez des deux femmes forcées de battre en retraite, je saisis mon téléphone, qui se trouvait sur le rebord de la fenêtre, et les devançai.

J'allumai mon portable et entrai mon code PIN, tout en me dirigeant vers l'appartement à pas lents. Quelques secondes plus tard, mon téléphone sonna, je décrochai et faillis heurter Johann Thiess de plein fouet.

« Bonjour et bienvenue sur votre boîte vocale. Vous avez cinq nouveaux messages. Pour les écouter, appuyez sur 1. »

Nous nous tenions l'un devant l'autre, tous deux avec un portable à l'oreille et tous deux surpris.

— Je dois raccrocher, je te rappelle plus tard, d'accord? murmura-t-il d'une voix à la fois douce, tendre et chaleureuse.

Il n'était certainement pas en train de parler à son garagiste.

J'appuyai sur 1.

« Aujourd'hui, 10 h 30. Appel du 06… Votre correspondant n'a pas laissé de message. Pour le rappeler, appuyez sur 7. »

Je n'en fis rien. Johann Thiess me regardait, pensif.

« Aujourd'hui, 10 h 45. Appel du 06… Votre correspondant n'a pas laissé de message. Pour le rappeler, appuyez sur 7. »

Non. Message suivant. Le portable de Johann Thiess sonna.

— Allô ? Bonjour, Mausi.

Il avait un regard si doux. Mausi ?

— Tu tombes mal… Non, rien de spécial. Écoute, je te rappelle plus tard. Salut.

Cette voix sexy au téléphone était manifestement innée, chez lui. Je le regardai en feignant l'indifférence.

« Aujourd'hui, 11 h 10. Bip. "Encore ce fichu répondeur, c'est à n'y rien comprendre." Bip. Pour rappeler votre correspondant, appuyez sur 7. »

Je m'exécutai, j'attendis que ma sœur décroche, puis entendit une voix monocorde m'annoncer : « Votre correspondant est déjà en ligne. » Je raccrochai.

— Quelle plaie, ce répondeur.

Johann Thiess me sourit et hocha la tête.

— J'ai éteint mon portable. Soit je suis joignable, soit on doit me rappeler plus tard.

« On », à savoir les Mausi de ce monde, pensai-je, piquée au vif.

Mon portable sonna de nouveau.

« Aujourd'hui, 11 h 30. Bip. "Allô, c'est Ines. Pourquoi vous avez tous les deux éteint votre téléphone ? Je n'arrête pas de vous appeler. Bon, bref, maman a bien supporté l'opération et est déjà de retour dans sa chambre. J'ai parlé au chirurgien, il est satisfait. Et vous serez gentils de laisser un de vos portables allumé, j'en ai marre d'essayer de vous joindre sans arrêt. À plus tard." Bip. Pour rappeler… »

Je raccrochai.

— Alors ? Un souci ?

— Aujourd'hui, ma Mausi… Enfin, je veux dire, ma mère…

Encore mon téléphone, encore mon répondeur.

« Aujourd'hui, 11 h 40. Bip. "C'est encore moi. Inutile de me rappeler dans l'heure qui suit, mon portable sera éteint car je serai avec maman, dans sa chambre.

Elle est encore assez fatiguée. On se rappellera dans l'après-midi, et papa pourra lui parler. À plus tard." Fin des nouveaux messages. Pour revenir au menu principal... »

Je glissai mon portable dans la poche de mon pantalon. De son côté, Johann semblait dans l'expectative.

— Non, aucun souci, tout va bien. Vous avez des projets pour aujourd'hui ?

— Je pensais louer un vélo et aller à la plage, répondit-il en haussant les épaules. Ça te dirait de m'accompagner ?

Deux êtres humains très légèrement vêtus, la chaleur du sable, la douceur de la peau, le sel de la mer, quelques mouettes, ses yeux noisette... Je chassai cette idée de mon esprit et cherchai une façon de mentionner Mausi, tout en évitant de paraître trop curieuse. Mon père la trouva.

— Christiiine! cria-t-il en passant la tête par la fenêtre du bistrot. Qu'est-ce que tu fais ? On n'avance plus.

— J'arrive. Je suis désolée, dis-je à Johann en souriant. Comme tu peux le constater, je suis occupée. Une autre fois, peut-être.

Il leva les yeux au ciel tout en gardant le sourire.

— Ce n'est pas une mince affaire, de réussir à te parler sans être interrompu. Bon, essayons de faire plus spontané. Tu me donnes ton numéro de portable et je te rappelle. Qu'est-ce que tu en dis ?

Mon cœur se mit à battre la chamade.

— Christiiine!

— Oui, papa, deux secondes!

Je respirai un grand coup et donnai mon numéro à Johann. Si on allait boire un verre ensemble, j'essaierais de faire comme si Mausi n'existait pas.

Lorsque je ressortis de l'appartement, la perceuse à la main, je l'aperçus une dernière fois de dos. Il se dirigeait vers la plage à vélo. Le téléphone collé à l'oreille.

— Avec qui tu discutais comme ça ? me demanda mon père en m'arrachant la perceuse des mains.

— Avec personne.

— Si, je t'ai vue. Tu parlais au client bizarre qui est arrivé hier.

— Comment ça, bizarre ? demanda Kalli.

Mon père poussa un profond soupir.

— Je t'en prie ! Un homme qui voyage seul, difficile de faire plus louche. Sa femme et ses quatre enfants doivent être en train de se morfondre pendant qu'il drague tout ce qui bouge.

— D'où tu les sors, les quatre enfants ? intervint Dorothée, qui avait écouté la conversation.

— Qu'il en ait trois, deux, un ou aucun, ça ne change rien. Marlène ne l'apprécie pas non plus, je l'ai entendue en parler avec Gesa. En plus, il a un regard sournois.

C'était la goutte d'eau qui faisait déborder le vase.

— Tu racontes vraiment n'importe quoi, parfois. Un regard sournois ?

— Yeux bleus, yeux d'amoureux, yeux marron, yeux de cochon, ça veut tout dire. Et baisse d'un ton, jeune fille.

Dorothée rit discrètement, Nils esquissa un rictus, Kalli regarda le bout de ses chaussures, Onno se mit à chanter « Roses rouges, lèvres rouges », vin rouge, et personne ne vint à ma rescousse. Mais j'avais beau être verte de rage, je n'allais pas commettre un parricide devant témoins. Je préférai fusiller mon père du regard pendant plusieurs secondes avant de reprendre mon poste devant le mur que j'avais commencé à peindre.

— Et ne va pas croire que je ne t'ai pas vue lever les yeux au ciel, Christine Schmidt. On en reparlera. En attendant, je vais enfiler quelque chose de plus léger, j'ai chaud.

Il claqua la porte derrière lui.

Je reposai vivement mon rouleau dans le pot de peinture et me tournai vers les lâches qui me faisaient office de collègues.

— Merci beaucoup. J'espère que vous ne m'empêcherez pas non plus de l'étrangler avec quelques mètres de ruban adhésif.

Nils jeta un coup d'œil vers le pot de peinture et me sourit.

— Je vais te chercher un autre rouleau, celui-ci est complètement imbibé de peinture. Il m'en reste un dans la voiture.

— Je préfère ne pas me prononcer sur les relations père-fille, dit Dorothée tout en préparant un mélange de couleurs. C'est un sujet extrêmement complexe, d'où les thérapies qui durent plusieurs années. Jeune fille.

Elle rit bêtement à sa propre blague. Seul Kalli fit preuve d'un peu de compassion.

— Les pères sont bizarres, parfois. Je parle en connaissance de cause. Plus tu vieilliras, mieux tu le comprendras.

— Merci beaucoup, Kalli. Bon, moi, je vais m'en griller une. Et tu peux toujours cafter, je m'en fiche.

Mais, par mesure de sécurité, je m'installai à l'arrière du bâtiment afin de ne pas me retrouver dans la ligne de mire de mon père. Je pris place face au soleil, m'imaginai Johann Thiess sur la plage et réfléchis à la façon dont nous pourrions réussir à nous voir. Je ne comprenais absolument pas l'attitude de Marlène. Mon père, lui, n'avait que des préjugés. En voyant mon ex-mari pour la première fois, il n'avait pas mâché ses mots. « Fais attention, il a des mains gigantesques, des mains d'assassin. »

Ma mère le prenait rarement au sérieux. Lors du dernier Noël que nous avions passé avec mon mari, elle lui avait offert une paire de gants. Mon père et lui faisaient la même taille. Ma mère! Avec tout ça, je n'avais rien dit à mon père, alors qu'il était mort d'inquiétude. Cela dit, il aurait pu me demander de ses nouvelles gentiment, au lieu de me chercher des noises. Il ne pouvait s'en prendre qu'à lui-même.

Lorsque je revins dans le bistrot, mon père était de nouveau assis sur sa caisse, le visage enfoui dans les mains. Onno, Kalli, Nils et Dorothée l'entouraient, le visage grave. Pâle comme un linge, mon père leva la tête et me regarda, désespéré.

— Il faut rentrer sur-le-champ, Christine.

— Pourquoi?

— Je vous conduis.

Dorothée lui posa la main sur le bras et se tourna vers moi.

— C'est peut-être moins grave qu'il n'y paraît.

Je ne comprenais absolument rien.

— Tu peux m'expliquer ce qui se passe?

— C'est sa femme, chuchota Onno.

— Tu pourrais être plus clair? Je te rappelle que sa femme est aussi ma mère.

Mon père secoua lentement la tête.

Je haussai d'un ton.

— Dorothée! Dis-moi tout de suite ce qui s'est passé!

— Heinz vient de téléphoner à l'hôpital.

— Il a dû arriver quelque chose de grave, dit mon père en levant la tête. De tellement grave qu'ils n'ont pas pu nous l'annoncer.

Je commençais à paniquer.

— Comment ça? Tu as réussi à joindre Ines?

— Ines? Non, pourquoi? J'ai appelé l'hôpital directement.

— Et ensuite?

— Ils n'ont rien voulu me dire au téléphone, répondit-il en se frottant les yeux.

Les pièces du puzzle se mettaient en place petit à petit. Je m'accroupis devant lui.

— Tu as appelé le standard de l'hôpital, tu as demandé des nouvelles de maman et on ne t'a rien dit?

— Exactement.

— Tu as demandé à lui parler directement?

— Je ne sais pas dans quelle chambre elle est.

— Et tu n'as pas téléphoné à Ines?

— Je ne connais pas son numéro par cœur. Mais les gens de l'hôpital étaient bizarres, au téléphone. Vraiment bizarres.

Je me redressai et poussai un soupir de soulagement.

— Ne t'inquiète pas, tout va bien. Ines m'a appelée, l'opération s'est bien passée, maman était encore un peu fatiguée sur les coups de 11 heures, mais tu pourras la joindre directement dans sa chambre à partir de 15 heures.

Mon père me regarda, sceptique.

— Tu essaies de me ménager. Pourquoi Ines en saurait plus que le personnel soignant?

— Elle a parlé au chirurgien et elle a vu maman. Tu as dû tomber sur un standardiste.

— Non, c'était une femme, certainement un médecin. Pourquoi Ines n'a pas téléphoné, si tout va bien?

— Elle a appelé, je viens de te le dire. Mais elle est tombée sur mon répondeur parce que tu avais éteint nos deux portables.

Kalli s'éclaircit la voix.

— Bon, ça a l'air d'aller.

— Oui, renchérit Onno, qui était allé jusqu'à couper la musique. Elle a échappé de peu à la mise en bière.

Je sortis mon portable et composai le numéro de téléphone de ma sœur. Deux heures avaient passé depuis son dernier appel, elle était peut-être de nouveau joignable. Par chance, elle répondit au bout de deux sonneries.

— Il était temps que vous appeliez. Vous avez oublié que maman se faisait opérer aujourd'hui, ou quoi ? J'ai téléphoné tôt exprès pour que vous ne vous inquiétiez pas, et vous aviez tous les deux éteint votre portable.

— Papa a peur des radiations et des oreilles qui triplent de volume. Il a éteint nos deux portables sans que je le remarque. Alors, elle est réveillée ?

Ines m'expliqua comment joindre ma mère directement.

— Mais laisse-la encore dormir un peu. D'après le chirurgien, elle devrait être plus en forme vers 15 heures. J'y retournerai à ce moment-là.

— Tu veux parler à papa ?

— S'il en a envie, oui.

Je tendis le portable à mon père.

— Tu veux parler à Ines ?

— Non.

— Il n'est pas d'humeur, Ines.

— D'accord. Il faut que j'y aille, on se rappelle plus tard. Salut.

— Alors, qu'est-ce qu'elle a dit ? demanda mon père, tout excité.

— Tu avais l'occasion de lui poser la question directement, papa. Tu pourras appeler maman vers 15 heures, elle dort encore pour l'instant. Voici le numéro de sa chambre.

Tout ragaillardi, il prit le papier que je lui tendais et le fourra dans sa poche.

— Je vais demander à Marlène si elle compte nous préparer à déjeuner. À tout de suite.

— Tu n'appelles pas maintenant, papa, c'est bien compris ?

— Oui, oui.

Il traversa la cour à grandes enjambées.

Bourreau des cœurs

Il revint une demi-heure plus tard, suivi de Marlène, qui apportait des sandwichs sur un plateau. Il lui tint même la porte et sourit à la ronde.

— Vous avez le bonjour de ma femme, s'exclama-t-il. Allez, Kalli, rapproche quelques tables, on va casser la croûte. Gesa ne va pas tarder à rappliquer avec du café. Christine, Onno, Dorothée, c'est l'heure de la pause ! Toi aussi, Nils, évidemment. On peut bien se faire plaisir entre deux couches de peinture, vu comme on trime. Écoute, Onno, ajouta-t-il en tapant dans les mains, c'est Marianne Rosenberg, monte le son.

J'approchai quelques chaises de la table, mon père s'assit à côté de moi et me posa la main sur le genou.

— Un petit café, ça va nous faire du bien, non ?

— Tu n'as pas pu t'empêcher de l'appeler tout de suite, hein ?

— Évidemment.

Il prit un sandwich et le posa sur l'assiette qui se trouvait devant Nils.

— Tiens, mange, mon garçon.

— Elle ne devait pas être très bien réveillée.

— Ta mère et moi, ça fait quarante-huit ans qu'on se connaît. Elle a toujours eu du mal à se réveiller le matin. J'ai l'habitude.

Il leva sa tasse de café et balaya l'assistance du regard.

145

— Chers tous, je vous propose de porter un toast à ma femme, à son chirurgien, à son genou flambant neuf et à notre collaboration, qui se déroule pour l'instant sans accroc. Ce soir, on sort boire une bière. Je paie ma tournée.

Dorothée et moi échangeâmes un clin d'œil. Les vacances étaient sauvées.

Mon père raconta avec force détails le déroulement de l'intervention ainsi que d'autres anecdotes sur les antécédents médicaux de notre famille. J'étais bien trop soulagée de voir Terence Hill supplanter Rantanplan pour prendre la peine de l'interrompre ou de donner ma version des faits. Jusqu'au moment où il commença à décrire la rupture de tendon dont j'avais été victime au Nürbürgring. Je m'apprêtais à intervenir lorsqu'un petit roux qui portait un bermuda à carreaux, un polo jaune et un pull assorti sur les épaules entra dans la salle.

— Vous ne m'avez pas entendu frapper, dit-il d'une voix de fausset.

Dorothée toussota, mon père et Marlène se levèrent.

— 'Jour, on est fermés pour travaux, répondit Onno après avoir englouti son sandwich.

L'homme au bermuda l'ignora.

— Je m'appelle Gisbert von Meyer et je travaille au *Courrier de Norderney*. Bien le bonjour, messieurs dames.

Il avait une voix encore plus aiguë quand il parlait fort. Dorothée avala de travers et Kalli lui tapa dans le dos sans quitter le nouveau venu des yeux. Ce genre de personne me faisait toujours peine à voir : il était trop petit, trop maigre, trop pâle, trop roux. Il devait encore habiter chez papa-maman, malgré ses quarante-cinq ans. Cela dit, j'avais le même âge que lui et je partais en vacances avec mon père. L'éternel problème de la paille

146

et de la poutre. Puis je me rendis compte que ce nom m'était familier.

— Gisbert von Meyer? C'est vous, l'auteur de l'article « La ruée vers la plage »? Il était signé GvM.

Son sourire découvrit des dents de musaraigne.

— En effet, je fais partie de la caste très fermée des écrivains. C'est à la fois ma grande passion et la raison de ma présence ici. Je m'adresse bien à Marlène de Vries?

Je secouai la tête et désignai Marlène, qui se tenait déjà devant lui, la main tendue.

— C'est moi, Marlène de Vries. Que puis-je faire pour vous?

GvM lui serra la main pendant plusieurs secondes sans me quitter des yeux.

— Que pouvez-vous faire pour moi? Ce serait plutôt l'inverse, répondit-il en regardant enfin Marlène. Je travaille depuis quelques mois pour le journal local et je suis constamment en quête de nouveaux sujets.

Dorothée laissa échapper un gloussement. J'évitai de croiser son regard.

— J'ai entendu dire qu'un ancien bistrot de notre merveilleuse île allait être transformé en bar-lounge.

— Vous avez une carte de presse? demanda mon père en se postant à côté de Marlène.

— Je vous demande pardon?

— Une car-te de pres-se. Je voudrais voir votre carte de presse. Vous pourriez très bien être un espion à la solde de la concurrence. Mais vous nous avez sous-estimés, nous sommes sur le qui-vive.

— Mais la dame là-bas a déjà lu un de mes articles.

Sa voix de fausset dérailla complètement sous l'effet du stress. Mon père se tourna dans ma direction et me désigna d'un geste impatient.

— Elle? C'est juste ma fille, et elle lit trop. Depuis sa plus tendre enfance. Et après, on s'étonne qu'elle

147

raconte des histoires à dormir debout. Votre carte de presse, je vous prie.

— Excuse-moi, Heinz, mais je connais M. von Meyer, intervint Nils. Il habite à trois maisons de chez nous et c'est un vrai journaliste.

Mon père posa d'abord un regard sceptique sur Nils, puis se tourna de nouveau vers GvM, finalement intéressé.

— Vous bénéficiez d'avantages en nature? Quand mon fils était journaliste, il avait des réductions chez Volkswagen et Toyota. Sans oublier les places de cinéma moins chères.

— Cela ne fait pas partie de mes préoccupations. Je n'ai pas besoin de voiture et je vais rarement au cinéma. Mais je me rends de temps en temps à Hambourg.

— Dans le quartier rouge? demanda Onno en se penchant vers lui. Là aussi, on vous fait des réductions?

Gisbert von Meyer rougit, ce qui fit ressortir ses taches de rousseur, et secoua vigoureusement la tête.

— Mon Dieu, non. J'assiste parfois aux matchs du Hambourg SV, j'ai des places à un tarif préférentiel.

Il était gêné et mon père muet. Mais ce dernier ne tarda pas à reprendre ses esprits.

— Le Hambourg SV? Au stade? On parle bien de foot? Vous arrivez à avoir des billets? Pour n'importe quel match?

Il était à présent écarlate, lui aussi.

— Je sais que le foot ne plaît pas à tout le monde, mais moi, j'apprécie beaucoup ce sport, répondit timidement Gisbert. C'est mon péché mignon... En même temps, on ne peut pas passer sa vie à travailler.

— C'est ce que je dis toujours, répondit mon père en attirant son interlocuteur vers la table. Je m'appelle Heinz. Gisbert, c'est bien ça? En voilà un beau bermuda.

Assieds-toi donc avec nous. Café, sandwich? Marlène, tu peux aller lui chercher une tasse?

Marlène se tenait toujours sur le seuil et observait la scène.

— Tout de suite. Monsieur Meyer…

— M. von Meyer, précisa mon père.

— Exact. Monsieur von Meyer, que me voulez-vous au juste?

— Je…

Heinz intervint à nouveau.

— Il va écrire un bel article à notre sujet, n'est-ce pas, Gisbert? Ça te fera de la pub, Marlène. Alors dis-moi, tu as des billets pour quels matchs?

Dorothée et moi allâmes aider Marlène à rapporter une tasse.

Manifestement, Gisbert von Meyer se plaisait telle-ment en notre compagnie qu'il ne semblait pas vouloir retourner au travail ni rentrer chez lui. Même lorsque Onno regarda ostensiblement sa montre et dit: « Si on ne s'active pas un minimum, il sera déjà l'heure de remballer », Gisbert opina du chef mais ne bougea pas d'un pouce. Quant à Marlène, elle disposa la vaisselle sale sur un plateau et interrogea Heinz du regard, qui lui tendit la dernière assiette vide.

— Tu peux commencer à ranger tranquillement, on a fini de boire le café. À moins que tu n'en veuilles encore, Gisbert? On a aussi des boissons fraîches, ici. Dis-moi, tu te souviens de cette superbe victoire cinq à un contre le Real Madrid? Hambourg était mené zéro à un. Com-ment s'appelait le gardien, déjà? Cunnilan? Cummiman?

— Cunningham, répondit M. von Meyer avec un grand sourire. Tout à fait. Comme Hambourg avait perdu le match aller zéro à deux, il fallait gagner quatre à un et personne n'y croyait.

Mon père tapa sur l'épaule de Gisbert.

— Quand Cunningham a dégagé le ballon, j'ai cru que mon cœur allait lâcher. Ah, le Hambourg SV… Quelle offensive. Et ils mettent cinq buts au Real. Vite fait, bien fait. Fabuleux !

— Je retourne au travail, dis-je en m'étirant. Qui m'accompagne ?

Dorothée et Nils étaient déjà debout, Kalli et Onno se levèrent lentement. Heinz les regarda puis se tourna de nouveau vers GvM.

— Et la victoire un à zéro contre Turin sur un but de Magath. Je l'aimais bien jusqu'à ce qu'il parte chez ces crétins du Bayern de Munich. Certaines personnes feraient n'importe quoi par appât du gain. Ça me révulse.

— Ah oui, Ernst Happel. La belle époque.

Gisbert me regarda, songeur. Je me demandai s'il pensait à moi ou à l'ex-entraîneur autrichien. Sans chercher plus longtemps, je retournai à ma peinture et en profitai pour monter le volume de la radio. Katja Ebstein, « Les miracles existent ». Mon père embraya aussitôt. *Ça peut nous arriver aujourd'hui ou demain…* Gisbert lui sourit et se cala confortablement sur sa chaise.

Bien évidemment, mon père resta à ses côtés. Tandis que Kalli et moi peignions, que Dorothée et Nils préparaient des mélanges de couleurs et qu'Onno fixait des linteaux avec la perceuse de Heinz, un petit journaliste et un grand fanfaron se remémoraient les plus belles années du Hambourg SV. Nous n'avions pas d'autre choix que de les écouter. Mon père s'extasiait devant Rudi Gutendorf et Horst Hrubesch tandis que Gisbert ne tarissait pas d'éloges à l'égard de Dietmar Jakobs, sans oublier Uwe Seeler. Onno me tapota sur l'épaule.

— La voix de ce scribouillard m'insupporte, je suis sur les nerfs. Je peux mettre la radio un peu plus fort ?

Je hochai la tête et continuai à peindre. Entre la peste et le choléra…

Tandis que Howard Carpendale chantait « Tes empreintes de pas dans le sable » à tue-tête, notre Gisbert haussa la voix de plusieurs octaves.

— Et le Dr Peter Krohn, quel homme, quel manager!

— Ha!

Kalli baissa le son de la radio. Tout le monde sursauta et se tourna vers lui en faisant de grands yeux. En effet, c'était la première fois qu'il parlait aussi fort. Il regarda Gisbert avec un mépris non dissimulé.

— Laissez-moi rire! Krohn! Ha!

GvM secoua la tête, incrédule.

— Je vous demande pardon?

— C'est sa faute si le Hambourg SV a dû jouer toute une saison avec des maillots roses. Quelle honte. J'ai commencé à soutenir le Werder de Brême en signe de protestation. J'avais trouvé ça dur à avaler.

— N'importe quoi, ils n'ont jamais joué en rose, rétorqua mon père. D'où tu sors ça?

Kalli ne se laissa pas démonter.

— Et pourtant, c'est vrai.

Nils vint à sa rescousse.

— Mais oui, je me souviens! L'équipe était sponsorisée par Campari et les joueurs devaient porter des maillots rose bonbon.

— Eh bien, voilà! s'écria un Kalli triomphant. Tu as tendance à oublier que tu es daltonien. Ils étaient roses, ces maillots, rose bonbon.

Il sourit et trempa son pinceau dans un pot de peinture.

Heinz se leva, se dirigea vers la radio et remonta le son.

— Une petite bière, Gisbert?

— Non, non, un jus de pomme, si vous avez.

Il croisa le regard de Dorothée et jeta un coup d'œil sur sa montre.

— Sinon, je peux te payer un verre sur le front de mer. Difficile de discuter ici, avec tout ce bruit.

— Tu as raison. Je vais boire un verre avec M. von Meyer, annonça mon père à la cantonade. Chacun sait ce qu'il a à faire, donc vous vous débrouillerez très bien sans moi. Rendez-vous à 19 heures à La Voix lactée, et soyez ponctuels. Bon courage.

— Heinz?

— Papa?

— Oh, les enfants, il faut bien que quelqu'un se charge des relations publiques et de la stratégie marketing. Moi aussi, je préférerais être en vacances, croyez-moi, donc arrêtez vos jérémiades. À tout à l'heure.

Gisbert von Meyer se retourna une dernière fois et me fit un clin d'œil avant de refermer la porte derrière lui.

— Eh ben, on dirait que Christine a un ticket, dit Onno en se grattant la tête.

Cette remarque suffit à me donner la nausée.

— Comment? Mais d'où tu sors ça?

— Il fait copain-copain avec ton père. Et tu as vu comment il t'a regardée?

— J'ai remarqué aussi, dit Kalli en hochant vigoureusement la tête. Tu veux que je me renseigne sur lui?

— Essaie un peu pour voir.

Passer trop de temps avec des septuagénaires ne me ferait pas que du bien, j'en étais de plus en plus convaincue.

— Dis quelque chose, Dorothée.

— D'accord, il est trop petit, trop maigre, trop roux et il ne sait pas s'habiller, mais il a sûrement bon fond. En plus, il s'entend déjà très bien avec Heinz. C'est peut-être le début d'une longue histoire.

Elle dit cela avec une telle candeur que Kalli tomba dans le panneau.

— Mais il manque vraiment d'éducation. Il met les pieds sous la table et ne bouge pas le petit doigt, ça ne se fait pas. Et je l'ai trouvé un peu vantard, aussi.

Dorothée rit.

— Ne t'inquiète pas, Gisbert von Meyer ne correspond en rien aux standards de Christine. Il finira bien par s'en rendre compte.

— En tout cas, Christine, s'il te court après, s'il t'importune, tu me le dis. Heinz perd tout esprit critique dès qu'il est question du Hambourg SV. Bon, je finis de peindre ce mur et, ensuite, c'est quartier libre.

Quand Jürgen Markus entonna « Nouvel amour, nouvelle vie », Kalli et Onno me jetèrent un regard en coin mais s'abstinrent de tout commentaire. Seuls Nils et moi nous mîmes à chanter car nous connaissions les paroles par cœur. Dorothée, impressionnée par la conviction dont nous faisions preuve tous les deux, dévorait Nils des yeux. Moi, je chantais pour Johann Thiess.

Plus tard, après ma douche, je m'assis sur le rebord de la baignoire et j'entrepris d'enlever la peinture que j'avais sur les doigts avec de la térébenthine. Dorothée se mit à tousser, suspendant son geste pour se maquiller.

— Mon Dieu, ça pue, ce truc. Comment tu as fait pour te mettre de la peinture partout ?

— Aucune idée, répondis-je en me frottant l'avant-bras avec un chiffon. Je suis toujours dans cet état quand je peins.

— Tu penseras à remercier ton père. Imagine que tu rencontres l'amour de ta vie ce soir et que tu sentes la térébenthine.

— Merci, tu n'as pas ton pareil pour me remonter le moral. On va dire que c'est bon.

Je jetai un dernier coup d'œil à mes mains et à mes bras puis refermai la bouteille.

153

— Tu as encore des taches un peu partout.

— Oui, mais au moins, le stylo-bille sur mon mollet a disparu. On ne peut pas tout avoir.

J'entendis mon portable sonner trois fois et vibrer dans le couloir. Un SMS. Dorothée sourit en me voyant bondir.

— Je te rappelle que tu sens la térébenthine.

— C'est peut-être juste Ines.

Faux. « Je serai au Surf Café à partir de 21 heures. Partante pour un verre de vin avec vue sur la mer ? À tout à l'heure, j'espère. Salut. Johann. »

— À en croire ton sourire béat, ce n'était pas Ines, remarqua Dorothée en allant dans sa chambre.

— Johann Thiess m'a donné rendez-vous à 21 heures au Surf Café. Comment je vais faire avec Heinz dans les pattes ?

— Je pourrais le faire boire. Non, j'ai une meilleure idée : je pourrais dire à Mmes Weidemann-Zapek et Klüppersberg qu'il sera à leur entière disposition ce soir.

— Et comment je vais m'habiller ?

Dorothée me tendit une jupe courte à fleurs.

— Tiens, mets ça avec un T-shirt blanc.

Je me changeai, Dorothée hocha la tête en signe d'approbation. Je me maquillai avec soin et me parfumai deux fois plus qu'à l'accoutumée. D'accord, j'exagérais un peu. Après tout, j'avais seulement rendez-vous avec un des clients de Marlène pour boire un verre de vin. Mais cela me mettait un peu de baume au cœur.

J'avais renvoyé un SMS. « J'essaie de venir, à plus. C. » La réponse me parvint à l'instant où Dorothée et moi nous installâmes à la table où Kalli, Onno, mon père et Gisbert von Meyer, hélas !, étaient déjà assis. Le journaliste bondit.

— Heinz, ta fille arrive. Christine, je t'ai gardé une place à côté de moi.

Gisbert von Meyer avait le tutoiement un peu trop facile à mon goût, mais je m'efforçai de répondre poliment.

— Je vous remercie, mais je préfère tourner le dos à la mer.

Je raconte vraiment n'importe quoi, pensai-je. À ce moment-là, mon portable vibra et sonna trois fois. Mon père se tourna vers moi.

— Ne sois pas si coincée, ma fille. J'entends un truc bourdonner par chez toi.

— Merci.

Je sortis le portable de mon sac et consultai mes SMS. « Encore deux heures. J'ai hâte. J. »

— Bonne nouvelle ?

GvM se pencha vers moi afin d'avoir une meilleure vue sur l'écran de mon portable. Je rangeai mon téléphone. Avec son regard curieux, on aurait dit une fouine.

— Luise vous passe le bonjour.

Je pris place à côté de Kalli. Gisbert, déçu, se rassit lentement.

— Je ne la connais pas.

— Moi, je la connais, répondit Dorothée en souriant. Nils n'est pas encore arrivé ?

— Si, dit mon père en désignant le comptoir. J'avais complètement oublié qu'il fallait se servir soi-même, ici. Nils est parti commander. Si vous voulez boire quelque chose, allez le rejoindre. Ah, attendez.

Il sortit son portefeuille et me le tendit sous la table.

— Tiens, Christine. Ce soir, c'est moi qui régale. Allez vous chercher un bon petit quelque chose. Gisbert von Meyer bondit à nouveau.

— Attends, Christine, je vais t'aider.

155

— Merci, mais on est déjà deux, répliqua Dorothée en se levant en même temps que moi.

Au comptoir, nous retrouvâmes Nils, qui portait un plateau avec quatre pintes de bière et un jus de pomme en prenant soin de ne rien renverser. Il embrassa Dorothée et me regarda avec un petit sourire.

— Ton père m'a confié la lourde tâche d'aller chercher des boissons pour tout le monde. Je crois que je marque des points.

— Demande-lui de te rembourser, il tenait à payer sa tournée.

— Et zut, juste au moment où j'avais de bonnes cartes en main. Je ne suis pas suicidaire, quand même.

— De toute façon, il dépensera tout l'argent en drogue, intervint Dorothée avec le plus grand sérieux.

Nils était perplexe.

— C'est quoi, cette histoire de drogue ?

Je lui tapotai sur l'épaule pour le rassurer.

— On t'expliquera plus tard. Au fait, tu n'aurais pas un puissant somnifère qu'on pourrait verser dans le jus de pomme ?

Nils ne comprenait plus rien, mais se dirigea tout de même vers la table avec son plateau.

À notre retour, nous constatâmes que Kalli, Onno, mon père et son nouvel ami s'étaient lancés dans un débat houleux : le Hambourg SV, un vivier de talents ?

— Où a joué Franz Beckenbauer, d'abord ? s'écria mon père, presque en transe. Hein, Kalli ? Eh oui, au Hambourg SV.

— Certes, mais il était en fin de carrière.

— Et Günther Netzer ?

— Il n'a jamais joué dans cette équipe, Heinz.

— Mais il en a été le manager, rétorqua Gisbert en agitant l'index sous le nez de Kalli.

— Qu'est-ce que ça a à voir avec le talent? Il a fait de ce club un centre d'accueil pour les pros en préretraite.

— Tu ne sais pas de quoi tu parles, Kalli. Hambourg a permis à nos joueurs de peaufiner leur jeu, et ils nous ont rapporté la coupe du monde.

Le regard de Nils se posa d'abord sur mon père, puis sur moi.

— Je vois qu'on est en pleine polémique.

Mon père le fusilla du regard et se tourna à nouveau vers Gisbert.

— Impossible de discuter de football sans que des personnes qui n'y connaissent absolument rien se croient obligées de donner leur avis. Toujours est-il que ma fille Christine s'y connaît en foot, elle a divorcé il y a trois ans et vit seule à Hambourg.

Gisbert me regarda, intéressé au plus haut point. Je détournai la tête et me mis à transpirer, tandis que mon père ressortait son portefeuille.

— Vous pourriez aller nous rechercher à boire, tous les deux?

Gisbert bondit. Heureusement, Kalli sentit bien que je n'en pouvais plus.

— Reste assise, Christine, cette tournée-là est pour moi. Viens m'aider à porter le plateau, Onno.

Gisbert von Meyer et moi étions respectivement déçus et soulagés.

Marlène et Gesa arrivèrent peu de temps après. Mon père insista pour les accompagner jusqu'au comptoir, puisque c'était lui qui régalait. À leur retour, je regardai discrètement ma montre. Il était 20 h 30. Je réfléchis à un prétexte pour échapper à cette nouvelle tournée. J'avais pensé à une migraine, mais mon père ne manquerait pas d'insister pour que Gisbert me raccompagne.

Et inutile d'essayer de filer à l'anglaise, la fouine en bermuda à carreaux ne me quittait pas des yeux.

Dorothée, qui m'avait observée, chuchota quelques mots à l'oreille de Nils. Celui-ci hocha la tête et se pencha en avant.

— Dites-moi, monsieur von Meyer, où avez-vous appris à écrire aussi bien? On a beaucoup ri en lisant votre article sur le tourisme.

Mon père et GvM, étonnés, regardèrent le hippie aux cheveux longs. Nils fit un grand sourire, espérant ainsi encourager le journaliste.

— Mon père vous lit tous les jours.

Gisbert bomba le torse, flatté.

— Comme je le dis toujours, c'est en forgeant qu'on devient forgeron. J'ai commencé ma scolarité à Emden en 1968…

— Viens avec moi, murmura Dorothée en me tirant par la manche.

Je jetai un coup d'œil à mon père. Il buvait les paroles du journaliste star de Norderney, qui décrivait son parcours dans les moindres détails, tandis que Kalli et Onno échangeaient leurs points de vue sur la pêche à la morue. Je suivis Dorothée dehors.

— Écoute-moi bien. Va aux toilettes et compte jusqu'à cinquante. En sortant, débrouille-toi pour avoir l'air pâle et souffrante, je m'occupe du reste.

Elle me laissa plantée là. Il était presque 21 heures et je n'avais pas d'autre choix que de lui faire confiance.

Lorsque je sortis des toilettes, la mine défaite, mon père se tenait devant la porte. Il me posa la main sur l'épaule, inquiet.

— Tu vas si mal que ça? Je peux t'aider? Oui, je sais, c'est une question idiote. Comme si moi, en tant qu'homme et père, je pouvais comprendre quoi que ce soit aux souffrances endurées par les femmes. Tu veux que Dorothée te raccompagne à la maison ? Ou Gesa ? Au moins, elles sauraient quoi faire. Tu penses pouvoir trouver une bouillotte à la pension ? Dans le temps, ta mère disait que ça la soulageait. Bref, je...

— Heinz.

Dorothée, qui s'était approchée, l'interrompit. J'essayais de comprendre de quoi j'étais censée souffrir. À entendre mon père, je venais de faire une fausse couche.

— Nils et moi allons la raccompagner. Retourne avec les autres.

— Tu es obligée de mêler Nils à tout ça ? À ce moment-là, autant dire qu'elle a la migraine. Allez, va t'allonger, mon enfant. Je ne peux rien faire pour toi, de toute façon. En cas de problème, tu m'appelles, d'accord ?

Il me donna un baiser sonore sur le front.

— Repose-toi bien, ma fille.

Dorothée me poussa vers la sortie.

— Qu'est-ce que tu penses de ma stratégie ?

— Qu'est-ce que j'ai, au juste ?

— Des règles extrêmement douloureuses. Tu es très gênée car tu viens de faire la connaissance de GvM, donc tu n'as pas très envie d'aborder ce sujet avec lui. Heinz s'est montré très compréhensif. Ah, voilà Nils.

Ce dernier me regarda avec compassion.

— Alors Christine, tu tiens encore debout ? Notre scribouillard nous parle des sujets tombés au bac, il ne m'a même pas vu me lever. On file ?

Il était 21 heures.

— Vous ne m'accompagnez pas, quand même ? demandai-je à mes complices.

— Bien sûr que non, répondit Dorothée en enlaçant Nils par la taille. On va se balader sur la plage en amoureux. Vas-y, tu es déjà en retard.

Je respirai un grand coup et me mis en route.

Nouvel amour, nouvelle vie

J'arrivai devant le Surf Café avec un point de côté.
Je m'arrêtai un instant, le temps de vérifier que je ne
sentais pas la transpiration. Non, je sentais plus la térébenthine qu'autre chose. Je repris mon souffle tout en
balayant la terrasse du regard. Soudain, je l'aperçus.
Johann Thiess, à la troisième table en partant de la
gauche, portait un jean et une chemise rose, couleur
que je détestais en temps normal. Il était tout simplement divin.

Je sentis mes jambes se dérober sous moi et m'approchai de sa table d'un pas mal assuré.

— Bonsoir. Je suis désolée, je n'ai pas pu me libérer
plus tôt.

J'avais également perdu l'usage de mes cordes
vocales. Johann se leva lentement, me prit par le coude,
se pencha en avant et m'embrassa sur la joue.

— L'essentiel, c'est que tu sois là.

Je m'assis en face de lui. J'avais encore du mal
à croire que nous y étions arrivés. Christine Schmidt
se trouvait à Norderney, face à la mer, une demi-heure
avant le coucher du soleil, en compagnie du plus bel
homme qu'elle ait vu au cours des vingt dernières
années, hormis au cinéma et à la télévision.

— Un peu de vin rouge? lui demanda ce même
homme d'une voix suave.

Je hochai la tête. Impossible de prononcer un mot.

— Qu'est-ce que tu as fait de ta journée? demandai-je en essayant de me ressaisir.

— Je me suis baladé à vélo, histoire de découvrir un peu l'île, et je me suis baigné au retour sur la plage naturiste. Je n'avais jamais vu une plage aussi étendue, c'était vraiment super.

— Oui, elle est très étendue.

Seigneur, donnez-moi un cerveau!

Johann fit signe à la serveuse. Lorsque celle-ci arriva, il commanda deux verres de vin rouge.

— Elle s'est trouvé un bon travail, remarqua-t-il en la suivant du regard. Au programme tous les soirs: coucher de soleil et vacanciers de bonne humeur. Pas mal.

Le couple de la table voisine choisit ce moment-là pour commencer à se disputer. Hans-Günther venait de se commander une quatrième bière et Margot n'était pas d'accord.

— De bonne humeur, vraiment? Si tu le dis. C'est la première fois que tu viens à Norderney?

Johann hocha la tête et attendit que la serveuse, déjà de retour, ait posé les verres sur la table.

— Oui. Je me plais ici, l'île est très jolie.

— Et comment tu as connu Norderney?

Il haussa les épaules et évita mon regard.

— Je ne me souviens plus très bien, il me semble que c'est un collègue de travail qui m'en a parlé. Et toi?

— Je viens plus souvent depuis quelques années. Sinon, je passe plutôt mes vacances à Sylt, mes parents vivent là-bas. En parlant de collègue, qu'est-ce que tu fais dans la vie?

— Rien de bien passionnant: je suis banquier. Et toi?

— Je travaille dans une maison d'édition.

Johann sortit un paquet de cigarettes. La même marque que les miennes.

— Ça m'a l'air plus palpitant que ce que je fais. Tu fumes?

— Seulement quand mon père n'est pas dans les parages. Merci.

J'en pris une. Il me tendit du feu et rit.

— Mais oui, j'oubliais, tu as un chaperon. Je le trouve très sympathique, et le tact avec lequel il a envoyé promener les deux clientes un peu pénibles m'a impressionné.

— Quand ça?

— Elles le guettaient alors qu'il était à la réception en train de téléphoner. Il s'est délicatement frayé un chemin entre elles en s'exclamant : « Mesdames, le devoir m'appelle, mais sachez que je ne vous oublie pas. » Elles l'ont laissé passer avec un grand sourire.

Moi aussi, j'étais impressionnée. Visiblement, elles ne lui en voulaient pas pour sa remarque sur l'agence matrimoniale.

Johann se leva et vint s'installer à côté de moi. Sa jambe frôlait la mienne.

— D'ici, on voit mieux le coucher de soleil. C'est beau, non?

J'opinai du chef. Ma gorge se serra sous le coup de l'émotion.

— Et que vient faire à Norderney une femme qui vient de Sylt et qui vit à Hambourg?

Il marqua un temps d'arrêt et huma l'air.

— C'est moi ou ça sent la térébenthine?

— Possible. Je suis ici grâce à Marlène. On se connaît depuis longtemps, et je viens lui donner un coup de main quand elle en a besoin et que je suis disponible.

Johann posa le bras sur le dossier de ma chaise. À présent, sa main touchait mon épaule. Pourvu qu'il le fasse exprès.

— Je suis ravi de t'avoir rencontrée. Je remercierai mon collègue de m'avoir parlé de Norderney. Tu penses qu'on pourrait se voir plus souvent?

Il me caressait l'épaule du bout des doigts. J'en avais la chair de poule.

— J'aimerais bien, mais on va être très occupés d'ici au week-end prochain et à l'inauguration du bistrot. Enfin, du bistrot… Ce sera plutôt un bar-lounge, avec tout le tralala. Et mon père a renvoyé deux jeunes, donc on se retrouve avec encore plus de travail. Il a aussi tendance à oublier mon âge et à vouloir parfaire mon éducation, ce qui veut dire pas de tabac, pas d'alcool, pas de garçons…

Quand je tombe amoureuse, je raconte n'importe quoi. Heureusement, Johann m'interrompit avant que je ne puisse plus m'arrêter.

— Je peux te demander quelque chose, Christine?

Tout ce que tu veux, pensai-je. La réponse sera toujours oui.

— Marlène est une employée de la pension?

S'il y avait bien une question à laquelle je ne m'attendais pas, c'était celle-là.

— Pourquoi?

— Je me demandais juste quel était son rôle. Qui supervise les travaux?

Je le fixai en me demandant si je n'avais pas raté un épisode. Pourquoi ce soudain intérêt pour Marlène?

— C'est elle, répondis-je avec hésitation. La pension de famille lui appartient.

L'espace d'un instant, il parut étonné, puis me sourit.

— Je vois. Et elle a quel âge?

Le soleil commença à se coucher sans moi.

— Cinquante et un ans. Autre chose?

Il semblait aller de surprise en surprise.

— Ma question va te paraître bizarre, mais tu sais si elle a quelqu'un ?

— Si tu lui demandes gentiment, je suis sûre qu'elle te racontera sa vie dans les moindres détails.

— Tu fais fausse route, Christine. Je ne m'intéresse pas à Marlène de Vries. C'est un de mes amis qui voulait savoir tout ça. Il a passé une nuit à la pension et s'est un peu entiché d'elle. Sinon, je ne serais pas tout content d'être assis là avec toi.

Son sourire vint à bout de ma colère. Je regardai le soleil, qui se trouvait déjà bien bas. Puis Johann appuya sa cuisse contre la mienne et se mit à me caresser la nuque. Je consacrais les minutes suivantes à savourer le moindre de ses gestes et à tomber folle amoureuse de lui.

— Tu vis vraiment seule ?

— Oui, depuis trois ans. Et toi ?

— Moi aussi. Je cherche un appartement à Brême. En ce moment, je vis à…

Il fut interrompu dans ses confidences par la sonnerie de son portable. Je sursautai, Johann sursauta lui aussi mais il décrocha.

— Allô, oui ?

Je détestais les gens qui ne s'annonçaient pas au téléphone. Quant à Johann, son visage se crispa. Tout en écoutant, il se redressa et retira son bras du dossier de ma chaise.

— Mais je t'avais dit que je te téléphonerais une fois que j'en saurais plus. Je ne peux rien te dire pour l'instant. Laisse-moi un peu de temps, je ne fais pas ça tous les jours.

La femme à l'autre bout du fil parlait si fort que je saisis des bribes de phrases telles que « … compter sur toi » et « Je te rappelle que tu as une famille ». Johann comprit que j'écoutais et se leva.

— De toute façon, il ne se passe rien en ce moment. Je te téléphone demain… Oh, arrête de prendre la mouche comme ça. À plus tard.

Il se rassit tandis que je faisais signe à la serveuse.

— L'addition.

— Reste encore un peu, Christine. Il s'agit d'un malentendu. Chaque fois qu'on se voit, je reçois un coup de fil de ma tante.

Tante Mausi, à d'autres, pensai-je en tentant de contenir la colère qui montait en moi.

— Je sais, Johann. Je comprends, et tu as le droit de téléphoner à qui tu veux. Mais il faut que j'y aille. Demain, on doit se remettre au travail et tu n'es pas sans savoir que mon père…

La serveuse apparut devant nous.

— Vous payez ensemble ?

— Oui.

Johann sortit son portefeuille et lui tendit un billet. Je le laissai faire sans rien dire, ce rendez-vous m'avait déjà assez épuisée comme ça.

Comme nous rentrions par le même chemin, il aurait été idiot de nous suivre à quelques mètres de distance, donc nous marchâmes côte à côte en silence. Je sentais son regard sur moi, mais je n'avais aucune envie de lui poser des questions car je savais déjà que ses réponses ne me conviendraient pas. Mais, peu avant d'arriver à la pension, il s'arrêta brusquement et m'attrapa par le bras.

— Attends.

— Oui ?

— On devrait faire en sorte de ne pas croiser ton père, non ?

— Tu as la trouille ?

— De ton père ? Pas spécialement. Je voulais juste t'éviter toute discussion portant sur le tabac et… les garçons.

Il rit, contrairement à moi. J'étais triste. Il remarqua que j'étais triste et m'enlaça.

— Écoute, j'ai deux ou trois trucs à régler dont je n'ai pas envie de parler pour l'instant. Et ça n'a aucun rapport, mais j'ai un peu le béguin pour toi et j'aimerais mieux te connaître. Tu comprends ?

Bien sûr que non, je ne comprenais pas. Mais il avait des yeux noisette, une voix sensuelle, une belle bouche et un parfum exquis.

— D'accord. Peut-être qu'on pourrait aller se baigner tous les deux demain matin.

Il m'embrassa d'abord brièvement, puis plus longuement sur la bouche. De près, je vis des petits points dorés dans ses yeux noisette.

Je rentrai à l'appartement. Le gentil Nils cachait peut-être quelque chose, lui aussi. Et alors ? C'était l'été, après tout.

Je constatai à mon grand soulagement que j'étais la première arrivée. Le rendez-vous avec Johann n'avait pas duré très longtemps, il était à peine 23 heures. En me lavant les dents, j'essayai me concentrer sur les petits points dorés ainsi que sur le baiser, et non sur les couacs de ce premier rendez-vous. La fatigue aidant, j'y parvins et allai me coucher.

Johann et moi déambulions sur la plage, main dans la main. Le soleil couchant se reflétait sur les vagues, et nous discutions de l'endroit où nous irions vivre : Norderney, Sylt, Hambourg ou les Maldives ? Johann s'accroupit pour ramasser un coquillage nacré particulièrement joli, tandis que je continuais à marcher tranquillement. Soudain, j'entendis une sonnette de vélo et me retournai. À ma grande frayeur, Gisbert von Meyer renversa mon bien-aimé, lui arracha le coquillage de la main, me le tendit et me dit de sa voix de fausset :

« Je suis venu à ta rescousse avant que tu commettes une grave erreur. »

Je me réveillai en nage juste au moment où mon père entrait dans l'appartement en sifflotant. Je reconnus même la chanson de Marianne Rosenberg, « Marlène, l'un de nous doit s'en aller ».

Le lendemain matin à 7 heures, j'ouvris sans bruit la porte de la chambre de mon père et vis ce dernier sur le dos en train de ronfler légèrement, un oreiller sur la figure. La veille au soir, il était entré dans le salon et m'avait caressé la joue, alors que je faisais semblant de dormir. À présent, je culpabilisais de l'avoir ainsi mené en bateau. Je le laissai dormir. Inutile qu'il se pointe au bistrot tous les matins à 8 heures pétantes. Après tout, il avait lui aussi droit à des vacances.

Le lit de Dorothée n'était pas défait. Elle avait dormi avec Nils soit sur la plage, soit chez lui. En tout cas, elle avait dû passer une nuit plus palpitante que la mienne, sans faire de cauchemar impliquant GvM.

Marlène se trouvait dans la cuisine de la pension et disposait des petits pains dans des corbeilles.

— Bonjour. Tu es partie tôt, hier soir. Ça va mieux ? Heinz a multiplié les allusions.

Je me servis une tasse de café et m'assis sur un tabouret.

— Dorothée lui a fait croire que j'avais des règles douloureuses. En fait, je voulais m'éclipser.

Piquée par la curiosité, Marlène reposa les petits pains et se tourna vers moi.

— T'éclipser ? Pour quoi faire ?

— Pour retrouver Johann Thiess.

— Oh… Et ?

— Je le trouve génial, Marlène ! On s'est retrouvés au Surf Café, c'était très sympa. Et ça va continuer, je pense.

En croisant le regard sceptique de Marlène, je me remémorai les questions que Johann avait posées sur elle, le coup de fil de Mausi ou je ne sais qui, qui n'annonçait rien de bon, et enfin ses mystérieuses allusions au moment de nous quitter. J'essayai de rassurer Marlène autant que moi-même.

— Il a des choses à régler ici pour le travail. Il est banquier, au fait. Peut-être qu'il enquête sur une affaire de corruption, mais il n'a pas le droit d'en parler. Il m'a aussi dit qu'il était tombé amoureux de moi, et il embrasse super bien. Bref, c'était génial…

Je finis mon café, posai la tasse dans l'évier et saisis une assiette de charcuterie.

— J'y vais. Rien à signaler, aujourd'hui?

Marlène secoua la tête. J'étais soulagée qu'elle ne fasse aucun commentaire sur mon rendez-vous. Je ne voulais rien entendre de négatif.

Les Berg furent les premiers à descendre prendre le petit déjeuner. Les jumelles s'assirent côte à côte. Emily boudait. Lena, elle, me salua gaiement d'un signe de tête.

— Bonjour, Christine. Tu peux nous préparer un chocolat chaud comme hier?

— Bien sûr. Tu en veux un aussi, Emily?

— Non. Aujourd'hui, je ne mange rien et je ne bois rien.

Elle paraissait d'humeur massacrante.

— Emily s'est disputée avec papa, m'expliqua Lena. Elle ne lui cause plus.

Elle jeta un coup d'œil à ses parents, qui se servaient au buffet.

— Papa a dit qu'elle était têtue comme une mule.

Emily me lança un regard noir.

— Les mules ne sont pas têtues. Et c'est papa qui a commencé.

Comme je la comprenais.

— Je connais ça. Mon papa aussi, c'est toujours lui qui commence. Mais tu sais quoi? Ma mère dit que le plus intelligent abandonne le premier. Moi, je fais comme si de rien n'était, je suis gentille avec lui et il oublie tout. Tu devrais essayer.

— Mais ton père porte toujours des casquettes rigolotes, répondit Emily après quelques instants de réflexion. Il est sûrement plus gentil que le mien.

— Je ne pense pas. Toi aussi, tu as un gentil papa.

Anna et Dirk Berg s'assirent à table et me sourirent. Emily me regarda du coin de l'œil, prit un petit pain dans la corbeille, le posa sur son assiette et se tourna vers son père.

— Bonjour, papa. Tu as bien dormi?

Dirk Berg était médusé. Je retournai dans la cuisine, pas peu fière de mes dons de pédagogue.

De son côté, Marlène continuait à préparer du thé.

— Tu es vraiment rentrée avant ton père?

— Oui, bien avant. Vous êtes restés longtemps au café. C'était sympa?

Marlène rit.

— Sympa? M. von Meyer s'est lâché. Heinz et lui se sont découvert une autre passion en commun: la variété allemande. J'ai cru que le pauvre garçon allait exploser quand il s'est mis à chanter sa chanson préférée d'Andrea Berg.

— Il doit avoir plus ou moins la même voix.

— Que Heinz?

— Non, qu'Andrea Berg.

— Je ne vois pas du tout qui c'est.

— Elle chante de la même façon que Gisbert parle. Gesa a beaucoup souffert?

— Ça a été, elle était bien trop occupée à garder son sérieux, de toute façon. On n'est pas restés si longtemps que ça, on est partis une heure après toi.

— Bonjour.

Onno se tenait sur le seuil et nous regardait, un peu gêné.

— Le bistrot est encore fermé. Je suis en avance?

— J'oubliais : mon père dort encore. C'est lui qui a la clé?

Onno s'inquiéta immédiatement.

— Comment ça, il dort encore? Il est malade?

— Je ne pense pas, mais comme il avait l'air fatigué, je ne l'ai pas réveillé.

Marlène prit le trousseau accroché à un clou et en retira une des clés.

— Tiens, Onno, mais elle s'appelle « reviens ». Heinz a l'autre. Il finira bien par se lever. Tu me rendras ma clé plus tard.

— Heinz peut prendre son temps, répondit Onno en hochant la tête. Moi, je vais m'y mettre. Ah, voilà Kalli. À tout à l'heure.

Par la fenêtre de la cuisine, nous vîmes Kalli attacher consciencieusement l'antivol de son vélo tandis qu'Onno l'attendait. Nous n'eûmes pas le temps de les prévenir : quand Kalli se redressa, il se trouva nez à nez avec Hannelore Klüppersberg, vêtue d'un pull à rayures jaunes et noires. Nous n'entendîmes pas ce qu'elle lui dit, mais Kalli rougit et Onno recula d'un pas par précaution. En vain, car son amie Mechthild surgit par-derrière.

— Bonjour. Regardez-moi ces vieilles commères qui épient leur prochain à la fenêtre.

Dorothée entra dans la cuisine et se posta derrière nous.

— Oh, mais voilà Maya l'abeille, et Mme Weidemann-Zapek a sorti son torchon des grands jours.

Comme c'est joli. Mais où est-ce qu'elles achètent leurs fringues?

— Dorothée, va dans la cour et reviens nous raconter ce qui se passe. On n'entend rien du tout.

Fascinée, Marlène observait les deux dames en train de parler avec force gestes aux deux messieurs, chez qui l'angoisse montait peu à peu. Dorothée ouvrit brusquement la fenêtre et tous les quatre se retournèrent vers nous. Marlène et moi, prises sur le fait, reculâmes d'un pas. Dorothée les salua gaiement de la main.

— Ils vous avaient vus, de toute façon, et certains clients réclament à boire dans la salle à manger. Christine, ton client préféré est descendu aussi. Comment ça s'est passé, d'ailleurs?

— C'était sympa, répondis-je en saisissant les deux cafetières que Marlène me tendait. Mais ça n'a pas duré aussi longtemps que ton rendez-vous à toi.

— Je ne comprends plus rien.

Marlène tendit une tasse de café à Dorothée et la regarda, curieuse.

— Quelqu'un veut bien éclairer ma lanterne?

Tandis que Dorothée commençait à raconter son escapade nocturne avec animation et moult détails, j'allai voir mon client préféré, avec qui j'aurais bien aimé vivre la même chose.

Johann Thiess était assis à la petite table près de la fenêtre. Le temps d'arriver devant lui, mon pouls battait deux fois plus vite.

— Bonjour, Christine. Je prendrais volontiers mon petit déjeuner avec toi. Comment ça va?

— Ça va bien. Thé ou café?

— Café, s'il te plaît.

Je n'eus même pas à me retourner pour comprendre que Maya l'abeille et le torchon sur pattes venaient d'entrer dans la salle à manger. Je regardai Johann Thiess.

— Comme tu peux le constater, j'ai à faire. Voilà ton café, on se voit plus tard.

— J'espère bien, répondit-il en posant un instant sa main sur la mienne.

Mmes Weidemann-Zapek et Klüppersberg furent pour le moins surprises lorsque je leur promis avec un grand sourire de leur apporter du thé.

DE L'ORAGE DANS L'AIR

Ces dames étaient déjà en train de préparer leurs provisions pour la journée lorsque mon père fit son apparition. Mme Klüppersberg bondit immédiatement et renversa son verre de jus de fruit par la même occasion. Tandis que son amie Mechthild épongeait la tache avec une serviette, Hannelore Klüppersberg retenait mon père par l'avant-bras d'une poigne de fer.

— Mon cher Heinz!

On aurait presque dit un cri de triomphe.

— Il reste une petite place libre à notre table, vous allez enfin pouvoir nous tenir compagnie. Notre vœu le plus cher est d'entendre quelques belles histoires sur votre île.

Aux tables voisines, les clients se turent et se mirent à observer mon père, désespérément muet et prisonnier d'une abeille mutante.

— Oui, hum… Je voulais juste…

La voix d'Emily rompit le silence.

— Le papa de Christine, c'est toujours lui qui commence aussi. Mais il a des casquettes rigolotes.

— Qu'est-ce que je commence?

Mon père avait réussi à s'échapper. Je pris les devants afin d'éviter un psychodrame.

— J'ai dit aux jumelles que tu commençais toujours à me raconter de belles histoires quand je m'ennuyais.

— Ah oui?

— Mais qu'est-ce que vous avez toutes à vouloir entendre de belles histoires, aujourd'hui ?

Emily le regarda, l'air grave.

— Mais ce n'est pas ce que je voulais dire…

— Bois ton chocolat, Emily. Il vous faut autre chose, madame Berg ? Assieds-toi, papa, je t'apporte une tasse de café tout de suite.

Je devais faire régner l'ordre par tous les moyens, mon père ne supportait pas d'être ainsi bousculé dès le matin. En me dirigeant vers la porte, je dus passer devant Johann, qui se servait au buffet. Il en profita pour me caresser le dos. Mme Weidemann-Zapek, qui était apparemment en train de préparer une assiette pour mon père, posa d'abord ses yeux sur la main, puis sur moi. Je m'arrêtai un instant et pris une voix mielleuse.

— Excusez-moi, madame Weidemann-Zapek, mais mon père déteste la salade de harengs.

Puis je disparus en cuisine.

Les clients se faisaient de plus en plus rares dans la salle à manger, les premiers levés avaient déjà quitté la pension avec leurs affaires de plage et la journée semblait prendre un meilleur départ. Étonnamment, mon père tenait le coup face au duo infernal. Il ne restait plus qu'eux et Johann Thiess, qui buvait un quatrième café en lisant le journal.

Je commençai à ranger lentement le buffet du petit déjeuner tout en essayant d'écouter discrètement ce que disait mon père et d'observer encore plus discrètement Johann. Je ne pus mener à bien la première de ces tâches car le trio baissait la voix dès que je m'approchais, et la seconde non plus, car les deux femmes ne me quittaient pas des yeux. Finalement, Johann replia son journal et se leva. Il passa devant moi et posa la main sur mon épaule.

— À plus tard.

Sur le seuil de la porte, il se retourna encore une fois et s'adressa à la dernière table occupée.

— Je vous souhaite une bonne journée.

— Merci, jeune homme, s'exclamèrent les deux dames en chœur.

Mon père n'avait manifestement pas entendu et ne répondit pas.

Lorsque je sortis dans le couloir pour apercevoir Johann une dernière fois, Kalli me rentra dedans. Écarlate, il me prit par la taille et m'entraîna dans une valse endiablée qui nous mena jusqu'à la salle à manger.

— Où est ton père ? Ah, le voilà ! s'exclama-t-il d'une voix suraiguë. Heinz, Christine, elle a réussi, elle s'est débrouillée comme un chef, c'est merveilleux, je le savais, enfin non, je ne le savais pas, mais je m'en doutais. C'est génial !

Il me fit tourner une dernière fois sur moi-même et s'arrêta, à bout de souffle.

— Je ne pense pas que son extase soit due à la peinture de Dorothée. Je me trompe ?

— Je suis grand-père.

Kalli avala de travers et se mit à tousser. Je lui tapai dans le dos jusqu'à ce qu'il reprenne ses esprits ainsi qu'une respiration normale.

— Une fille, Katharina a accouché d'une fille, j'ai une petite-fille ! Hanna vient d'appeler, elle vous passe le bonjour et m'a dit de vous payer une tournée au Requin Bar, ce soir. C'est fantastique, non ?

Mme Weidemann-Zapek applaudit, ravie.

— Félicitations, et merci pour l'invitation. On accepte avec plaisir, n'est-ce pas, Hannelore ? Devenir grand-père si jeune, voilà qui est inhabituel.

Elle sourit à la ronde. Mon père se leva et tapa affectueusement Kalli dans le dos.

— Beau travail, mon vieux.

La fierté se lisait dans le regard de Kalli. Je le serrai moi aussi dans mes bras.

— Comptez sur nous, s'exclama gaiement Mme Klüppersberg. On va passer une excellente soirée.

Kalli hocha la tête dans leur direction, puis commença à comprendre.

— Je ne comptais pas du tout les inviter, ces deux bonnes femmes, et Hanna serait de mon avis, me chuchota-t-il. Elles vont vraiment se joindre à nous ?

— Trop tard. Dis-toi que tu le fais pour ta petite-fille. Tu sais, chez les peuples primitifs, chaque naissance était accompagnée d'un sacrifice rituel. Là, ce sera pareil, mais sans l'offrande.

Mon père lui tapa à nouveau dans le dos.

— Ah, Kalli, comme je le dis toujours, ce qui est fait n'est plus à faire. À ce soir au Requin Bar, ajouta-t-il en se tournant vers les deux femmes. D'ici là, passez une bonne journée.

Elles le saluèrent de la main. Mon père m'entraîna dans le couloir puis se campa devant moi.

— Dis-moi, ce jeune homme, tu le connais un peu ?

— C'est un client, répondit Kalli, qui nous avait suivis. On l'a déjà croisé, tu m'as dit que tu n'aimais pas son regard.

— Merci, Kalli, mais je me souviens quand même, vu que c'était hier. Mme Klüppersberg prétend avoir remarqué une certaine proximité entre vous. Qu'est-ce qu'elle voulait dire par là ?

— Tu lui poseras la question ce soir, quand vous danserez le tango. Elle sera ravie de te fournir de plus amples explications.

— Je ne crois pas qu'on puisse danser le tango au Requin Bar, intervint Kalli en se grattant la tête.

— Kalli, tu permets? Je suis en train de discuter avec ma fille. Je le trouve un peu louche, ce client. Il a un regard bizarre.

— Sournois. Hier, tu m'as dit qu'il avait un regard sournois.

— Exactement, donc tiens-toi sur tes gardes. Je ne tiens pas à repêcher ton cadavre dans la mer du Nord.

Je connaissais le refrain. Surtout, rester aimable.

— Merci, papa, c'est gentil de t'inquiéter pour moi. Mais je te rappelle tout de même que j'ai quarante-cinq ans.

— Je sais bien. D'ailleurs, M. von Meyer en a quarante-sept, mais il fait beaucoup plus jeune. Au niveau de l'âge, vous vous correspondez.

Rester aimable, encore et toujours.

— Très sincèrement, je le trouve un peu spécial, ce M. von Meyer. Il a un côté nerveux, imprévisible. Va savoir, c'est peut-être lui qui me jettera dans la mer du Nord.

Heinz sourit de toutes ses dents.

— N'importe quoi, c'est un jeune homme charmant. Vous devriez faire un peu plus connaissance. Je vais l'appeler pour qu'il vienne ce soir. Il aime bien danser, lui aussi. Il m'a beaucoup parlé de lui hier, et je pense que tu finiras par l'apprécier. Sois patiente. Bon, allons nous mettre au travail. Ça vaut pour tout le monde, papi.

Je les suivis avec un sourire crispé.

Mmes Weidemann-Zapek et Klüppersberg jouèrent des coudes pour passer devant moi et monter dans leur chambre.

— À ce soir.

Lorsque je les saluai à mon tour, une idée me traversa l'esprit.

— Excusez-moi, avant que j'oublie…

Elles s'arrêtèrent en bas de l'escalier.

— Mon père adore danser, mais il n'ose jamais inviter personne. Prenez l'initiative et, s'il se fait prier, n'hésitez pas à insister. Il se montre parfois un peu timide. Mais surtout, ne vous découragez pas. À ce soir.

— C'est très aimable à vous. De toute façon, Mechthild et moi, on n'aime pas trop les dragueurs invétérés. Votre père, lui, est si charmant, si attentionné… Vivement ce soir.

Je jubilais en débarrassant leur table.

À l'heure du déjeuner, Gesa nous apporta du pain et des saucisses, suite aux réclamations de Kalli. Puis je reçus un SMS. « J'ai un problème. Tu peux venir au Café de la Mairie, sur la Friedrichstraße? Johann. »

Dorothée, qui se tenait à côté de moi, remarqua mon changement d'expression. Elle m'interrogea du regard et je lui tendis mon portable. Elle lut le message et fronça les sourcils.

— Je vais bientôt être à court de peinture verte. Tu peux aller m'en acheter deux pots, Christine?

— D'accord. Autre chose?

— Oui, rapporte-moi *Le Courrier de Norderney*, répondit mon père en s'arrêtant de poncer.

Tout en me dirigeant vers le local à vélo, je renvoyai un SMS à Johann pour le prévenir que j'arrivais.

J'espérais qu'il ne s'agissait pas encore de Mausi. Je n'étais vraiment pas d'humeur.

Dès que j'entrai dans le café, je vis que Johann était au téléphone. Il raccrocha et me fit signe de m'asseoir.

— Merci d'être venue, j'ai vraiment passé une matinée pourrie.

L'air grave, il rangea son portable dans la poche de sa veste, se pencha au-dessus de la table et m'embrassa tout naturellement sur la bouche. Je souris béatement.

— J'ai voulu acheter une bouteille de vin dans l'espoir qu'on se retrouverait sur la plage, ce soir. Mais, à la caisse, j'ai remarqué que je n'avais pas pris mon portefeuille, donc j'ai reposé la bouteille en rayon et je suis retourné à la pension chercher mon argent. J'ai mis toute la chambre sens dessus dessous, en vain. La dernière fois que j'ai sorti mon portefeuille, c'était hier soir au Surf Café, au moment de régler. Il a disparu.

— Quelqu'un finira bien par le retrouver. Tu as téléphoné au Surf Café?

Le baiser m'avait complètement chamboulée, ce qui n'échappa pas à Johann.

— J'y suis même retourné, Christine, et j'ai reparcouru tout le chemin d'hier soir, aller et retour. Je suis également passé au bureau des objets trouvés, mais personne ne l'y a déposé. Mon portefeuille a disparu.

— Qu'est-ce qui va se passer?

Johann alluma une cigarette d'une main tremblante.

— J'ai commencé par faire opposition. Dix euros, c'est tout ce qui me reste.

— Mais tu dois pouvoir retirer de l'argent sans carte de crédit, vu que tu es banquier.

— Certes, mais ma carte d'identité se trouvait aussi dans mon portefeuille.

— Tu veux que je te prête de l'argent?

— Ce serait possible? Comme ça, je pourrai rentrer chez moi demain et passer à ma banque. Là-bas, au moins, ils me connaissent. J'en profiterai aussi pour prendre mon passeport. Et compte sur moi pour te rembourser tout de suite. Ce serait super, merci.

Il avait retrouvé le sourire.

179

— Pas de problème, dis-je en sortant mon porte-monnaie de mon sac. Tu as besoin de combien ?

— Cinq cents, huit cents ?

— Tant que ça ?

— Ben, comme j'ai été super malade à l'aller, sur le bateau, j'ai prévu de rentrer en avion. En plus, je dois régler les deux nuits passées à la pension, sinon Mme de Vries va me prendre pour un voleur. Avec le parking à Norddeich et l'essence, ça file vite. Je suis tellement nerveux à l'idée d'avoir si peu d'argent et aucune carte de crédit sur moi...

Comme je le comprenais. Il avait l'air désespéré et je voulais le sortir de ce mauvais pas.

— Il faut que je passe au distributeur, je ne me balade jamais avec une somme pareille. Je reviens tout de suite.

J'avais trois cents euros sur moi et en retirai cinq cents de plus. Il me rembourserait dès son retour. En plus, je culpabilisais un peu car nous étions ensemble lorsqu'il avait perdu son portefeuille, et le fait de pouvoir lui venir en aide soulageait quelque peu ma conscience.

Nous bûmes un dernier café, et Johann insista pour payer avec les dix euros qu'il avait trouvés dans la poche de son pantalon. Je repartis à vélo, la joie au cœur, tout en espérant que Johann réglerait vite ses problèmes d'argent. Et que cette Mausi ne travaillait pas à la même banque que lui.

Une fois arrivée dans la cour, je me souvins que j'avais oublié d'acheter *Le Courrier de Norderney*. De toute façon, je ne voyais pas pourquoi mon père tenait tant à le lire. D'accord, il connaissait un des scribouillards qui y travaillaient, mais ce n'était pas une raison suffisante pour qu'il change ses habitudes.

Je m'apprêtais toutefois à repartir lorsque je vis Marlène se précipiter vers le bistrot, le journal à la main. Elle avait le visage figé et ne semblait guère sereine.

— Hé, Marlène, attends-moi!

Elle s'arrêta. Je m'approchai en poussant mon vélo.

— Je peux te prendre le journal? Comme ça, je ne serais pas obligée de…

À ce moment-là, je remarquai qu'elle était verte de rage.

— Qu'est-ce qui t'arrive?

— Ce qui m'arrive? répéta-t-elle en agitant le journal. Viens avec moi. Je vais tuer quelqu'un, mais j'hésite encore entre le grand spécialiste de l'île et la petite fouine, ça dépend sur qui je tombe en premier.

Je posai le vélo contre le mur et lui emboîtai le pas. Hors de question de rater ça. Elle ouvrit brusquement la porte et fit irruption dans le bistrot. Puis elle déplia le journal et l'étala sur une table, avant de balayer la salle du regard.

— Je voudrais vous lire quelque chose. Je peux avoir votre attention deux minutes?

Onno, Kalli, Dorothée et Nils approchèrent. Mon père, lui, s'assit sur une chaise en arborant une mine réjouie. Marlène lui lança un regard noir et se mit à lire à haute voix.

« Norderney. Depuis plusieurs jours, riverains comme touristes n'ont de cesse de se demander ce que d'infatigables manœuvres trament dans les anciens locaux du bistrot Vue sur la mer. Notre rédaction a fait toute la lumière sur ce secret bien gardé. Hier, l'un de nos correspondants, Gisbert von Meyer, a eu l'honneur de rencontrer Heinz Schmidt, l'un des spécialistes, si ce n'est LE spécialiste de Sylt. "Bien sûr que je connais Sylt comme ma poche", affirme Heinz avec un petit sourire malicieux. "J'ai tout de suite vu ce qui manquait à Norderney." Ce fringant septuagénaire au teint hâlé montre les plans à notre journaliste. "Grâce à moi, ce bistrot va devenir un bar-lounge que ne renieraient pas les habitués de Sylt."

D'après les plans, d'élégants fauteuils remplaceront le comptoir à la propreté douteuse, les vieilles tables rayées disparaîtront au profit de meubles en chrome et en verre, et le papier peint défraîchi fera place à des paysages marins aux couleurs chatoyantes. "En effet, nous avons fait appel à Dorothée B., la grande peintre de Hambourg", confie l'habitant de Sylt au regard bleu acier. "Il ne suffit pas d'avoir un bon coup de crayon pour réaliser une telle œuvre d'art."

Adieu lino bon marché et fleurs en plastique, place au parquet brillant et à de magnifiques décorations florales. Mais notre sympathique retraité reste discret à propos des frais engagés. "L'argent est un sujet qui fâche, même à Sylt." Il sourit, confiant, et invite la rédaction du journal à l'inauguration, qui aura lieu le week-end prochain.

Mais comment s'appellera ce bar? Heinz Schmidt ne réfléchit pas longtemps. "Non, Vue sur la mer, ça ne convient pas. Ma préférence va au Coquillage nacré, mais cela fera l'objet de notre prochaine table ronde." Il adresse un clin d'œil complice à sa fille. Cette dernière, fort jolie au demeurant, soutient de tout son cœur l'homme charmant qu'est son père. Notre rédaction leur souhaite beaucoup de succès et se réjouit de compter une nouvelle attraction sur l'île de Norderney. »

Marlène flanqua le journal sur la table de toutes ses forces et tapa du poing à l'endroit précis où la photo de mon père souriait gaiement au lecteur. Puis son regard se posa sur le grand spécialiste de l'île, toujours assis sur sa chaise et content de lui.

— Un comptoir à la propreté douteuse? Du papier peint défraîchi? De vieilles tables rayées? Qui dirige le chantier, ici? Et, pour couronner le tout, le Coquillage nacré? Tu avais trop bu, hier?

— Alors il s'appellera comment, le bar? demanda mon père, toujours souriant.

Marlène faillit s'étouffer et se retint de hurler à grand-peine.

— Il s'appellera comment? Le De Vries, évidemment, puisque c'est moi, la gérante, comme tu as malheureusement oublié de le préciser.

Mon père réfléchit.

— Oui, Le De Vries, c'est bien, ça fait chic. Mais pourquoi tu cries comme ça? On a éteint la radio.

Kalli relut l'article.

— Joli portrait, Heinz. Il t'a pris hier avec son petit appareil photo?

— Je peux savoir qui c'est, les manœuvres? intervint Onno, vexé.

Éberluée, je continuais à fixer le journal des yeux, et en particulier le paragraphe où le fringant septuagénaire adressait un clin d'œil à sa fille, fort jolie au demeurant.

— Dis-moi, combien tu as payé Gisbert pour qu'il écrive ce tissu de mensonges?

— Comment ça, un tissu de mensonges? répéta-t-il, indigné. C'est un superbe coup de pub, et gratuit, en plus. J'ai passé la moitié de la nuit à donner des interviews pour que Marlène apparaisse gratuitement dans le journal, et comment vous me remerciez? En critiquant à tout-va. Vous vous débrouillerez toutes seules, la prochaine fois.

Marlène se mit dans une colère telle que des plaques rouges apparurent sur son cou.

— Heinz! C'est tout sauf de la pub, cet article raconte n'importe quoi! Le Vue sur la mer n'était pas décrépi, le bar ne s'appellera pas le Coquillage nacré et je ne suis même pas citée… Pourquoi, d'ailleurs?

— On avait un doute sur l'orthographe de ton nom, répondit Heinz en toute bonne foi. On a préféré ne pas le citer que l'écorcher. De toute façon, c'est trop tard. Mais ça ne coûte rien d'écrire au courrier des lecteurs.

Marlène était au bout du rouleau. Elle s'effondra sur la chaise que lui avança Onno. Kalli lui tendit un verre d'eau-de-vie qu'elle but d'un trait. Puis elle regarda longuement mon père.

— Tu peux t'estimer heureux que je sois amie avec ta fille. Mais je te préviens, la prochaine fois, tu es un homme mort. Sers-m'en un autre, Kalli. À la vôtre.

Mon père passa les deux heures suivantes à poncer. Au lieu d'avoir mauvaise conscience, il semblait content de lui et sifflotait l'air de « Un ami, un bon ami ». Il passait de temps en temps devant la table où se trouvait toujours le journal pour admirer sa photo. Je reculai d'un pas, regardai le mur que je venais de terminer et décidai de m'arrêter là.

— J'ai fini, Dorothée.

La grande peintre de Hambourg leva la tête.

— Super, tu pourras attaquer l'autre côté demain. Il est déjà 16 h 30.

— Dans ce cas, je vais prendre ma douche.

Mon père posa sa feuille de papier de verre.

— Qu'est-ce que tu dirais d'aller se balader sur la plage et piquer une tête?

À vrai dire, j'espérais encore croiser Johann, dont je restais sans nouvelles. Mais avant que je puisse répondre quoi que ce soit, Marlène entra en tirant un grand carton et s'arrêta à la hauteur de Heinz.

— Ces douze spots éclaireront les fenêtres, il faut les assembler.

Mon père jeta un coup d'œil dans le carton.

— Ça devra attendre demain car on va se baigner, dit-il à regrets.

— Non, très cher, tu es privé de baignade, rétorqua Marlène avec un regard menaçant. Tu vas m'assembler ces lampes, et ce n'est pas négociable.

Mon père lui sourit.

— Tu as l'air épuisée. Viens donc à la plage avec nous, ça te fera le plus grand bien.

Marlène ouvrit la bouche avec l'intention de répliquer quelque chose, puis la referma.

— Alors, tu viens?

— Assemble-moi ces lampes, Heinz, répondit-elle avec un calme olympien. Et fais-toi un peu plus discret, d'accord? Juste quelques minutes, comme ça, je pourrai me retrouver dans la même pièce que toi et ce scribouillard sans péter les plombs. On tente le coup?

— Évidemment, Marlène, si tu tiens tant que ça à ce que je monte ces spots, je m'y mets tout de suite, ne t'inquiète pas. On ira tout à l'heure, histoire que tu te changes les idées. Haut les cœurs!

Marlène laissa échapper un gémissement, tourna les talons et sortit en traînant des pieds. Mon père la suivit du regard, pensif, et se tourna vers moi.

— C'est quand même épuisant pour une femme, la pension, les clients, les travaux, sans compter la chaleur… Heureusement qu'on est là pour l'aider, hein, Kalli?

Ce dernier hocha la tête.

— Tu as raison. Alors, voyons voir ces lampes.

Heinz et Kalli se penchèrent sur le carton tandis que j'observais Dorothée et Nils, qui devaient avoir le plus grand mal à se contenir.

— J'y vais. Bon courage.

Je n'obtins aucune réponse.

Je pris la direction de l'appartement et décidai d'appeler Johann. Mais avant que j'en aie le temps, mon portable sonna. Un numéro de Hambourg s'afficha sur l'écran. Ma mère avait une toute petite voix.

— Alors, Christine, il paraît que vous avez beaucoup de travail ?

— Bonjour, maman. Comment ça va ?

Je m'assis sur un banc et allumai une cigarette.

— Tu es en train de fumer ? Fais en sorte que papa ne te voie pas, il s'inquiète beaucoup pour ta santé. Je lui ai parlé deux fois aujourd'hui, il avait l'air bien guilleret.

— Il est toujours guilleret. Et toi, comment ça va ?

— Pas terrible. J'ai mal et on me donne des analgésiques pour que je m'entraîne quand même avec ma prothèse. Je ne m'attendais pas à ça. Mais ne le répète pas à ton père, sinon il va m'appeler encore plus.

— Je lui parle à peine. Il ne m'a pas dit qu'il te téléphonait aussi souvent. Il aurait pu au moins me donner de tes nouvelles, j'ai essayé de te joindre deux fois dans la matinée mais tu ne répondais pas.

— Tu connais ton père, il est taciturne. Il s'entend bien avec les autres ?

Mon père, taciturne ? Première nouvelle. Comme la fenêtre du bistrot était ouverte, je l'entendais donner des ordres.

— Il discute pas mal avec eux. On n'a guère le choix, quand on passe autant de temps ensemble.

— Tant mieux, répondit ma mère, rassurée. Mais attention, ne lui en demandez pas trop, il a soixante-treize ans. Il ne peut pas travailler aussi dur qu'avant et il a tendance à se surestimer.

— Ça, c'est sûr.

— Pourquoi tu dis ça ? Il force trop ?

— Non, maman, il ne soulève rien, il ne peint pas, il ne touche pas à l'électricité et il délègue comme un chef.

— Et pour les repas ?

— Il mange.

— Je te sens tendue. Tu me le dirais, s'il n'allait pas bien, hein ? Il est parfois trop timide, il veut trop bien faire, mais il n'ose pas s'imposer.

— Oh, ne t'en fais pas pour ça.

— Tu as l'air bizarre, répondit ma mère, sceptique. Bref, il m'a dit que Kalli payait sa tournée ce soir pour fêter la naissance du bébé. Il y a un endroit sympa dans le coin ? Heinz n'aime pas quand la musique est trop forte.

Je fermai les yeux et m'imaginai en train de danser une polonaise avec mon père, Mechthild Weidemann-Zapek, Kalli, Hannelore Klüppersberg, Onno, Gisbert von Meyer, Dorothée, Nils et Gesa. Que porteraient ces dames pour aller au Requin Bar ?

— Je serai là. Kalli connaît un petit endroit tranquille, mais je n'ai pas le nom en tête.

— Je vous souhaite une très bonne soirée, et veille à ce que ton père s'amuse un peu, lui aussi. Il ne faut pas qu'il reste dans son coin parce que je viens de me faire opérer du genou. Remonte-lui le moral, il m'avait l'air un peu déprimé, tout à l'heure.

Déprimé, notre fringant septuagénaire au petit sourire malicieux, l'homme charmant à la fille fort jolie au demeurant ? Je réprimai un gloussement et m'éclaircis la voix.

— Ne te fais aucun souci pour lui, maman. Il a de quoi s'occuper et il ne me paraît pas particulièrement déprimé. Concentre-toi sur ton genou et sur ta rééducation. Je te rappellerai demain.

— D'accord. Passe le bonjour à tout le monde. À demain.

Elle raccrocha. Comment faisait-elle pour prendre mon père de court et éviter les catastrophes ? Pourquoi moi, j'arrivais toujours trop tard ?

Alors que j'ouvrais la porte de l'appartement, j'entendis quelqu'un siffler. Je me retournai et vis Johann poser deux sacs de voyage par terre.

— Super, je vais pouvoir te dire au revoir.

— Tu as pu réserver un vol?

— Oui, répondit-il en souriant. J'attends le taxi, mon avion décolle dans trois quarts d'heure. Encore merci. J'espère revenir demain dans la soirée, au plus tard après-demain. J'aimerais t'inviter à dîner. C'est d'accord?

— Oui. Mais pourquoi tu as pris toutes tes affaires? Tu aurais pu les laisser ici.

— Mes affaires…? Ah oui, j'ai fait mes bagages machinalement. C'est stupide, mais bon, tant pis.

Nous fûmes interrompus par le taxi qui arriva en klaxonnant. Johann se pencha et me déposa un léger baiser sur la joue.

— Bon courage et à bientôt.

— Bon voyage.

Je suivis le taxi du regard tout en me demandant pourquoi j'avais un mauvais pressentiment.

LE BISTROT DU COIN

L'intérieur du Requin Bar était à la hauteur de son nom : filets de pêche au plafond et figures de proue dans les coins. Le serveur qui se tenait derrière le comptoir devait être pirate à ses heures perdues et, plus jeune, j'aurais pris la serveuse blonde pour une sirène.

— Regarde ce bel endroit ! s'exclama mon père, ébahi. En plus, ici, on n'a pas à se déplacer pour aller chercher à boire. Je préfère ça. Kalli connaît les bons endroits où sortir.

Il se dirigea vers la serveuse avec un grand sourire.

— Nous voilà. Mon ami Kalli a réservé une grande table.

Tandis que Howard Carpendale chantait « Ob-La-Di, Ob-La-Da », on nous installa à une table située sous une figure de proue à la poitrine généreuse. Mon père leva les yeux puis se tourna vers moi, satisfait.

— Jolie table, jolie musique... Tu prends une bière, toi aussi ?

Résignée, je hochai la tête tout en cherchant un moyen de m'éclipser. Alors que nous attendions notre bière et les autres convives, mon père observait attentivement la décoration.

— On dira à Dorothée de regarder tout ça de plus près. On pourrait piquer quelques idées, ça me plaît bien ici.

— Papa, je crois vraiment que tu devrais arrêter de te mêler des projets de Marlène.

— Pourquoi donc ? Je suis un digne représentant de la clientèle ciblée, chère enfant. Je passe mes vacances à Norderney, et j'aime bien les filets de pêche. Ça se trouve où, les figures de proue ?

— Le De Vries sera un bar-lounge, pas un repaire de vieux loups de mer.

— Un bar-lounge, quel snobisme ! Je croyais que notre objectif, c'était de gagner de l'argent.

— C'est l'objectif de Marlène, pas le nôtre, alors reste en dehors de tout ça. Elle arrive.

Marlène resta un instant près de la porte, nous aperçut et s'assit à côté de moi, sur la banquette.

— Bonsoir. Onno et Kalli ne vont pas tarder, je les ai dépassés à vélo.

— Dis-moi, Marlène, que penses-tu de ces filets de pêche qui pendent du plafond ?

Elle leva la tête puis regarda mon père avec méfiance.

— Pourquoi ? Tu as déjà passé commande ?

— Comme si j'allais me mêler de tes projets. Bien sûr que non. Je voulais juste avoir ton avis. Pure curiosité.

Elle regarda de nouveau le plafond.

— Je n'aime pas trop.

— Dommage, répondit mon père en distribuant des sous-bocks. Ça aurait donné un peu de cachet, je...

Comme je le fusillais du regard, il s'interrompit.

— D'accord, d'accord. Ah, voilà notre jeune grand-père et notre manœuvre.

Il se leva et leur fit signe.

— Kalli, Onno, on est là !

Ils s'étaient mis sur leur trente et un. Onno portait une veste bleu foncé, une cravate de la même couleur et une chemise rouge. Kalli avait revêtu un costume marron et une chemise blanche.

— Tu avais raison, ce n'était pas le moment de sortir le cardigan, me chuchota mon père.

Au dernier moment, j'avais réussi à le dissuader de porter un gilet bleu-vert par-dessus le T-shirt jaune de l'Association sportive de List. Ma mère aurait été contente. Une fois les deux hommes arrivés à la table, mon père se rassit.

— Dites donc, *los amigos*, vous voilà tirés à quatre épingles. Quelle élégance.

Il chassa une minuscule peluche de son veston gris et passa la main sur sa chemise rayée.

— Il faut savoir faire un effort, dans les grandes occasions. Et une petite-fille, ça, c'est un événement. Où sont nos boissons ? Oh, écoutez, j'adore cette chanson.

Au moment où Daliah Lavi entonnait de sa voix rauque « O-ho-ho-ho, quand arriveras-tu ? », Mmes Weidemann-Zapek et Klüppersberg firent leur apparition. Je ne pus m'empêcher de chanter « O-ho-ho-ho, les voilà », ce qui me valut un regard réprobateur de la part de mon père.

— Qu'est-ce que tu chantes mal. Pourtant, c'est une mélodie toute simple. Kalli, tes invitées sont là.

Marlène et moi esquissâmes un rictus. Une crise de fou rire se profilait.

Hannelore Klüppersberg portait une robe à rayures bleues et blanches fendue jusqu'au genou. Son amie Mechthild Weidemann-Zapek était moulée dans une robe en satin bleu acier, décorée de papillons en strass tout autour du décolleté.

Impressionnée, la serveuse marqua un temps d'arrêt, Onno les regarda comme s'il avait vu la Vierge et mon père resta impassible. Seul Kalli se pencha vers moi.

— Je crois que j'ai commis une erreur en les invitant, me murmura-t-il. J'espère que tu ne diras rien à Hanna. Je me retrouverais dans une situation délicate.

Il alla tout de même à la rencontre des deux femmes, les salua d'un signe de tête et les conduisit à notre table.

— Tu as des yeux de merlan frit, très cher, glissa Marlène à Onno en lui donnant un coup de coude.

— Désolé, mais qu'est-ce que c'est que ces horreurs ?

Kalli avança deux chaises sur lesquelles Mmes Weidemann-Zapek et Klüppersberg prirent place avec cérémonie.

— Comme c'est rustique.

Mme Klüppersberg désigna les filets de pêche au plafond puis gloussa lorsqu'elle remarqua la femme aux seins nus qui la surplombait.

— Oh, regarde, Mechthild.

— Mesdames, je crois que vous connaissez toutes les personnes présentes autour de cette table, ou dois-je faire les présentations ? demanda Kalli.

— On vit ensemble ou tout comme, mais on ne sait pas encore comment vous vous appelez, répondit Mme Weidemann-Zapek, dont la crinière brillait de mille feux. Je propose qu'on s'adresse les uns aux autres par nos prénoms, ce sera plus convivial. Moi, c'est Mechthild, et mon amie répond au doux prénom de Hannelore.

— Très bien, dit mon père en levant sa pinte de bière. De toute façon, j'ai du mal à me souvenir des noms trop compliqués. Je m'appelle Heinz et voici ma fille, Christine.

Mechthild Weidemann-Zapek le regarda, ravie.

— Vous nous présentez vos amis, Heinz ?

— Bien sûr. Voici Onno, Kalli et Marlène. Dorothée et Nils ne vont pas tarder. Qu'est-ce que vous voulez boire, mesdames ?

Lorsque j'entendis retentir « Sept tonneaux de vin », de Roland Kaiser, j'avalai ma salive. La soirée s'annonçait difficile.

Ces dames venaient de jeter leur dévolu sur une demi-bouteille lorsque Dorothée et Nils arrivèrent. Kalli leur fit signe.

— Ah, vous voilà. Dorothée, un petit riesling?

— Sans façon. Je vais prendre une bière.

— Nils?

— Pareil. Merci.

Mechthild regarda Dorothée, sceptique.

— Dorothée est une artiste, lui dit mon père pour la rassurer.

— Ah…

Mechthild ne paraissait pas rassurée pour autant.

— Je trouve ça un peu vulgaire, les femmes qui boivent de la bière.

Dorothée la fixa, bouche bée. Onno acquiesça, ce qui lui valut un coup de coude et un regard noir de la part de Marlène. Puis celle-ci commanda une bière à la serveuse.

— Et toi, Christine?

— Pareil, dis-je en adressant un grand sourire à Mme Weidemann-Zapek. Une pinte, s'il vous plaît.

Elle ne répondit pas, se tourna vers mon père et posa sa main couverte de bagues sur la sienne.

— J'ai vu votre photo dans le journal, aujourd'hui. Je ne savais pas que vous supervisiez les travaux.

Marlène fut prise d'une quinte de toux. Mon père retira rapidement sa main pour se gratter le menton.

— Les médias exagèrent toujours, c'est bien connu. Je suis un ouvrier comme les autres.

Il sourit modestement. De mon côté, je commençais à me dire qu'il allait peut-être falloir trouver un homme à Mechthild.

Lorsqu'on nous servit les boissons, Kalli insista pour ouvrir la bouteille de vin lui-même et remplit le verre de Hannelore.

— Qu'est-ce que vous êtes doué, Kalli, s'écria Hannelore en applaudissant. Buvons à votre santé. Tchin, tchin!

— Il me semble qu'on est plutôt censés lever nos verres à sa petite-fille, précisa Onno.

— En effet, dit Kalli en souriant fièrement à la ronde. À ma petite-fille, Anna-Lena. Santé!

— Et à son charmant grand-père, ajouta Hannelore Klüppersberg en levant à nouveau son verre de vin.

— Charmant? Si vous le dites.

Onno paraissait pour le moins sceptique, mais but tout de même une gorgée.

Mechthild Weidemann-Zapek balaya la salle du regard.

— Je ne vois pas de piste de danse, Christine. Vous savez s'il y a une deuxième salle?

— Navrée, je ne connaissais pas le Requin Bar, répondis-je en haussant les épaules. Apparemment, c'est juste un lieu pour boire un verre.

— J'ai l'impression, oui, acquiesça mon père. Mais ça ne fait rien, avec ma hanche, je n'aurais pas pu suivre le rythme.

Heureusement, il ne remarqua pas le gloussement de Mechthild ni le clin d'œil qu'elle m'adressa, et que je choisis d'ignorer.

— Vous qui vivez sur l'île, vous allez danser où, d'habitude? demanda Hannelore à Onno, qui sursauta.

— Je ne danse jamais, vous devrez vous trouver un autre cavalier. Je préfère largement jouer aux cartes.

Là, Mechthild se tourna brusquement vers Marlène. Ce faisant, une de ses barrettes en forme de papillon tomba dans son verre.

— À propos de cavalier, j'ai croisé ce beau jeune homme, Johann Thiess, avec ses bagages. Il nous a déjà quittés?

— Oui, pourquoi?

Marlène était hypnotisée par les cercles concentriques que dessinait le petit insecte à paillettes tombé dans le verre.

— C'est vrai? me demanda mon père.

Je fis mine d'essuyer les gouttes de condensation sur ma pinte avec la plus grande minutie, mais Mme Weidemann-Zapek revint à la charge.

— Il était censé rester une semaine, du moins, c'est ce qu'il nous a dit avant-hier, quand on a bu un café en ville avec lui. Il est arrivé quelque chose?

— Je ne lui ai pas posé la question, répondit Marlène. D'ailleurs, ça ne regarde personne. Peut-être qu'il ne se plaisait pas ici, tout simplement.

Mon père réagit au quart de tour.

— Il ne se plaisait pas ici? Mais enfin, c'est joli, Norderney. La plage, la ville, le soleil… Je ne sais pas ce qu'il lui faut. Non, mais quel crétin!

Alors que je m'apprêtais à prendre la défense de Johann Thiess, la porte s'ouvrit et Gisbert von Meyer fit irruption dans le bar. Je gémis. Mon père bondit et lui sourit.

— Ah, le voilà! Viens t'asseoir avec nous. Je me charge des présentations, ajouta-t-il en se tournant vers les deux dames. Mme Weidemann-Zapek, Mme Klüppersberg, deux clientes de la pension. Gisbert von Meyer, journaliste.

GvM leur serra la main et s'inclina profondément.

— Enchanté. Puis-je me permettre de vous demander votre région d'origine?

— Münster-Hiltrup, répondit Hannelore en battant des cils. Nous sommes des commerçantes de Münster-Hiltrup.

— Des commerçantes?

Mon père l'ignorait, tout comme moi. Mechthild Weidemann-Zapek le sentit intrigué.

— Mais oui, nous avons un magasin de loisirs créatifs.
C'était donc ça. Il fallait que j'aille aux toilettes.

Une fois devant le lavabo, je consultai ma messagerie. J'avais reçu un SMS : « Me voici de retour dans ma
terre natale. J'espère que tout va très vite s'arranger et
qu'on puisse se revoir bientôt. Johann. »

Je me lavai les mains, ravie.

Lorsque je retournai m'asseoir, je constatai que le
volume sonore avait monté d'un cran. Hannelore Klüppersberg donnait son avis sur Norderney, Mechthild
l'interrompait sans cesse et Gisbert griffonnait consciencieusement. Son prochain article semblait prendre
forme sous mes yeux. J'imaginais déjà le titre : « Tricoter
sur la plage, le nouveau loisir à la mode », « Münster
débarque » ou encore « La tricoteuse en chasse ».

Gisbert comprit mal mon petit rictus et m'adressa
un sourire amoureux. Je m'installai rapidement de
façon à ne pas me retrouver en face de lui, mais il souleva légèrement ses petites fesses et se pencha vers moi.

— Tu es déjà montée en haut du phare, Christine ?
Hannelore et Mechthild me disaient à l'instant combien elles avaient été impressionnées par la vue. Ça
vaut vraiment la peine.

— Non, répondis-je en m'efforçant de ne pas être
trop sèche.

— Comment ?

— Non, répétai-je un peu plus fort. Non, je ne suis
jamais montée en haut du phare.

Il n'allait pas tarder à avoir une crampe à la cuisse,
s'il restait dans cette position.

— Super, je passe te prendre demain après-midi.
On peut visiter le phare de 16 à 17 heures. C'est très
romantique.

Une fois encore, j'évitai son regard.

— Merci, c'est très gentil de ta part, mais j'ai le vertige. Tu peux toujours y aller avec Heinz.

— Depuis quand tu… ?

Je donnai un coup de pied à mon père.

— Aïe, tu m'as…

— Excuse-moi, je croyais que c'était le pied de la table. N'hésite pas, tu n'es jamais monté en haut du phare. En plus, Gisbert le propose si gentiment…

— Bien sûr, dit-il à Gisbert en hochant la tête. On ira demain.

Gisbert esquissa un sourire crispé, se rassit et se mit à bouder.

Quant à Mechthild Weidemann-Zapek, elle n'avait visiblement pas compris que le journaliste de Norderney venait de se prendre une veste.

— Dites-moi, vous en avez, un métier palpitant. Je n'y connais rien. Vous devez traiter tous les thèmes possibles et imaginables ?

GvM reprit aussitôt ses bonnes vieilles habitudes.

— La question n'est pas de devoir, mais de savoir, très chère. Voyez-vous, la plupart de mes collègues préfèrent se concentrer sur certains sujets et répugnent à en aborder d'autres. Du coup, soit leurs articles sont très bons, soit ils tombent complètement à plat. Pour ma part, j'ai des centres d'intérêt tellement variés que je ne rencontre aucune difficulté. Tourisme, sport, politique, célébrités, j'écris sur tout.

Il leva les yeux et guetta l'effet que produisaient ses paroles. Onno bâillait, Marlène murmurait quelque chose à Kalli, Hannelore et Mechthild ressemblaient à deux ados à qui on aurait donné la permission d'aller au concert de Tokio Hotel.

— Les célébrités ? s'exclama Hannelore, tout excitée. Qui avez-vous rencontré ? Il y a beaucoup de stars sur l'île ?

Gisbert vérifia ostensiblement que personne ne l'écoutait aux tables voisines et chuchota de sa voix de fausset :

— Elles viennent à Norderney pour être tranquilles. Navré, mesdames, mais je me dois de respecter la vie privée des gens riches et célèbres. C'est une question d'éthique.

La déception se lut sur le visage des deux dames.

— Et le sport ?

Mon père n'en avait rien à faire des gens riches et célèbres.

— Je parle de tout, répondit Gisbert, blasé.

— C'est-à-dire ? Qu'est-ce qu'il y a comme sports, ici ?

— Mon cher Heinz, je couvre le surf, le saut en hauteur, le foot, bien sûr…

— Quels matchs ?

— Par exemple, je rédige des rapports très détaillés sur les entraînements qui ont lieu au centre.

— Quelles équipes s'entraînent ici ?

Gisbert bomba son maigre torse.

— Le Werder de Brême.

Mon père agita la main avec dédain.

— Ah, le Werder. Et à part ça ?

Mechthild Weidemann-Zapek avait retrouvé ses esprits.

— Vous ne pouvez pas nous donner un tout petit nom ? Un acteur ou un chanteur, peut-être ?

Kalli se pencha vers elle et lui fit signe d'approcher. Les deux dames s'exécutèrent, curieuses.

— Per Mertesacker.

Elles échangèrent un regard.

— Oh, souffla Hannelore.

— Je n'en ai jamais entendu parler, me chuchota Marlène. Il a joué dans quoi ?

— C'est un défenseur du Werder de Brême.

Mais Mme Weidemann-Zapek était bien décidée à dénicher un scoop.

— Loin de nous l'idée de vous importuner, mais vous pouvez nous donner quelques noms et dormir sur vos deux oreilles. Après tout, nous savons combien il est important pour les stars d'avoir une vie privée. À Münster-Hiltrup, quasiment tout le monde nous connaît. Dieu sait que ce n'est pas facile tous les jours...

Gisbert s'enhardit.

— Sean Connery.

— Comment ?

— Sean Connery, mais chut...

Les deux dames étaient à deux doigts de tomber dans les pommes.

— Qui d'autre du Werder de Brême ? demanda mon père, qui n'en avait toujours rien à faire des célébrités.

— Ça suffit, intervint Kalli.

Énervé, Heinz lui jeta un regard en coin et se tourna de nouveau vers Gisbert von Meyer, qui se balançait sur sa chaise.

— Il n'y a pas que le sport dans la vie. Je m'intéresse aussi à la criminologie, par exemple.

— À quoi ?

Mon père avait pourtant l'habitude de sauter du coq à l'âne.

— Les crimes, les meurtres, les homicides, les escroqueries... Il faut en parler aussi.

Hannelore avait à présent des plaques rouges sur le cou.

— Sean Bond, euh... Sean Connery ? Il habite où ?

Gisbert lui lança un regard sévère.

— Chut.

— Comme s'il y avait beaucoup de meurtres dans la région, dit Onno en soulevant sa chope de bière. À moins que Kalli puisse nous en citer un ?

Ce dernier secoua la tête.

— Pas un seul. L'île n'est pas un repaire de criminels, loin de là. À part un vol à l'arraché ou à l'étalage de temps en temps, il ne se passe pas grand-chose ici.

Gisbert von Meyer se mit à agiter les bras dans tous les sens.

— Détrompez-vous. Vous savez où j'étais, aujourd'hui?

Haussement d'épaules collectif.

— À Emden, à une conférence de presse organisée par la police.

Kalli n'était pas très convaincu.

— Et alors? Ça n'a rien à voir avec Norderney.

— Si, rétorqua vivement Gisbert. Un escroc au mariage est en fuite et on le soupçonne d'avoir trouvé refuge sur l'île.

Il balaya l'assistance d'un regard triomphant, mais fut interrompu dans sa brillante démonstration par l'arrivée de Gesa.

— Bonsoir. Désolée pour le retard, mais je suis passée prendre des nouvelles de ma sœur et de son pied. J'ai raté quelque chose? Vous en faites, une drôle de tête.

Onno lui posa la main sur l'épaule.

— Tu n'as pas croisé un escroc au mariage en chemin?

— C'est quoi, un escroc au mariage?

— C'est quelqu'un qui te promet de t'épouser et qui ne le fait pas, lui expliquai-je.

— Bof, personne ne m'a demandée en mariage aujourd'hui, répondit Gesa. D'ailleurs... Heinz, tu penses qu'on formerait un beau couple?

— Je vois que vous ne me prenez pas au sérieux, dit Gisbert en frappant du poing sur la table. La conférence de presse a duré plus de deux heures. La police ne se serait pas donné cette peine si cet individu ne représentait pas une menace sérieuse.

— Je ne me sens pas vraiment menacé par les escrocs au mariage, répliqua nonchalamment Kalli. Qu'est-ce qu'ils pourraient bien me vouloir ?

Cependant, l'inquiétude se lisait sur le visage de Marlène.

— Vous pouvez nous donner des détails ou il s'agit d'informations confidentielles ?

— Si je peux ? Mais c'est même mon devoir, rétorqua Gisbert, qui se prenait à présent pour Robin des Bois. Je mettrai un terme aux agissements de cet individu. J'avertirai les victimes potentielles, je leur expliquerai la situation et je les protégerai, s'il le faut.

Marlène et moi finîmes par céder au fou rire. Gisbert bondit, indigné, et me montra du doigt.

— Pour l'instant, tu rigoles, Christine, mais tu pourrais bien être sa prochaine victime,

J'étais dans l'incapacité totale de répondre. Gesa alluma une cigarette, toujours impassible.

— Je ne pense pas. Ils s'en prennent toujours à des femmes d'âge mûr, seules et au physique pas très avantageux. Christine est trop jeune et pas assez riche. En plus, avec papa à ses trousses…

Elle croisa le regard de Mmes Weidemann-Zapek et Klüppersberg et laissa échapper un rire gêné.

— Oh, pardon, ce n'est pas ce que je voulais dire.

Les deux dames restèrent figées.

Gisbert von Meyer, notre sauveur, nous mit au parfum.

— Cet individu agit toujours selon le même mode opératoire. Il réserve une chambre dans un hôtel et flirte avec l'une des employées. Il lui fait croire au grand amour et elle lui parle des autres clients sans se douter qu'il joue à un petit jeu perfide. Pendant qu'elle travaille, il entre en contact avec ses victimes, des femmes d'âge mûr qui voyagent seules. Il sait à qui s'en prendre grâce à l'employée. Puis il leur fait croire qu'on lui a volé son argent et elles lui viennent en aide. Génial, comme plan. La police dénombre quatre victimes : une à Leer, une à Aurich et deux à Emden. Ensuite, plus aucune trace de lui. On le soupçonne d'être soit ici, soit à Juist, soit à Borkum.

Marlène m'observait du coin de l'œil. Elle regardait trop de polars, d'où sa méfiance constante.

— On sait à quoi il ressemble ? demandai-je avant elle.

Gisbert, ravi de voir l'intérêt que je portais à son histoire, sortit un calepin de sa sacoche et le feuilleta.

— Oui, on nous en a donné une description précise. La quarantaine, un mètre quatre-vingts, corpulence normale, yeux marron, pas de calvitie. Et charmant, paraît-il.

— Tout comme des millions d'Allemands, répondis-je, soulagée, tout en évitant de croiser le regard de Marlène.

Mais cette dernière insista.

— Il a fait comment pour prendre la fuite ?

— Il y a une semaine, il était à Emden, répondit Gisbert en continuant à feuilleter son calepin. Il a embobiné l'esthéticienne de l'hôtel. Elle a commencé à se méfier après l'avoir surpris deux fois en train de boire un verre en ville avec des femmes d'âge mûr. Pourtant, il prétendait que c'était la première fois qu'il venait à Emden et qu'il ne connaissait personne. Bien qu'elle soit tombée amoureuse de lui, elle lui a demandé des explications. Il a nié en bloc avant de partir précipitamment, en prétextant des rendez-vous professionnels. Bien évidemment, on ne l'a plus jamais revu. L'esthéticienne en a parlé aux deux femmes et elles ont porté plainte.

Soudain, je me mis à avoir très chaud et à étouffer. J'aurais volontiers fumé une cigarette.

— Et combien on peut gagner comme ça? demanda Onno, qui avait écouté attentivement.

Décidément, Gisbert avait tout noté.

— Les quatre femmes qui ont porté plainte ont été escroquées de cinq mille euros en tout, mais la police pense que plusieurs autres n'ont pas osé se manifester. Il faut dire que c'est gênant.

Onno secoua la tête, déconcerté.

— Dire que je gagne dix euros de l'heure. Quand est-ce qu'on se lance, Heinz?

Gisbert le réprimanda du regard.

— Ah, et j'oubliais : il part sans régler sa note d'hôtel.

Je poussai un soupir de soulagement. Johann avait payé. Avec mon argent, certes…

— Nous voilà donc prévenues, répondit Marlène en se levant brusquement. Il faut que j'y aille, j'ai encore ma comptabilité à finir. Merci pour la bière, Kalli. Bonne nuit et à demain.

Avant de disparaître, elle posa la main sur mon épaule pendant quelques secondes.

Mon père la suivit du regard jusqu'à ce que la porte se referme derrière elle, puis se tourna de nouveau vers nous, tout excité.

— Je ne voulais rien dire en présence de Marlène car elle défend toujours ses clients, mais je me suis tout de suite méfié de cet homme… Kalli, comment il s'appelle, déjà, ce type au regard sournois?

Kalli ne voyait pas du tout de qui Heinz parlait.

— Thiess, répondirent en chœur Mmes Weidemann-Zapek et Klüppersberg.

J'avais de plus en plus chaud.

— Voilà, Thiess. Il avait un comportement bizarre et il s'est rapproché de Christine. Je crois que c'est clair.

— Comment?

Gisbert bondit et me fixa.

— N'importe quoi, il ne s'est pas rapproché de moi. On a discuté une fois dans la cour, c'est tout.

Difficile de faire moins convaincant.

À présent, Hannelore Klüppersberg était tout excitée, elle aussi.

— Nous, on a pris un café avec lui au Marienhöhe. On l'a croisé sur le front de mer et il nous a invitées tout de suite.

— Je ne t'ai rien dit pour ne pas t'inquiéter, Hannelore, mais je crois bien qu'il nous épiait, ajouta Mechthild.

— Non! s'écria Hannelore en mettant la main devant sa bouche, horrifiée. Mechthild…

— Ah, enfin des indices accablants, intervint mon père, qui se prenait pour Derrick.

— Vous lui avez prêté de l'argent? demanda Gesa.

Nous avions tous hâte de connaître la réponse. Hannelore secoua la tête.

— Il ne m'en a pas réclamé.

Déception du côté de Gisbert.

— À vous non plus, Mechthild?

— Non plus. Hélas!

Gesa décortiqua quelques cacahouètes et les goba.

— Super, ces indices.

— Gesa, il faut d'abord qu'il établisse le contact, répliqua mon père d'un ton moralisateur. Ce genre de criminel ne frappe pas tout de suite. Il commence par tisser sa toile autour de sa victime, il instaure un climat de confiance, puis passe à l'action. Tout simplement.

— Tu as l'air de savoir de quoi tu parles, remarqua Onno en penchant la tête sur le côté. Comment tu sais tout ça? En fait, c'est peut-être toi. Qu'est-ce que tu faisais la semaine dernière?

— Heinz, je vous prêterais de l'argent sans hésiter, gloussa Mechthild.

De son côté, Onno s'intéressait de plus en plus à cette histoire.

— Dis donc, Heinz, à combien s'élève ta retraite ?

Mon père haussa les épaules avec impatience.

— Vous êtes bêtes. Ne nous éloignons pas du sujet.

— Mais je suis en plein dans le sujet, répliqua Onno avec une petite grimace.

Il m'avait l'air déjà un peu pompette.

Pendant ce temps, Gisbert tambourinait des doigts sur la table.

— Heinz, si tu as des preuves, il est hors de question de lâcher l'affaire. Tu l'as observé ? Essaie de te souvenir, le moindre détail peut être d'une importance capitale.

C'était plutôt mon père qui se sentait d'une importance capitale. Il plissa les yeux, concentré au plus haut point. Sans le savoir, Gesa vint à ma rescousse.

— Vous faites fausse route. M. Thiess est tout sauf un escroc au mariage. En plus, il a réglé la note avant de partir ce matin. En liquide.

— Ça ne veut rien dire. Il a peut-être compris que je me méfiais de lui.

Devant l'obstination de mon père, Gesa commença à s'impatienter.

— Vous devriez chercher un autre suspect. Il a dû s'absenter à cause d'un rendez-vous urgent, mais il sera de retour demain ou après-demain. Vous n'aurez qu'à lui demander s'il est un criminel.

Gisbert prenait des notes.

— Un rendez-vous urgent... Il a prétexté la même chose à Emden. Peut-être qu'il va revenir ferrer son poisson. Apparemment, il n'a encore emprunté d'argent à personne.

J'étais tellement tendue et désemparée que j'en avais la migraine. Gisbert se tourna vers moi.

— Tu es toute pâle, Christine. J'espère que je ne t'ai pas effrayée. Ne t'inquiète pas, je ferai tout ce qui est en mon pouvoir pour empêcher cet individu de nuire.

— Je n'en doute pas.

J'essayai de sourire et pinçai Gesa à la cuisse.

— Je crois que les vapeurs de peinture m'ont donné un peu mal à la tête. Je vais rentrer. Gesa, tu voulais partir aussi, non?

Elle se frotta la jambe et se leva.

— Oui, oui, on n'a qu'à faire le chemin ensemble. Je vous souhaite beaucoup de succès dans votre lutte contre le crime. À demain.

— Je vous raccompagne, s'écria Gisbert.

— Reste assis, lui dit mon père en me tendant mon sac à main. Elles sont deux et le criminel est reparti ce matin. Profitons-en pour élaborer un plan d'attaque. Bonne nuit, ma fille. Bonne nuit, Gesa.

Une fois dehors, j'inspirai profondément. Gesa me donna un coup de coude.

— Le scribouillard a le béguin pour toi.

— Arrête, il me tape sur les nerfs, tu n'imagines pas à quel point.

— Cette chasse à l'homme aura au moins le mérite de l'occuper, répondit Gesa avec un petit rire. Le pauvre M. Thiess, lui qui est si gentil. Et si mignon.

Le problème était bien là. Je m'efforçai d'employer un ton neutre.

— C'est une des qualités requises pour escroquer les femmes. De toute façon, Thiess est trop vieux pour toi.

Gesa s'arrêta, le temps de mettre la main sur ses cigarettes.

— Je n'ai pas l'intention de l'épouser. Mais Thiess ne cherche pas des femmes d'âge mûr, riches et qui voyagent seules. Il m'a cuisinée à propos de Marlène, j'ai l'impression qu'il s'intéresse à elle.

— Qu'est-ce qu'il voulait savoir ?

— Son âge et si je connaissais son compagnon.

— Tu lui as dit quoi ?

— Qu'elle avait cinquante ans et que je ne connaissais pas son compagnon. D'ailleurs, tu sais si elle est avec quelqu'un ?

— Non, répondis-je, le cœur serré. Et toi, tu sais ce que M. Thiess vient faire ici ?

Gesa haussa les épaules.

— Pas exactement. Quand je lui ai demandé pourquoi il photographiait la pension sous toutes les coutures, il m'a dit que ça faisait partie de son travail. Peut-être qu'il est photographe et que la pension apparaîtra dans le calendrier de l'année prochaine. Ce serait un très bon coup de pub.

Son travail ? Mais il était banquier ! Je n'avais aucune envie d'en savoir plus. Nous continuâmes à marcher en silence jusqu'à la maison de Gesa.

— Bonne nuit, Christine. Rendez-vous demain matin à la guérite. Ah, avant que j'oublie : si c'était vraiment un escroc au mariage, il ne dirait à personne dans quel hôtel il est descendu, non ?

— Je ne pense pas. Pourquoi ?

— La même femme lui a téléphoné au moins quatre fois à la pension, m'expliqua Gesa en ouvrant la porte d'entrée. Elle avait l'air très sympa, d'après sa voix.

— Ah.

— Ça devait être son épouse, ajouta Gesa en se retournant une dernière fois. Elle a dit qu'il avait éteint son portable et qu'il devait rappeler Mausi. Drôle de nom. Mais je ne comprends pas ce que Marlène vient faire là-dedans. Enfin, peu importe, je suis certaine que Thiess n'est pas un escroc au mariage. Bonne nuit.

— Bonne nuit, Gesa.

Je regagnai lentement l'appartement. Une fois rentrée, je laissai la lumière éteinte et me dirigeai à tâtons vers la terrasse. Puis je m'assis sur les marches et contemplai le ciel étoilé, tout en me demandant dans quel pétrin je m'étais fourrée.

Hymne à la mouette

Je fus réveillée le lendemain matin par mon père, qui chantait à tue-tête « Le soleil finit toujours par se lever », d'Udo Jürgens. Je me recouvris la tête de mon oreiller, ce qui ne m'empêcha pas d'entendre le téléphone sonner quelques instants plus tard. Une fois, deux fois…

— Tu es sourd, Heinz ? cria Dorothée depuis la salle de bains. Téléphone !

— *La la la la…* Allô, oui ? Bienvenue Chez Theda. Oh, bonjour. Je croyais que c'était Kalli. Alors ma chérie, comment va ton genou ?

Je jetai l'oreiller par terre et tendis l'oreille.

— Tant mieux. Tu sais ce qu'on dit, c'est en forgeant qu'on devient forgeron. Tu as encore mal ?

Tandis que ma mère répondait, mon père continuait à siffloter entre ses dents. Ah, elle rentrait dans les détails.

— C'est vrai ?… Des bleus sur la cuisse ?… À cause de la compresse ? Eh ben… Tu veux assigner la clinique en justice ? Tu es sûre ? Bon, à toi d'en décider… Et tu n'as plus mal ?… Ce n'est pas très beau à voir, mais à part ça, ça va ? De toute façon, tu ne portes plus de minijupes.

Un gloussement.

— Enfin, me voilà rassuré. Ici ?… Tout se passe bien… Non, l'ambiance est très bonne, mais j'ai l'impression que Marlène est un peu surmenée. On dira

209

ce qu'on voudra, ce n'est pas le genre de travail qui convient à une femme. Je ne sais pas comment elle aurait fait sans nous. Elle a l'air vraiment contente que Kalli et moi soyons là pour mettre un peu d'ordre dans tout ça. Qui ça?... Dorothée?

Comme il baissait la voix, je me redressai afin de pouvoir mieux l'entendre.

— Non, vraiment, les filles ont l'art de compliquer les choses. C'est un peu idiot d'avoir engagé un architecte d'intérieur. Enfin, si Marlène nous avait montré quelques plans en temps et en heure, Kalli et moi, on se serait très bien débrouillés tout seuls. Kalli avait un bon coup de crayon, dans le temps. Bref, cet architecte d'intérieur aux cheveux longs, c'est une espèce d'artiste. Ils sont louches, ces gens-là. Et tu sais quoi? Dorothée lui a mis le grappin dessus dès le premier jour, à moins que ce ne soit l'inverse. On ne sait pas trop qui s'est jeté sur qui.

J'imaginai la réponse de ma mère. Ah, je n'étais pas tombée loin.

— Je ne me mêle de rien du tout, qu'est-ce que tu vas chercher là! Non, je l'ai laissée faire, mais elle a quand même découché deux fois. Je suis un peu responsable d'elle. Mais on a mis les choses au clair, hier soir.

Apparemment, ma mère s'énervait.

— N'importe quoi, ce n'est pas mon genre... Oui, je sais quel âge elle a... Non, non, on a téléphoné à Carsten Jensen, le père de Nils, le type aux cheveux longs. Kalli le connaît et l'a invité à boire une bière avec nous. On a mené notre petite enquête, comme ça, l'air de rien.

Pauvre Dorothée. Je culpabilisais à l'idée de l'avoir laissée seule avec la bande de retraités.

— Un type très bien, ce Carsten... Non, Dorothée et Nils étaient déjà partis, évidemment. On a fait preuve d'un minimum de discrétion, quand même. Mais on s'est renseignés sur le fils de Carsten. Rien à signaler, bien qu'il lui ait donné du fil à retordre pendant longtemps. Il a fait pipi au lit jusqu'à l'âge de six ans et il a eu de grosses poussées d'acné à la puberté.

Pauvre Nils. Dorénavant, mon père lui rappellerait régulièrement d'aller aux toilettes.

— Mais tout va bien maintenant. Il a de quoi subvenir aux besoins de Dorothée. Carsten sait précisément combien Nils gagne par mois. Lui aussi va nous donner un coup de main... Qui ça?... Carsten, qui veux-tu que ce soit? L'inauguration aura lieu dans trois jours.

Formidable. On comptait à présent quatre hommes forts sur le chantier. Je m'assis au bord du lit et enfilai mes chaussettes. La conversation touchait à sa fin : à en juger par la brièveté des réponses de mon père, ma mère lui donnait encore quelques consignes. Je me levai avec l'intention d'aller dans la salle de bains, mais je m'arrêtai à la porte du salon pile au bon moment.

— Au fait, je ne t'ai pas raconté : on vient d'empêcher Christine de tomber entre les griffes d'un escroc au mariage. J'ai tout de suite senti que ce type complotait quelque chose... Oui, exactement, celui dont je t'ai parlé, avec le regard perçant... Quoi?... Sournois, ça revient au même... Comment je le sais? Mon nouvel ami, Gisbert, le journaliste, le tient de source sûre. Ce voyou se sert du personnel hôtelier pour approcher des dames d'âge mûr et les plumer comme des oies à Noël. Il a tenté le coup ici... Non, il ne s'en est pas pris à des dames d'âge mûr, mais il a dragué Christine et ça m'a mis la puce à l'oreille. Comment?... Bien sûr qu'il a remarqué, il a réglé sa note d'hôtel et il a pris la fuite... Si, il a payé, mais Dieu sait avec quel argent... N'empêche qu'il s'est enfui... Mais ne t'inquiète pas, il ne remettra pas les pieds ici de sitôt. Il est désormais *persona non grata* à Norderney… Mais oui, j'en suis sûr. Hier soir, on a appelé un ami de Gisbert qui vit à Brême. On l'a envoyé à l'adresse qu'a fournie ce Thiess. Et là, tiens-toi bien : personne ne répond au nom de Thiess dans cet immeuble.

Je respirai profondément. Admettons que Gisbert ait un ami à Brême : pourquoi diable l'obliger à se lever en pleine nuit pour aller vérifier des noms sur des sonnettes ? C'était absurde ! Décidément, je tenais de ma mère.

— Pourquoi ? Qu'est-ce que j'en sais, moi ? Il lui était peut-être redevable de quelque chose. En plus, il n'habite qu'à deux rues de là… Comment on a eu son adresse ? Il avait signé le registre de l'hôtel, pardi… Non, Marlène a une photocopieuse.

Depuis la porte du salon, j'apercevais mon père, qui me tournait le dos. À présent, je le voyais rentrer la tête dans les épaules.

— Qu'est-ce que tu as à t'énerver comme ça ? Ce n'est pas classé secret défense, un registre, on a le droit de le photocopier. Et pourquoi pas ?… Tu es aussi crédule que ta fille… S'il était innocent, il n'aurait pas pris la fuite… Non, pas encore. Ce midi, on écrira un petit rapport à l'attention de la police. Dorothée pourrait peut-être dessiner ce criminel. Oui, c'est une bonne idée, je…

— Je pourrais peut-être dessiner qui ?

Dorothée, en peignoir et les cheveux mouillés, se campa devant mon père. Ce dernier lui sourit.

— Ah, notre artiste est propre comme un sou neuf. Bref, prends bien soin de toi et fais tes exercices. Je te tiens au courant. À plus tard.

Il raccrocha et m'aperçut sur le seuil de la porte.

— Ça y est, tu es réveillée. Ta mère va bien et t'embrasse.

— Dessiner qui ? répéta Dorothée avec insistance.

— Thiess, pardi. La police a besoin d'un portrait-robot.

— Vous avez vraiment un grain! m'exclamai-je en me frayant un chemin jusque dans la salle de bains. M. Thiess sera de retour aujourd'hui ou demain, il avait quelques affaires à régler, il a payé sa note d'hôtel, mais peu importe, puisque vous avez décrété que c'était un escroc.

— Il a remarqué que je le surveillais, répondit mon père en agitant l'index. Et tu oublies qu'il a fourni une fausse adresse.

Dorothée, qui avait elle aussi écouté une partie de la conversation, me regarda, pensive.

— C'est vrai que c'est un peu bizarre, cette histoire d'adresse, mais il y a sûrement une explication. Heinz, franchement, tu ne crois pas que M. von Meyer nage en plein délire?

— Dorothée! Gisbert est quelqu'un de très bien. D'accord, il a un côté un peu pédant, il est un chouïa timide, mais je n'hésiterais pas une seconde à lui confier ma fille. Un homme stable pour la vie, pas un écervelé ni un filou. N'est-ce pas, Christine?

— Mon Dieu, il ne manquait plus que ça.

Je m'enfermai dans la salle de bains.

— Elle se lancera une fois qu'elle le connaîtra mieux, l'entendis-je dire à Dorothée. Elle n'a jamais eu de chance avec les hommes, il faut le dire. Elle doit d'abord apprendre à faire de nouveau confiance aux autres.

Dorothée rit.

— Tu as lu ça dans un magazine féminin? Excuse-moi, Heinz, mais tu connais mal les femmes.

— Comment ça?

— Voyons, Gisbert von Meyer! Ce type est une caricature.

— Les femmes aiment les hommes qui ont le sens de l'humour.

Je filai sous la douche, à bout de nerfs.

Une demi-heure plus tard, je buvais un café debout avec Marlène, dans la cuisine de la pension. Je n'osais pas aborder le sujet qui me tracassait, et Marlène finit par le faire à ma place.

— Tu sais quand Heinz va passer l'île au peigne fin pour mettre la main sur le criminel présumé ?

Je me souvins alors qu'elle n'avait pas eu droit à la fin de l'histoire.

— Oh, mon père et Gisbert se sont déjà mis d'accord sur un suspect potentiel. Ils ont l'intention d'envoyer un rapport et un portrait-robot à la police.

— L'enquête progresse rapidement, dit Marlène, étonnée. Ils l'ont aperçu au Requin Bar ?

— Non, ici.

— Comment ça ? Je n'ai aucun nouveau client.

— Johann Thiess.

Marlène rit et se resservit une tasse de café.

— N'importe quoi, Thiess a quitté la pension, je ne l'ai pas vu une seule fois en compagnie de dames âgées et seules et il a payé sa chambre.

— Mais toi aussi, tu le trouvais bizarre.

— Non, pas vraiment, mais le fait qu'il m'observe m'a un peu déstabilisée. Du moins, c'est l'impression qu'il m'a donnée. Sans oublier toutes les photos qu'il a prises dès son arrivée, mais peut-être qu'il testait un nouvel appareil. En plus, tu avais le béguin pour lui, je me trompe ? Ça plaide en sa faveur.

— Merci, Marlène. Il ne t'a pas dit qu'il comptait revenir ?

Elle leva la tête, étonnée.

— Non. En tout cas, il a réglé le nombre de nuits initialement prévu.

Ma perplexité n'échappa pas à Marlène. Je me demandais pourquoi il ne l'avait pas informée de son retour. Mais avant que Marlène ait eu le temps de dire quoi que ce soit, mon père fit irruption dans la cuisine.

— Marlène! Il faut nous prévenir quand il y a un changement de programme. Je viens de croiser un groupe de jeunes censés s'occuper du parquet.

— Quoi? Ah, zut, ça m'est complètement sorti de la tête, je suis désolée. Le parquet va être vitrifié aujourd'hui, donc le reste est en stand-by.

— Super, rétorqua mon père, les poings sur les hanches. Franchement, l'organisation, chapeau. Il faut s'occuper de tout soi-même, ici. Je vais faire une réunion avec les autres.

Il s'empara d'une cafetière et de quatre tasses avant de disparaître.

— Peut-être qu'il me l'a dit et que je n'ai pas entendu, reprit Marlène. Enfin, peu importe, du moment qu'il a libéré la chambre. Je vais assister à la réunion et présenter mes excuses à toute la troupe.

Je posai ma tasse et la suivis en traînant des pieds. J'avais peine à croire que mon père puisse avoir raison une fois dans sa vie, du moins en ce qui concernait le beau Johann Thiess.

Au beau milieu de la cour se trouvait une table de camping autour de laquelle étaient assis mon père, Onno et Kalli, ainsi que quelqu'un que je ne connaissais pas mais qui ressemblait à Nils. J'en déduisis qu'il s'agissait de Carsten Jensen.

— Ah, Marlène, dit mon père en tendant sa tasse à Kalli. Tes ouvriers consciencieux et motivés se retrouvent au chômage technique à cause d'une bande de jeunes venus poser le parquet.

— Ils ne posent pas le parquet, intervint Kalli en lui reservant du café. Ils le poncent et le vitrifient.

— Ils auraient aussi bien pu le faire cette nuit. On tourne en rond et on perd du temps.

Marlène leva les bras au ciel, désespérée.

— Je me suis excusée! D'accord, j'ai oublié de vous en parler, mais regardez le bon côté des choses: vous avez quartier libre.

Les jeunes contournèrent la table de camping avec leurs outils tandis qu'Onno et Kalli les toisaient.

— On aurait très bien pu s'en charger, dit Kalli, visiblement vexé.

— Quand j'ai contacté cette entreprise, il y a six semaines, je ne savais pas que j'aurais autant de volontaires. Décalez un peu la table pour que les ouvriers puissent passer. Il faut que j'y retourne.

Elle me jeta un regard qui signifiait « À l'aide! » et disparut. Je me tournai vers le quartet, qui ne bougea pas d'un pouce.

— Alors c'est vous, la fille de Heinz? Je me présente: Carsten Jensen.

Onno finit son café et se leva.

— Bon, moi, contrairement à vous, je ne suis pas à la retraite. Je retourne au bureau. Au moins, là-bas, il y a de quoi faire.

— Mais tu as plus de soixante ans, tu comptes t'arrêter quand? demanda mon père.

— Onno s'ennuie quand il ne travaille pas, répondit Carsten. Et prendre sa retraite, ça veut dire passer pour un vieux débris.

— Mais Onno est encore jeune, il n'a que soixante-trois ans, soit dix ans de moins que nous, intervint Kalli.

Le regard de Carsten se posa d'abord sur Onno, puis sur Heinz.

— C'est vrai ? Soit vous êtes bien conservés, soit Onno fait plus que son âge. Moi, j'en ai soixante-quatorze.

Mon père hocha la tête.

— Respect. Je n'aurais pas cru.

Ces flatteries mutuelles me portèrent le coup de grâce.

— Bon, si vous n'avez besoin de rien, je vais aider Marlène.

— Vas-y, on trouvera bien de quoi s'occuper, répondit Kalli avec détachement. Au pire, on peut toujours jouer au skat. Quelqu'un a un jeu de cartes ?

Onno en sortit un de sa poche.

— Tiens. Je l'ai toujours sur moi, je vous le prête. Et si Carsten paraît plus jeune, c'est parce qu'il a encore tous ses cheveux. En revanche, il souffre de tension artérielle. À plus tard.

— Ah bon ? Elle est à combien, ta tension ? Moi, je…

Je n'écoutais plus Kalli. La salle à manger n'allait pas se ranger d'elle-même…

Seules la famille Berg et les incontournables Drôles de dames se trouvaient encore dans la salle à manger. Mechthild Weidemann-Zapek semblait épuisée, conséquence sans doute d'une trop grande consommation de riesling. Son amie Hannelore Klüppersberg s'était maquillée à la va-vite : elle avait la moitié du visage entièrement poudrée, l'autre ne l'était que jusqu'au menton. Elle n'avait pas l'air bien réveillée non plus. Leurs coiffures respectives laissaient elles aussi à désirer, et Mechthild arborait même une casquette.

Les jumelles Berg me sourirent et Emily me fit signe d'approcher.

— La dame en vert porte la casquette de ton papa, chuchota-t-elle. Elle a le droit ?

Surprise, je me retournai vers Mme Weidemann-Zapek. Voilà pourquoi ce motif m'était familier. L'ensemble en soie verte et la casquette jaune n'allaient pas du tout ensemble, mais mon père aurait sans doute été d'un autre avis.

Lena se pencha vers moi.

— Ton père a d'autres casquettes avec des dessins d'animaux ?

— Oui, il me semble qu'aujourd'hui il en porte une avec un ours. Il en a apporté au moins trois différentes. Comme il n'a pas beaucoup de cheveux, le soleil lui tape vite sur la tête.

— Tu penses qu'il nous en offrira une ? demanda Emily, une lueur de convoitise dans le regard.

— Emily ! intervint sa mère d'un ton réprobateur. Pardon, Christine, les filles se tiennent mieux que ça, d'habitude.

— Mais il en a bien offert une à la dame là-bas, répondit Lena en désignant Mechthild. À moins qu'elle ne lui ait volée ?

— Lena !

Mme Weidemann-Zapek, qui avait entendu la dernière phrase, nous salua et esquissa un sourire crispé.

— Sache que j'ai gagné cette casquette hier soir en jouant aux dés, ma petite. Je ne l'ai pas volée.

Je préférai ne pas imaginer ce qu'aurait donné une partie de strip-poker et souris à mon tour.

— Personne n'aurait osé sous-entendre le contraire, madame Weidemann-Zapek. Souhaitez-vous autre chose ?

Elle me demanda un thé. Alors que j'allais le lui préparer, je décidai de vérifier la garde-robe de Heinz dès que possible. Il faudrait que je rende des comptes à ma mère, puisqu'elle m'avait confié la lourde tâche

218

de superviser son accoutrement. Pourvu que cette casquette soit la seule chose qu'il ait jouée aux dés.

Emily m'avait discrètement suivie dans la cuisine.

— Il est où, ton papa ?

— Dans la cour, en train de jouer au skat avec Kalli et Carsten.

— Il porte une casquette ?

— Bien sûr.

À présent, Anna Berg se trouvait elle aussi derrière moi.

— Emily, tu n'as rien à faire ici, retourne à ta place.

Elle attendit que sa fille soit sortie puis me sourit, gênée.

— Elles adorent votre père. Il leur a raconté une histoire de mouettes, d'œufs et de roi des œufs qui les a captivées.

— De roi des œufs ?

Parfois, j'avais peur de mon propre père.

— Si elles sont trop fatigantes pour lui, qu'il n'hésite pas à nous les renvoyer.

— Je ne savais pas qu'il avait discuté avec vos filles.

— Mais si, répondit Anna Berg, surprise. Tous les matins depuis notre arrivée. Elles refusent de partir sans l'avoir vu.

Je me dirigeai vers la porte, une théière à la main.

— Tant mieux, il n'est jamais contre un peu d'admiration venant de la gent féminine.

Après avoir fait le ménage dans la salle à manger, je sortis rejoindre les joueurs de skat. La table se trouvait toujours en plein milieu du chemin.

— Alors, Christine, tu as fini de donner la béquée aux clients ? demanda Kalli en distribuant les cartes. Heinz est en train de dilapider ton héritage.

J'essayai de regarder le jeu de mon père, mais ce dernier reposa immédiatement ses cartes sur la table, face cachée.

— Qu'est-ce que tu veux, ma fille? Il faut que je me concentre.

— Deux dames te réclament.

Il gémit. De son côté, Carsten éclata de rire.

— Dis donc, Heinz, tu n'aurais jamais dû porter un toast à l'amitié. Après, Mechthild était complètement déchaînée.

— Vous avez porté un toast à l'amitié?

— Oui, avant d'enchaîner sur la lambada, répondit Kalli en observant son jeu. Hannelore, Mechthild et Heinz se tutoient, maintenant. Et si Heinz n'avait pas eu cette terrible crise de hoquet, ils seraient encore en train de danser.

— Au fait, Mechthild a ta casquette à motifs d'élan.

— Oui, la plus belle, avec une superbe visière. Mechthild l'a remportée grâce à un triple six. Tu leur as dit où on était?

— Les dames qui te réclament sont beaucoup plus jeunes.

— Plus jeunes?

— Dire que tu ne t'en souviens même pas, intervint Carsten en secouant la tête. Moi, si deux jeunes femmes me cherchaient, je le saurais.

À cet instant, Emily et Lena sortirent de la pension. Je leur fis signe d'approcher. Elles adressèrent un sourire timide à Carsten et Kalli avant d'aller se poster à côté de mon père.

— La grosse dame porte ta casquette, dit Emily en posant sa petite main sur le genou de Heinz. Elle a l'air débile.

— Maman nous a donné la permission d'aller nous acheter des casquettes, mais à condition que tu nous accompagnes. S'il te plaît.

Lena s'appuya sur l'autre genou.

— À condition que je vous accompagne? Dans ce cas, on va chercher le plus beau magasin de casquettes de Norderney, répondit mon père avec le plus grand sérieux. J'en ai besoin d'une nouvelle, vu que j'ai perdu ma préférée aux dés. Vous pourrez m'aider à choisir, mais d'abord, il faut aussi que je demande la permission.

Les fillettes étaient ravies. Emily se cramponnait au bras de Heinz.

— On ira voir les mouettes et le roi des œufs, après?

Je n'y comprenais plus rien.

— Mais c'est qui, ce roi des œufs?

— Enfin, Christine, Lille Peer! s'exclama mon père, indigné. L'histoire du roi des œufs! Décidément, tu as oublié tout ce que je t'ai appris durant ton enfance.

Sur le chemin de la cuisine, j'essayai d'assembler les pièces du puzzle. Lille Peer, une figure légendaire de Sylt, avait pour mission d'empêcher les pirates et les brigands de voler les œufs des mouettes. Mais un jour, le destin frappa à sa porte. Les brigands, qui ne parvenaient plus à mettre la main sur les œufs des mouettes, enlevèrent son fils de quatre ans. Sa femme et lui, bien qu'effondrés, continuèrent à veiller sur les œufs, et ce, durant des années. Un jour, un jeune homme s'échoua sur la plage. N'écoutant que leur bon cœur, Lille Peer et sa femme le secoururent et le soignèrent. Bien entendu, l'histoire ne s'arrête pas là. Un matin, la femme de Lille Peer regarda le jeune homme de plus près et remarqua une tache de naissance. Une tache de naissance qu'un seul être au monde avait. Qui donc ? Eh oui, le fils disparu.

Lorsque j'avais dix ans, mon père m'avait raconté cette légende pour me guérir de ma phobie des mouettes. Manque de chance, ensuite, je n'avais plus qu'une trouille : qu'on me kidnappe. Apparemment, les enfants d'aujourd'hui étaient bien plus courageux.

— Vous avez l'air ailleurs.

Je sursautai à la vue d'Anna et Dirk Berg.

— Je repensais au roi des œufs et à son fils. Excusez-moi. Vos filles sont dehors avec mon père.

— Votre père a une imagination débordante, vous devez vous amuser.

Je réfléchis un court instant.

— En fait… Oui, je n'ai pas à me plaindre. Vous saviez qu'Emily et Lena voulaient aller acheter des casquettes avec lui ?

— Il est hors de question qu'on lui impose ça. Elles sont parfois très fatigantes, et en plus…

Alors que Mme Berg continuait à me parler, j'eus un éclair de génie. Je voyais déjà mon père avec deux petites filles qui l'occuperaient toute la journée. Voilà qui le détournerait de Gisbert et de ses théories délirantes. J'interrompis Mme Berg.

— Ça lui fera sûrement très plaisir. Dommage qu'il n'ait pas de petits-enfants, car il ferait un grand-père formidable. Allons lui demander tout de suite.

Je sortis si vite que le couple eut du mal à me suivre.

— Papa, je t'autorise à aller acheter des casquettes avec les filles, hurlai-je presque à travers la cour.

Mais comme je sous-estimais la vitesse à laquelle je courais, je ne pus m'arrêter à temps et me cognai à la table, renversant le café par la même occasion. Mon père bondit.

— Christine! On dirait un éléphant dans un magasin de porcelaine. Fais un peu attention.

Il commença à essuyer le café avec un mouchoir, mais s'arrêta net en voyant Anna et Dirk Berg approcher. Il me poussa sur le côté et vint à leur rencontre, le sourire jusqu'aux oreilles.

— Bonjour. Alors qu'avez-vous prévu aujourd'hui? Besoin de quelques conseils, peut-être?

À l'expression de Kalli, je devinai ce qui s'était dit lors des matinées précédentes.

— Tu as suggéré quelque chose à Heinz et il s'est approprié ton idée? lui chuchotai-je, penchée vers lui.

— Oui, mais aujourd'hui, je ne lui dirai rien. Il devra se débrouiller tout seul.

Sa décision semblait irrévocable.

— On a déjà des projets, répondit Anna Berg en posant la main sur l'épaule de Lena. On est invités à faire de la voile et on s'apprêtait à refuser à cause des enfants, mais si vous avez vraiment envie de passer la journée avec elles... Si vous pensez que c'est un peu gonflé de ma part, dites-le-moi.

— Je vous en prie, j'accepte avec grand plaisir.

Anna Berg regarda ses deux filles sourire, un peu sceptique.

— Elles ont sept ans et ce ne sont pas les enfants les plus calmes du monde. Ma belle-mère a tendance à les trouver un peu trop énergiques.

— Ne vous inquiétez pas. J'en ai élevé trois et ils ont tous...

Il posa sur moi un regard un peu trop critique à mon goût. Je lui rendis la pareille.

— ... très bien tourné. Ils sont tous en très bonne santé et... autonomes. Non, je dois dire que je m'en suis… Enfin, qu'on s'en est bien sortis, ma femme et moi.

— Tu ne vas les garder que quelques heures, papa. Personne ne te demande de les adopter ou de m'échanger contre elles.

— Ah, je me disais aussi que tu étais trop vieille, répliqua mon père en m'adressant un nouveau regard critique. Alors c'est décidé, ajouta-t-il en se tournant vers les Berg, il ne nous reste plus qu'à lever l'ancre. Tu nous accompagnes, Kalli?

Le regard de Kalli se posa d'abord sur mon père, puis sur les deux fillettes, puis sur moi.

— Il en va de mon devoir.

— Bien, répondit mon père en lui tapant jovialement sur l'épaule. Dis-nous ce que deux vieillards et deux jeunes dames peuvent faire à Norderney.

Alors que Kalli marmonnait quelques mots, Anna et Dirk Berg s'accroupirent devant leurs filles pour communiquer à voix basse leurs dernières consignes. Ils n'auraient pas dû se donner cette peine. C'étaient plutôt mon père et Kalli qui risquaient de poser problème.

MON HOMME EST DE RETOUR

Un quart d'heure plus tard, alors que Gesa et moi vidions le lave-vaisselle, Marlène nous rejoignit dans la cuisine avec quatre tasses vides.

— Je rêve. Ne comptez pas sur nos chers retraités pour ranger leur bazar. Ils ont même laissé la table en plan.

Je jetai un coup d'œil par la fenêtre.

— Ils sont déjà partis? Mon père ne m'a pas dit au revoir.

Gesa sourit.

— Attends, il a gagné au change: une adulte contre deux enfants.

— Ils sont partis tous les trois avec les enfants? Carsten aussi?

— Non, répondit Marlène en secouant la tête. Carsten est allé boire un café avec Nils et Dorothée. Il compte bien la cuisiner. Lui et Heinz hésitent encore à leur donner leur bénédiction.

Gesa me lança un regard empreint de compassion.

— Comment tu fais pour tenir le coup? Dorothée flirte avec Nils, Heinz alerte tout de suite le paternel. Tu discutes deux fois avec Johann Thiess, et le voilà catalogué comme escroc au mariage. Pas étonnant que vous soyez toutes les deux célibataires.

— Ce n'est pas si terrible…

— Ne te sens pas obligée de le défendre. Je le trouve très gentil, Heinz, mais je n'aimerais vraiment pas l'avoir comme père. Bon, j'y vais. Bonne journée et à demain.

Marlène soupira.

— Les jeunes femmes d'aujourd'hui disent clairement ce qu'elles pensent, alors que nous, les vieilles peaux, faisons de notre mieux pour être diplomates. C'est injuste, quelque part.

— Pas faux. On devrait plus oser, parfois.

Juste à ce moment-là, nous entendîmes un bruit de moteur. Nous reconnûmes immédiatement la mobylette de Gisbert et nous nous baissâmes en même temps.

— Allez, Christine, saisis ta chance. Prends ton courage à deux mains et jette-toi sur lui.

Je regardai par la fenêtre en prenant garde que le conducteur de la mobylette ne m'aperçoive pas. Gisbert von Meyer s'apprêtait à entrer dans la pension, son casque toujours sur la tête.

— Non, mais regarde-le avec ses bras et ses jambes toutes maigres et son énorme casque sur la tête, chuchotai-je. S'il ne l'enlève pas tout de suite, je ne réponds plus de rien.

— Bonjour, il y a quelqu'un ?

Marlène se reprit.

— Bon, il est journaliste, après tout. Première à droite, on est dans la cuisine ! cria-t-elle.

Gisbert sursauta. Il se tenait sur le seuil de la porte, son casque sous le bras.

— Bonjour, mesdames. J'espère que je ne vous dérange pas.

— Bien sûr que non, on n'a pas grand-chose à faire de toute façon, répondis-je tout en essayant de rester diplomate. On s'occupait en regardant par la fenêtre. Comment ça va ?

Il fit un grand sourire et lissa ses cheveux roux.

— À merveille, merci. Je voulais t'emmener faire une petite virée sur l'île, j'ai apporté un deuxième casque.

Je posai les yeux sur sa mobylette. Une peluche rouge vif était accrochée au guidon. Marlène toussota, je pouvais presque lire dans ses pensées. Gisbert tendit la main vers moi.

— Si je puis me permettre…

— Non, merci. Je suis navrée, mais on est en pleins préparatifs, donc je ne peux vraiment pas m'absenter.

Déçu, il se tourna vers Marlène.

— Mais le parquet du bistrot va être vitrifié aujourd'hui et, ici, tout est déjà rangé, dit-il en désignant la cuisine.

J'étais en train de me décomposer, ce qui n'échappa pas à Marlène.

— On a encore des serviettes à plier, répliqua-t-elle. Pour l'inauguration.

— Ah, répondit Gisbert en tambourinant sur son casque de ses doigts tout maigres. Mais ça ne vous prendra pas bien longtemps.

Je fus plus inspirée.

— J'attends un appel de mon copain.

— Pourtant, ton père m'a dit que tu étais célibataire. Enfin, ce n'est que partie remise. À part ça, je me demandais où était Heinz.

— Il est déjà parti. Kalli et lui font du baby-sitting, aujourd'hui.

Gisbert von Meyer essuya quelques gouttes de sueur qui perlaient sur son front écarlate.

— Il a un numéro où on peut le joindre en cas d'urgence ?

Marlène sortit un portable de la poche de son pantalon.

— Il a laissé son téléphone dehors sur la table, avec les tasses et les cartes. Il n'est donc pas joignable.

— Et Kalli?

Je commençais à m'impatienter.

— Il n'y a pas d'urgence, Gisbert von Meyer. De toute façon, Kalli n'a pas de portable.

Je passai devant lui tout en prenant soin de laisser une distance raisonnable entre nous deux. Dans le couloir, je continuai à l'entendre parler de sa voix de fausset, tout excité.

— Marlène, je vous en conjure, ne la laissez pas répondre au téléphone! C'est une question de vie ou de mort. Moi, je pars à la recherche de Heinz.

Il traversa la cour avec une démarche qui me fit penser à John Wayne dans ses jeunes années.

J'attendis que la mobylette redémarre puis retournai voir Marlène. Cette dernière suivait Gisbert du regard tout en secouant la tête.

— M. von Meyer a un grain, non?

— N'oublie pas qu'il est journaliste, Marlène.

— C'est pour ça qu'il guette le retour de l'escroc au mariage?

— J'imagine, oui. Il n'a jamais tenu un scoop pareil de sa vie. On a vraiment des serviettes à plier?

— Mais non, ce n'était qu'un prétexte. Je vais voir où en sont les ouvriers. Va à la plage, si tu veux.

La perspective de lire quelques heures allongée sur le sable me ravit.

— Super, je t'emprunte ton vélo. On se voit ce soir au dîner. À plus tard.

Peu après, je longeais le front de mer, le soleil dans la figure et le vent dans le dos, tout en repensant à la soirée de la veille au Requin Bar et à ce que Gisbert nous avait raconté. Comme l'angoisse commençait à monter, je préférai me remémorer le SMS que Johann m'avait

envoyé : « … pour qu'on puisse se revoir bientôt. »
Il reviendrait, j'étais tout de même moins naïve qu'une
petite serveuse d'Emden. Après tout, j'avais quarante-
cinq ans, un mariage et quelques amants derrière moi,
je connaissais un peu les hommes. Du moins, je l'espérai
avec une ferveur qui me fit pédaler encore plus vite.

Après deux baignades et quarante pages de mon
roman policier, j'en eus assez de la plage. Je secouai le
sable de ma serviette, rassemblai mes affaires et décidai
d'aller m'acheter une robe en ville. Mais avant que j'aie
eu le temps de retirer l'antivol de mon vélo, j'entendis
un sifflement. Comme j'avais passé l'âge de réagir à ce
genre de chose, je fis comme si de rien n'était.
— Christine ! Tu es sourde ?
Mon cœur se mit à battre la chamade. Je me retournai et vis Johann approcher. Il portait un jean, une
chemise et un blazer. J'étais subjuguée par son regard
noisette et son sourire. Impossible que cet homme soit
un criminel. Lorsqu'il arriva devant moi, je fermai les
yeux et reçus un baiser.
— Me revoilà. J'ai fait aussi vite que j'ai pu.
— On pensait… Je n'y ai jamais cru, mais peu
importe, je…
J'étais tellement émue que je balbutiais. Il me
regarda, perplexe.
— Tu as attrapé une insolation ? Tout va bien ?
Je chassai cette histoire d'escroc de mon esprit.
— Oui, tout va bien. Comment tu as su où j'étais ?
— Je suis passé à la pension et j'ai demandé à Marlène.
— Personne d'autre ne t'a vu ?
— Non, pourquoi ?
Pour mieux cacher mon soulagement, j'accrochai
mon sac sur le porte-bagages tout en évitant de croiser
le regard de Johann.

— Juste pour savoir. Tu as des projets?

— Je ne sais pas encore, je voulais d'abord te revoir. On pourrait aller boire un verre ou casser la croûte en ville. Ou faire un peu de shopping. Ah, au fait...

Il glissa la main dans la poche intérieure de son blazer et en sortit une enveloppe.

— Tiens, ton argent. Et merci encore de m'avoir dépanné.

Je pris l'enveloppe et la mis dans mon sac. L'espace d'un instant, je crus entendre mon père me souffler: « Recompte! », mais je préférai l'ignorer.

— Alors, qu'est-ce qu'on fait? demanda Johann.

J'étais prête à n'importe quoi, mais je frissonnai à l'idée de me balader en ville avec lui, main dans la main, et de me retrouver cernée par mon père, Kalli et deux petites filles à casquette. Trop risqué à mon goût.

— Ça s'annonce compliqué, aujourd'hui. Mon père et son ami Kalli gardent les jumelles Berg, et je vais sûrement devoir leur donner un coup de main. Je m'apprêtais à partir à leur recherche.

— Je viens avec toi.

— Ce n'est pas une bonne idée. Je... Enfin, mon père... Ne le prends pas mal, Johann, mais mon père se conduit bizarrement envers les hommes qui s'intéressent à moi.

Il n'en crut pas un mot.

— Rien ne nous oblige à faire quoi que ce soit ensemble, répondit-il, vexé. Mais je crois que j'ai loupé un épisode.

Je laissai tomber mon vélo et l'enlaçai.

— Ce n'est pas ça, mais mon père s'est mis une drôle d'idée en tête et je préfère ne pas le croiser en ta présence. On ne pourrait pas plutôt se voir ce soir, après le dîner?

Je n'avais pas la moindre envie de lui raconter cette histoire d'escroc recherché par la police. Je ne voulais pas non plus qu'il prenne mon père pour un fou.

— D'accord.

Johann se baissa et retroussa les jambes de son jean.

— J'arrête de poser des questions et je vais me balader sur la plage, histoire d'évacuer ma frustration.

— Je t'appelle quoi qu'il arrive. On se voit ce soir, d'accord ?

Il sourit et me donna un rapide baiser.

— J'espère.

Je me rendis en ville par le front de mer avec un sourire jusqu'aux oreilles, tout à ma joie de le revoir. Puis je me dis qu'il ne m'avait donné aucun détail. D'un autre côté, je ne lui en avais pas demandé. Pour moi, cela signifiait qu'il était parti récupérer son argent et son passeport, point. Mon père et Gisbert n'avaient plus qu'à se trouver un autre suspect.

J'étais en train d'attacher mon vélo à un poteau situé devant le bureau de poste lorsque j'entendis siffler à nouveau. Cette fois-ci, je levai immédiatement la tête et vis Dorothée et Nils approcher. Dorothée tint mon vélo afin que je puisse détacher plus facilement mon sac du porte-bagages.

— On dirait que tu as été agressée par une bande de naufrageurs. Qu'est-ce que tu as fait à tes cheveux ? Et tu as encore du sable sur le menton.

Je me touchai le visage du bout des doigts. En effet, j'avais du sable partout et les cheveux collés par le sel, mais cela n'avait pas empêché Johann de m'embrasser.

— Je suis allée à la plage et je ne me suis pas recoiffée.

Dorothée me dévisagea, curieuse.

— Pourquoi tu souris bêtement comme ça ? Est-ce que Jo…

— Chut.

Je me retournai instinctivement et cherchai mon père parmi les passants. La paranoïa me gagnait. Lentement, mais sûrement.

— Il est de retour, mais il ne faut pas que Heinz et GvM l'apprennent.

Nils nous regarda l'une après l'autre.

— Vous parlez de l'escroc au mariage? Du type de la pension qui ne vit pas à Brême?

— Mais non, Nils, Heinz et Gisbert von Meyer se prennent trop au sérieux, c'est tout. Le type en question s'appelle Johann Thiess, et c'est tout sauf un escroc au mariage.

— Vous le connaissez vraiment bien? Pourquoi ne pas avoir tiré cette histoire au clair avec lui?

— Tiens, oui, pourquoi? répétai-je en regardant Nils, pensive. De toute façon, mon père et le Dr Watson sont tellement sûrs d'eux qu'ils ne nous écouteront pas.

Dorothée opina du chef.

— Il y a pas mal d'incohérences. Je t'expliquerai sur le ferry.

— Vous allez prendre le ferry?

— On s'éclipse, répondit Nils en posant la main sur l'épaule de Dorothée. Maintenant que Heinz a passé en revue mes antécédents médicaux et que mon père a longuement interrogé Dorothée sur ses talents de cuisinière, ses allergies et son poids, c'est au tour de ma mère d'entrer en scène. Elle veut nous inviter à un barbecue ce soir. C'en est trop. On prend l'avion pour Juist et on revient demain matin.

— Et le bistrot?

— J'ai presque terminé la peinture donc il ne reste pas grand-chose à faire, dit Dorothée. On a déjà bien avancé. Bon, il faut qu'on y aille, le ferry part dans vingt minutes.

Je les suivis du regard, envieuse. J'aurais vendu père et mère pour que Johann et moi soyons à leur place. Deux jours sur une île déserte avec l'homme de mes rêves…

— Christine! Hé, Christiiine!

« Déserte », un détail qui avait son importance. Je me retournai et restai bouche bée.

— Alors? Qu'est-ce que tu penses de ça?

« Ça » désignait un bermuda kaki ainsi qu'une chemise jaune décorée avec des bonbons de toutes les couleurs. La nouvelle casquette était bleu clair et portait l'inscription « Enfin majeur ».

— Où est-ce que tu as dégotté ça?

— Ici et là, on a écumé toutes les boutiques. Kalli et les enfants sont en train de manger une glace. Je t'ai vue par la fenêtre. Tu veux te joindre à nous?

Sans attendre ma réponse, il tourna les talons et je le suivis en traînant les pieds. Et en évitant de regarder les bonbons trop longtemps, sous peine d'avoir la migraine.

Emily portait une casquette jaune à l'effigie de Mickey. Celle de Lena était rose et disait « Femme idéale ».

— Je vois que vous vous êtes trouvé de jolies casquettes.

Je m'efforçai de garder un ton neutre. Les deux fillettes me firent un grand sourire.

— Heinz nous a aidées à choisir.

Mon père les regarda en opinant du chef, fier de lui.

— On s'est donné du mal, on ne s'est pas contentés d'acheter dans la première boutique venue.

— Non, on a fait cinq magasins avant, intervint Emily en secouant la tête.

— Exactement.

Mon père fit signe au serveur d'approcher.

— Qu'est-ce que tu prends, Christine?

— Un café, s'il te plaît. Et toi, papa, qui t'a conseillé?

— Ce sont les enfants qui ont choisi. Je n'ai jamais eu une aussi belle chemise de ma vie. Je la porterai le jour de l'inauguration.

Lena posa l'index sur un bonbon rouge.

— Il y a des bonbons dessus. C'était la plus belle chemise de tout le magasin.

— J'imagine. Et la casquette?

— Elle est assortie à la chemise. Je l'ai choisie moi-même.

— Il y a marqué « Enfin majeur » dessus.

— C'est vrai?

Il l'enleva et la tourna de façon à pouvoir lire l'inscription.

— Ah oui, je n'avais pas vu. Et alors?

— C'est une casquette de bonne qualité et d'une jolie couleur, intervint Kalli.

— Après, on va voir un film sur les manchots avec Heinz et Kalli, dit Emily.

Mon père acquiesça.

— *La Marche de l'empereur*, un documentaire animalier. Comme ça, les enfants apprendront quelque chose.

Kalli se pencha vers moi.

— Si tu veux nous accompagner, je vais t'acheter un ticket.

— Non, merci beaucoup, mais je vais faire du shopping. J'ai besoin d'une robe pour l'inauguration. On peut se retrouver après la séance au Café central, c'est à deux pas d'ici.

— Très bien. Dans deux heures.

Je finis mon café et me levai.

— Amusez-vous bien avec les manchots.

— Merci. Au fait, Christine…

— Oui?

— Trouve-toi quelque chose de joli. Ça t'irait bien, un peu de couleur. Tu devrais porter autre chose que ces robes de grand-mère toutes tristes. Tu n'es quand même pas si vieille. En plus, c'est l'été.

J'avais beau être au supplice, je parvins à esquisser un sourire crispé.

— Je vais essayer. À tout à l'heure.

Dans le quatrième magasin, je dénichai une petite robe à bretelles vert foncé qui descendait jusqu'aux genoux. Mais alors que j'admirais mon reflet dans le miroir sous le regard approbateur de la vendeuse, la voix de Mme Weidemann-Zapek retentit.

— Regarde, Hannelore, c'est Christine!

Sa large silhouette, cette fois-ci revêtue d'une combinaison en jean à motifs de chats verts et rouges qui se couraient après, surgit devant moi.

— Ma chère Christine, la coupe n'est pas mal, mais la couleur est d'un triste... Dis quelque chose, Hannelore.

Mme Klüppersberg ôta son bonnet en laine, bien évidemment assorti à sa robe abricot.

— Mechthild a raison, répondit-elle en jouant avec son collier de fausses perles rouges. À votre place, je choisirais quelque chose de plus clair, un rouge vermillon ou un jaune canari, avec éventuellement quelques fleurs pour donner une touche d'originalité à l'ensemble. Ce vert est beaucoup trop neutre.

J'adressai un grand sourire aux deux expertes de Münster-Hiltrup et tournai les talons.

— C'est décidé, je la prends, dis-je à la vendeuse.

Je sortis de la boutique cinq minutes plus tard. Les deux dames étaient assises sur un banc d'où elles avaient une vue imprenable sur la porte du magasin. J'étais tombée dans le piège.

— Je peux vous prêter un très joli foulard pour aller avec. Oh, je peux même vous l'offrir, vous vous démenez tellement pour nous servir le petit déjeuner.

— Ce n'est pas la p…

— Vous ne pouvez pas refuser, intervint Hannelore. Chez nous, ces foulards se vendent comme des petits pains. Il faut plus oser, ma chère, croyez-en les professionnelles. Où est votre père?

À défaut de me tasser à côté d'elle sur ce banc étroit, je restai debout, complètement empotée, à me balancer d'une jambe sur l'autre.

— Mon père est avec Kalli et…

À ce moment-là, j'entendis quelqu'un haleter derrière moi. Je me retournai et sursautai à la vue de Gisbert von Meyer, écarlate et essoufflé.

— Où… est… Heinz?

Il s'affala sur le banc. Mechthild se déala et le regarda, inquiète.

— Il est arrivé quelque chose?

Gisbert von Meyer ne parvenait pas à reprendre son souffle. Pourtant, il ne fumait pas, à ma connaissance. Il était peut-être asthmatique. Ou fragile. Ou les deux.

— Et comment. Nous devons nous réunir de toute urgence. Mot de passe: Requin Bar. C'est bien compris?

Hannelore faillit s'étouffer.

— L'escroc au mariage! Vous l'avez revu?

À mon tour de manquer d'oxygène.

— Où ça?

— Il a, selon toute vraisemblance, pris une chambre au Georgshöhe. Je l'ai reconnu à la réception.

Tandis que je contemplais les visages indignés des deux dames, mon cerveau tournait à plein régime. Johann se trouvait à la plage et non au Georgshöhe, il avait une chambre à la pension et pour couronner le tout, Gisbert ne l'avait jamais vu, il en avait juste entendu parler. Je repensai à la description qu'en avait faite mon père : taille moyenne, âge moyen, châtain et regard sournois, voilà qui correspondait à un homme sur trois. Je poussai un soupir de soulagement. Un nouveau suspect venait de débarquer sur l'île. Quant à moi, je pouvais dormir tranquille. De préférence avec Johann Thiess. Gisbert interpréta mon sourire de travers et bomba le torse.

— Tu es contente que je n'aie pas lâché l'affaire si vite, hein ? Parti ? À d'autres. On va l'arrêter, je t'en fais le serment. Bon, où est Heinz ? Il ignore ce dernier rebondissement.

Hannelore jouait nerveusement avec son collier de fausses perles.

— Vous savez, Gisbert, je ne voulais pas en parler devant tout le monde au Requin Bar, mais, quand il y a péril en la demeure, la meilleure chose à faire est de ranger sa fierté au placard.

Mechthild lança un regard en coin à son amie et leva un sourcil.

— Vous pouvez nous en dire plus ?

Hannelore posa sa main couverte de bagues sur le genou de Gisbert.

— Eh bien, pour résumer, M. Thiess m'a regardée une ou deux fois avec... Comment dire... Avec convoitise.

Je toussai, Gisbert s'exclama « Je vous en prie ! », et Mechthild se leva.

— Tu es d'une candeur, Hannelore... Il t'a dit bonjour, c'est tout. Moi, il m'a invitée à dîner. J'ai refusé car cela ne me paraissait guère convenable.

Et vlan ! Hannelore Klüppersberg se décomposa. Elle devint écarlate et retira la main du genou de son voisin.

— Mechthild, tu es tellement...

Faute de trouver une expression adéquate, elle finit par refermer la bouche. Gisbert regardait dans le vide, concentré.

— Il est grand temps d'agir. Mechthild, Hannelore, vous avez failli tomber entre les griffes d'un dangereux criminel. J'ai une idée. Christine, où est votre père?

— La dernière fois que je l'ai vu, c'était à la salle communale, avec Kalli et deux jeunes dames.

— Deux jeunes dames? répétèrent Mechthild et Hannelore en chœur.

Gisbert se tourna vers elles.

— Il y a un thé dansant, aujourd'hui. On y va? Ainsi, Heinz sera informé dans les plus brefs délais.

— Gisbert, à votre place, je n'interviendrais pas. Les deux dames en question étaient très jolies et très jeunes. Heinz et Kalli avaient l'air de s'amuser comme des fous. N'allez pas compromettre leurs projets.

— Christine! s'indigna le trio d'une seule et même voix.

— Il fallait que vous sachiez. Mais moi, je ne vous ai rien dit. Bonne chance.

Je n'avais pas précisé qu'on passait aussi des films dans la salle communale. Mais si Gisbert, l'homme le plus cultivé de Norderney, l'ignorait, alors cela n'avait guère d'importance.

Je m'éclipsai tout en espérant qu'ils ne me suivent pas ou ne trouvent pas mon père avant moi. J'avais encore une demi-heure à tuer avant le rendez-vous au café et huit cents euros en poche. Ou plutôt, sept cent dix euros et une nouvelle robe. Je m'arrêtai devant la vitrine d'une parfumerie. Ma dernière soirée avec Johann avait été marquée par une forte odeur de térébenthine. Ce soir ou cette nuit, il faudrait faire mieux. J'entrai dans la boutique.

CŒUR FRAGILE

Après avoir testé cinq parfums différents et dépensé cinquante euros, je pris la direction du Café central avec un peu de retard. Je poussai un soupir de soulagement en constatant la présence des quatre cinéphiles, assis près de la fenêtre, mais surtout l'absence de Gisbert von Meyer et de ses Drôles de dames. Ces derniers avaient probablement fait chou blanc, et Gisbert devait être en train de chauffer la piste de danse avec Mechthild. Ou Hannelore. Ou les deux à la fois. Je m'approchai de la table en souriant à cette idée, mais personne ne remarqua mon arrivée. Il régnait une atmosphère des plus étranges. Les jumelles chuchotaient entre elles, tête baissée. Mon père regardait fixement la table tandis que Kalli gardait les yeux rivés sur ses mains. Je toussotai.

— Coucou. Alors, ce film ?

Kalli et mon père levèrent la tête et me regardèrent d'un air grave. Mon père désigna les deux fillettes de la tête et me fit signe d'approcher.

— Qu'est-ce qui s'est passé ?

Je m'assis, m'attendant à une terrible nouvelle.

— Tu étais au courant ? me demanda mon père d'une voix d'outre-tombe.

— Au courant de quoi ?

— Qu'ils meurent par centaines. Dont beaucoup de petits.

— Qui ça ? Pourquoi ?

239

— En Antarctique.

Tandis que mon père se mouchait, j'interrogeai Kalli du regard.

— Les manchots. Les plus faibles sont abandonnés. Ça nous a drôlement secoués.

— Ah, les manchots...

J'essayai de prendre une mine contrite, en vain. Pourtant, j'aimais bien les manchots.

Emily me remarqua enfin et me sourit.

— C'était un beau film, mais il y a beaucoup de morts. Tu savais que les manchots pondaient des œufs? Heinz en sera le roi.

— Oh.

J'imaginai mon père sillonner l'Antarctique en combinaison de ski afin de sauver les manchots. Pourquoi pas, il y avait pire comme reconversion. Mais qu'en dirait ma mère? Elle aurait du mal à marcher dans la poudreuse avec un genou douloureux, sans oublier qu'elle était très frileuse. Et tout ça pour des manchots... Je perdais la tête, ou quoi? Lena posa sa petite main sur celle de mon père.

— Ne fais pas cette tête, ce n'était qu'un film. Et si on prenait un jus de fruit?

— Ah, Lena...

Toute la souffrance du monde et des manchots était résumée dans cette courte réponse de mon père. Puis il se souvint de la mission qui lui avait été confiée.

— Tu as certainement raison. Bon, on va commander quelque chose.

— Bonne idée.

Mon père me fusilla du regard. Comment avait-il pu engendrer une fille aussi insensible? Je préférai l'ignorer et fis signe à la serveuse.

Quelques minutes plus tard, les jumelles continuaient à discuter entre elles, tandis que les adultes gardaient le silence. Mon père était plongé dans ses pensées. Soudain, Kalli se pencha pour mieux voir dehors.

— Regarde, Gisbert von Meyer et les deux dames. Il leur fait une visite guidée ?

— Mais non, il est trop jeune. Être guide requiert une certaine expérience.

Comme Kalli semblait sur le point de toquer à la fenêtre, je le retins par le bras.

— Tu veux vraiment leur proposer de nous rejoindre, Kalli ? Heinz n'est pas en état de supporter les voix stridentes de Mechthild et Hannelore.

— Elle a raison, cela m'est impossible pour l'instant. Baissez-vous un peu pour qu'ils ne nous voient pas.

Kalli obtempéra et je poussai un soupir de soulagement. Mon père serait informé bien assez tôt des derniers rebondissements. L'heure était au recueillement en mémoire des petits manchots.

De bonne humeur, je rangeai la bicyclette de Marlène dans le local à vélos. Lorsque Kalli avait suggéré aux filles d'aller faire du trampoline sur la plage de l'Ouest, elles avaient sauté de joie. Mon père les avait suivis sans grand enthousiasme, avant de prendre sur lui. D'une part, il se sentait responsable des enfants, d'autre part, rien ne pouvait être entrepris dans l'immédiat pour sauver les manchots.

Kalli m'avait proposé de les accompagner, mais j'avais décliné l'invitation. De plus, mon père m'avait informée d'un air dégoûté que mon parfum lui donnait la migraine.

— Tu sens fort. Tu as mangé un truc qui ne passe pas ?

J'avais préféré prendre congé dignement. Marlène m'entendit fermer la porte et vint à ma rencontre.

— Je viens de préparer du thé. Tu en veux une tasse ?

Son regard se posa sur mes achats.

— Je croyais que tu voulais aller à la plage, et c'est ce que j'ai dit à M. Thiess, d'ailleurs. Tu l'as croisé ? Il est de retour.

— Je sais.

Je suivis Marlène jusqu'à la guérite. Elle me servit une tasse de thé, me la tendit et me regarda, impatiente de connaître la suite.

— Alors, raconte. Il t'a retrouvée ?

— Oui. Je m'apprêtais à rejoindre Heinz et les jumelles.

— Et ?

— Ben, rien. Tu as entendu Gisbert et mon père l'accuser d'être un escroc au mariage. À cause de son regard sournois, souviens-toi.

— Oui, et ça me laisse quand même perplexe, cette histoire d'adresse.

— Mais il peut y avoir trente-six explications. On ne sait pas si ce fameux ami de Gisbert est vraiment dégourdi et s'il a regardé le bon immeuble.

— Et Mausi ?

— Ça peut facilement s'expliquer aussi. Je lui poserai la question la prochaine fois qu'on se verra. Heinz et Gisbert devront avancer plus d'arguments pour me convaincre. Mais, avant d'aborder le sujet avec lui, j'aimerais autant qu'il ne tombe pas sur nos Sherlock Holmes en herbe.

Marlène me sourit.

— Tu es mordue, hein ?

— Je crois bien, mais je garde la tête froide, ne t'inquiète pas. Tiens, j'ai croisé Gisbert, Weidemann-Zapek et Klüppersberg en ville, ils échafaudent déjà de nouvelles théories. Notre fin limier a repéré le dangereux criminel à la réception du Georgshöhe.

— Mais GvM ne connaît pas Johann Thiess.

— Eh oui, quelqu'un va encore finir derrière les barreaux à cause d'une vague description. En plus, à cette heure-là, Johann était à la plage, pas au Georgshöhe.

— Surtout qu'il a une chambre ici. En tout cas, je ferai de mon mieux pour rassurer Heinz. J'ai parfois tendance à m'emballer. Je n'aurais pas dû lui parler des photos, ni lui dire que je trouvais Johann bizarre. Je suis désolée.

Je finis ma tasse de thé et me levai.

— Ce n'est pas grave. Maintenant, tu peux essayer de limiter les dégâts. Je vais prendre ma douche, je me suis ruinée en espérant que ça chasserait le mauvais œil. Mais je ne sais pas comment je vais aller à mon rendez-vous sans la meute à mes trousses.

— Ne t'inquiète pas, je m'en occupe, histoire de me rattraper. Je trouverai bien un moyen pour détourner leur attention.

J'étais en train de rassembler mes achats lorsque Marlène se souvint de quelque chose.

— Au fait, on aura du renfort à partir de demain. Hubert m'a appelée tout à l'heure, il arrivera plus tôt que prévu.

— Ah bon? Et ta tante Theda?

— Sa meilleure amie Agnes, qui vit à Leer, donne une fête sur deux jours pour ses soixante-dix ans, mais ça ne disait rien à Hubert. Il conduit Theda là-bas et nous rejoint directement.

— Et qu'est-ce qu'il va faire ici, tout seul?

— Devine.

— Il va vouloir nous aider pour que tout soit terminé samedi.

— Exactement. Maintenant, ils sont cinq: Heinz, Kalli, Onno, Carsten et Hubert. Je t'ai raconté que Carsten avait critiqué les croquis de Nils? Il estime que son fils a bâclé le travail et compte bien lui remonter les bretelles à son retour. Finalement, Onno est presque un bébé avec ses soixante-trois ans. En tout, le reste de nos ouvriers a… deux cent quatre-vingt-quinze ans. Le monde à l'envers.

— J'espère que tu n'es pas en infraction vis-à-vis de la caisse de retraite, Marlène. Bon, j'y vais. Si jamais tu croises Heinz, fais comme si de rien n'était. Avec sa nouvelle garde-robe, il ressemble au roi du disco et il déprime à cause des manchots qui meurent en Antarctique. À tout à l'heure.

En m'éloignant, je jetai un dernier coup d'œil par-dessus mon épaule. Marlène était toujours assise dans la guérite, dépitée. Difficile de dire si elle pensait à l'âge moyen de ses bénévoles ou au triste sort des manchots en Antarctique.

J'étais en train de retirer délicatement l'étiquette où figurait le prix de ma nouvelle robe lorsque j'entendis la clé tourner dans la serrure, puis mon père traîner des pieds dans le couloir. Apparemment, le trampoline ne lui avait pas remonté le moral.

— Christine?

— Je suis dans la cuisine.

Il entra et s'affala sur un banc.

— Quelle journée!

— Les jumelles t'ont épuisé à ce point-là?

— Les jumelles? Non, tout s'est bien passé, et ce n'est pas la première fois que je fais du baby-sitting.

— Qu'est-ce qu'il y a, alors? Tu es dans cet état à cause des manchots?

— Tu aurais dû voir ça. Il faut faire quelque chose, c'est un scandale.

— Ça s'appelle la sélection naturelle, papa. Seuls les plus forts survivent.

— Christine! s'exclama mon père, indigné. Je ne sais pas de qui tu tiens ce cœur de pierre, mais pas de moi, en tout cas.

Le retour de Rantanplan, pensai-je en finissant de découdre les poches de la robe.

— Et voilà, terminé.

— Tu l'as achetée aujourd'hui?

À la vue de sa chemise à bonbons, je fus prise d'une peur soudaine de répondre et hochai prudemment la tête.

— Elle est très jolie. Cette couleur fait ressortir tes yeux.

Décidément, il n'allait pas bien du tout. Je m'assis à côté de lui et lui tapotai l'épaule.

— Tu sais quoi? Ça doit bien exister, des associations de défense de l'Antarctique ou des manchots. Je regarderai sur Internet. Allez, on se change et on va dîner.

Il regarda sa chemise.

— Pourquoi je devrais me changer? Ce sont des vêtements tout neufs.

— Je sais, mais je trouve que tu fais plus viril avec un jean et une chemise unie.

— À quoi bon paraître viril? Pour Kalli, pour Marlène, pour Onno? Au fait, j'ai invité Carsten à se joindre à nous. Il fait partie de l'équipe, lui aussi.

Marlène serait ravie de voir notre petite tablée se transformer en banquet.

— Carsten. D'accord. J'espère que Marlène est au courant.

Mon père hocha la tête, un peu trop sûr de lui à mon goût.

— Je vois. Bon, je l'appelle. J'ai posé tes affaires sur le lit. On ira dès que tu te seras changé.

Mais Marlène me prit de court. Carsten était déjà arrivé et s'excusait de la part de sa femme, qui avait déjà rendez-vous pour un bowling. Quant à Gisbert von Meyer, trop occupé par son enquête, il avait décliné l'invitation. Elle avait dit à Johann Thiess qu'il valait mieux éviter les septuagénaires et que je lui expliquerais pourquoi plus tard. Enfin, on devait se dépêcher avant que les saucisses refroidissent.

Mon père, élégant dans son jean et sa chemise bleu clair, commença par râler à propos de la salade de pommes de terre et des saucisses – un plat d'hiver, d'après lui – mais se resservit finalement trois fois.

— Cela dit, c'est vite écœurant.

Tout de même satisfait, il s'appuya sur le dossier de sa chaise et défit sa ceinture d'un cran. De son côté, Carsten entreprit de dessiner un croquis pour nous montrer l'idée qu'il se faisait du futur bar. Puis il essaya de convaincre Onno de passer outre aux instructions de Nils.

— Crois-moi, les lampes seront beaucoup mieux pile au-dessus des tables, histoire qu'on voie ce qu'on mange. Décidément, mon fils n'a pas l'esprit pratique.

Marlène leva les yeux au ciel. Je la réconfortai d'un sourire, puis jetai un coup d'œil discret à la montre de Kalli. Presque 21 heures. Je tressaillis quand mon portable vibra dans ma poche. Mon père se tourna vers moi.

— Qu'est-ce que tu es nerveuse. Tu te rends compte que tu sursautes, parfois?

— Ah oui? Ça doit être mon corps qui se détend.

Je comptai jusqu'à dix, puis me levai. Manifestement, ce jour-là, mon père portait une attention toute particulière non seulement aux manchots, mais aussi à sa progéniture.

— Tu vas où?

— Aux toilettes.

— Ah. Vas-y, je t'en prie.

— Merci.

Une fois seule, je consultai mes SMS. « Je t'attendrai au Surf Café toute la nuit s'il le faut. J'ai hâte. »

J'eus une bouffée de chaleur. « J'arrive d'ici une heure. J'ai hâte aussi. »

Quoi qu'il en coûte. Je tirai la chasse d'eau et sortis. Je m'étais absentée cinq minutes à peine, mais l'ambiance avait changé du tout au tout. Mon père semblait vexé, Carsten perplexe, Onno désemparé, et tous avaient le regard tourné vers Marlène.

— Qu'est-ce qui se passe ?

— Demande à Marlène, rétorqua mon père en la fusillant du regard. Apparemment, on n'est pas assez bien pour elle.

Marlène haussa les épaules.

— Je viens de leur annoncer que Hubert arrivait demain et qu'il comptait lui aussi mettre la main à la pâte.

— Il dormira où ? demanda Carsten. Il n'y a pas une seule chambre libre sur l'île.

— Hubert est le compagnon de ma tante. Ils ont un appartement au premier étage de la pension. Avec la livraison des meubles vendredi, il ne sera pas de trop.

— Pas de trop, mais bien sûr, soupira mon père. Je me suis laissé dire qu'il avait soixante-seize ans. En quoi il nous sera utile ?

— Arrête, papa, vous n'êtes pas non plus dans la fleur de l'âge.

— Toi, je ne t'ai rien demandé. Merci pour le dîner, je vais me coucher. Bonne nuit, tout le monde.

Je faillis le suivre par réflexe. Une fois sur le seuil, il se retourna une dernière fois.

— Ne tarde pas trop, Christine. On s'y remet tôt, demain matin.

Curieusement, mon premier réflexe disparut. Je restai assise et regardai la porte se fermer derrière lui.

Comme d'habitude, Kalli vola au secours de mon père.

— Les mots ont dépassé sa pensée. Il a eu une grosse journée. Les jumelles, les manchots, ça fait beaucoup pour son petit cœur.

— Je vois, répondit Marlène. Tu m'aides à débarrasser, Christine?

— Bien sûr.

Tandis que nous nous affairions, les trois hommes finirent leur verre et se levèrent lentement. Nous les entendîmes chuchoter puis dire tous en chœur: « Merci et à demain. »

Marlène s'empara de l'assiette que j'avais dans les mains.

— Qu'est-ce que tu attends pour filer? Amuse-toi bien.

Je respirai un grand coup.

— Merci, et…

— Dépêche-toi. Mais…

— Quoi?

— Ne faites pas trop de bruit dans le couloir quand vous monterez dans sa chambre.

— Marlène, qu'est-ce que tu vas imaginer…

Je l'entendis siffloter, tandis que je sortais son vélo de la remise.

TU ES LE SEUL À ME FAIRE CRAQUER

Le soleil était sur le point de se lever lorsque je revins à l'appartement. Je tournai la clé dans la serrure en retenant mon souffle et ouvris la porte avec d'infinies précautions, millimètre par millimètre, puis procédai de la même façon pour la refermer, cinq minutes plus tard. Pas un bruit. J'entendis un léger ronflement provenant de la chambre de mon père et priai pour qu'il ne se réveille pas. À cet instant, un hoquet m'échappa. Je me mis la main sur la bouche et m'arrêtai net, mais le ronflement continua. Sans allumer la lumière, je m'affalai sur le lit de camp, me déshabillai et me glissai sous la couverture. Un sentiment de soulagement mêlé à une joie indescriptible m'envahit. Quelle nuit ! Le réveil indiquait 5 h 20. J'étais censée me lever dans une heure. Je sentais encore le parfum et les mains de Johann, j'entendais encore sa voix. Et mon père se trouvait à deux portes de là.

J'avais reconnu Johann à la terrasse du Surf Café. Mon pouls s'était accéléré à mesure que j'approchais. Il était si beau avec sa chemise verte. J'avais pris tout mon temps pour attacher l'antivol de mon vélo, et surtout pour me ressaisir. Hors de question que je me jette à son cou comme une gamine de seize ans, même si ce n'était pas l'envie qui m'en manquait. Avant, nous avions des choses à mettre au clair. À son tour, il m'aperçut et se leva, tout sourire.

Je me retournai sur le dos et soupirai. Je n'avais plus envie de dormir. Je préférais revivre le film de la soirée, avec Johann en gros plan.

Sur la table se trouvaient déjà une bouteille de vin blanc dans un seau à glace, une bouteille d'eau et quatre verres, dont deux encore non utilisés.

— Tu préfères peut-être boire autre chose ?

Je secouai la tête. Lorsqu'il me servit, je remarquai la beauté de ses mains.

— Quoi de neuf ?

Là, j'étais censée répondre quelque chose. Je le regardai dans le blanc des yeux, la gorge sèche.

— Christine ? Tout va bien ?

Par où commencer ? Fallait-il ruer dans les brancards et lui parler de Mausi ? Ou de l'intérêt qu'il manifestait envers Marlène ? Ou de sa fausse adresse à Brême ? Ou des photos qu'il avait prises de la pension ? C'était la meilleure façon de tout gâcher, il me prendrait pour une hystérique. Je devais à tout prix garder mon calme et trouver la bonne formule : intéressée mais pas méfiante, intelligente mais pas inquisitrice, personnelle mais pas familière. J'étais tellement concentrée que je mis un moment à me rendre compte que Johann me parlait.

— Christine ? Allô, Christine, ici la Terre. Tu as perdu ta langue ?

Je pris une grande inspiration.

— Mon père te soupçonne d'être un escroc au mariage.

Et vlan ! Pas de doute, mon cerveau m'avait lâchée. Intelligente et claire, personnelle et intéressée. Super.

Et ce n'était même pas une question. Christine Schmidt, docteur en rhétorique. J'aurais voulu être six pieds sous terre.

Johann me regarda d'abord médusé, puis incrédule. Qu'est-ce que je venais de dire? Pourquoi il ne réagissait pas? Au moment où je reprenais mes esprits, Johann se mit à rire, la main sur la bouche, d'abord tout doucement, puis de plus en plus fort, jusqu'à en être secoué de soubresauts. Cela dura plusieurs minutes. Enfin, il s'essuya les yeux du revers de la main, sortit un mouchoir de sa poche et se moucha longuement, pour ensuite me regarder et repartir dans un grand éclat de rire.

— Ah! là, là, Christine… Excellent.

Il pouvait à peine parler. De mon côté, je me sentais complètement idiote. Apparemment, il croyait que je venais de lui faire une blague. Même si cela avait été le cas, il n'y avait absolument pas de quoi s'esclaffer. Cet homme était doté d'un drôle de sens de l'humour.

— Euh… Johann?

— Oui?

— Je te disais ça sérieusement. Mon père te soupçonne vraiment, et il n'est pas le seul.

— Je… Je vois, répondit Johann en reprenant son souffle. Ça va aller. Sers-moi un verre d'eau, s'il te plaît. Alors, comme ça, je serais un escroc au mariage?

— Oui. Pourquoi ça te fait rire à ce point?

Je dus attendre qu'il finisse de boire avant d'obtenir une réponse. Du moins, il essaya de m'en donner une.

— Je ris parce que je ne t'ai pas demandée en mariage et que je ne suis pas fauché, soit tout le contraire d'un escroc au mariage, enfin, je crois. Mais je suis un peu soulagé. Je croyais que je devenais parano.

Je ne comprenais toujours pas, et la perplexité devait se lire sur mon visage.

— Depuis mon retour, j'ai l'impression qu'on me suit. En rentrant de la plage, j'ai croisé l'ami de ton père à vélo, le blond…

— Kalli ?

— Oui, celui qui participe à la rénovation du bistrot. Au début, il roulait derrière moi, puis il s'est mis à côté, pendant plusieurs minutes, sans même me dire bonjour. Il faisait semblant de regarder au loin sans jamais s'éloigner de plus d'un mètre.

— Tu ne lui as pas parlé non plus ?

— Si, bien sûr. Je lui ai demandé si je pouvais l'aider, mais il n'a pas daigné me répondre. Quand je me suis arrêté, il a continué sa route en sifflotant.

— Et ensuite ?

— Ensuite, je me suis retrouvé avec un roux en mobylette sur le dos. Difficile de le semer, lui aussi. Quand je suis allé déjeuner, il s'est installé en face du restaurant et a passé son temps à m'observer avec des jumelles.

Gisbert von Meyer, agent secret au service de Sa Majesté.

— Tu n'es pas allé le voir ?

— Pour quoi faire ? répondit Johann en haussant les épaules. Je me suis dit que c'était juste un type un peu paumé.

Remarque pertinente. Il était à présent temps de tout lui expliquer, je ne voulais pas qu'il nous prenne pour une bande de fous. Je lui parlai donc de la conférence de presse à laquelle avait assisté Gisbert, ainsi que des théories échafaudées par mon père. Lorsque j'en arrivai à l'ami de Gisbert qui vivait à Brême, Johann secoua la tête, incrédule.

— Tu aurais dû me poser directement la question. Je suis parti un an en Suède pour le travail et je ne suis rentré que mi-mai. J'ai entreposé toutes mes affaires chez ma tante à Cologne. J'ai aussi vécu chez elle quelque temps, car mon appartement n'était pas libre avant le 1er juin. J'ai déjà rapporté la plupart de mes vêtements à Brême. Mon propriétaire m'a dit qu'il changerait le nom sur la sonnette, je ne sais pas pourquoi il ne l'a pas encore fait.

— Et tu es allé directement de Cologne à Norderney?

— Oui, pourquoi?

Voilà qui expliquait la nuit passée sur la route.

— Comme ça.

En entendant du bruit dans le couloir, je fermai les yeux et fis semblant de dormir. Mon père entra dans la salle de bains, claqua la porte, tira la chasse d'eau, toussa doucement et retourna dans sa chambre. Je me retournai sur le ventre. L'after-shave de Johann continuait à me chatouiller les narines.

Je n'avais finalement pas osé lui parler de Mausi.

— Pourquoi tu es venu seul à Norderney?

Johann hésita un court instant avant de répondre.

— Eh bien... pour me détendre. À peine rentré de Suède, j'ai dû organiser mon déménagement, réaménager les locaux de la banque, etc. J'étais fatigué, j'avais besoin de calme et il restait des chambres de libres à Norderney.

— Et tu n'as rencontré personne ici?

— Si, toi.

— D'accord, mais avant?

Il m'adressa un sourire tellement charmant que je faillis tomber à la renverse.

— Non, et pour être honnête, je ne meurs pas d'envie de faire de nouvelles connaissances. Je veux surtout être tranquille, et si je pouvais t'arracher de temps en temps à tes compagnons de labeur, j'en serais ravi.

Il me prit la main. Avec un peu de chance, elle n'était pas moite.

Presque 6 heures. Encore une demi-heure à passer en compagnie de Johann avant que le réveil sonne. Mes paupières s'alourdissaient, la fatigue m'envahissait peu à peu. Je m'efforçai de visualiser le visage de Johann. Inutile de m'endormir maintenant.

Nous quittâmes le Surf Café pour aller longer la plage en direction de la Dune blanche. Il faisait doux, la lune se reflétait sur la surface de l'eau, on n'entendait rien à part le bruit des vagues. Ensuite, nous nous assîmes dans une guérite face à la mer pour nous raconter notre enfance et nous confier nos rêves. Nous n'arrêtions de parler que pour nous embrasser.

Le sommeil ayant triomphé de l'amour, ce fut le réveil qui me tira de cette tendre rêverie. L'âge, peut-être. Je ne trouvai pas le bouton d'arrêt tout de suite et la sonnerie continua à me vriller les tympans.

— Oh! là, là.

Mon père, qui parlait plus fort que le réveil ne sonnait, éteignit ce dernier.

— Tu es morte, ou quoi? Ce truc fait un boucan d'enfer depuis dix minutes.

Je levai la tête et vis mon père en pyjama, devant mon lit.

— Je t'avais dit de ne pas veiller trop tard, hier soir. Tu t'es couchée à quelle heure?

Je m'enfouis la tête sous l'oreiller et grommelai quelque chose du style « Pas de montre ».

— Comment ça? Elle est où, ta montre? Dis plutôt que tu l'as perdue. On te l'avait offerte pour tes trente ans, elle nous avait coûté cher.

— C'était il y a quinze ans.

— Justement, le fait que ce soit une antiquité lui donne encore plus de valeur. Tu l'avais quand, pour la dernière fois?

— Papa!

— On en reparlera. Allez, debout, il est moins le quart. Je vais dans la salle de bains en premier.

Je disparus sous la couverture en priant pour qu'il prenne son temps.

— Christiiine!

Cette fois-ci, il était habillé et sentait l'after-shave.

— Il est 7 heures. Tu as bu, hier soir?

Je me levai mais retombai sur le lit, les jambes engourdies de fatigue.

— Juste ciel.

Mon père s'agenouilla et inspecta mon visage.

— Qu'est-ce que tu as aux yeux? Ils sont tout rouges et tout gonflés. On dirait que tu n'as pas dormi depuis deux mois.

C'était justement mon impression. Je posai doucement les pieds par terre et me frottai la figure.

— J'ai peut-être une conjonctivite.

— Va faire ta toilette, ça ira peut-être mieux après, répondit mon père en me caressant gauchement la tête. Je t'attends.

Je me traînai jusqu'à la salle de bains en me faisant tout un tas de reproches. Le soir venu, mon père saurait pour Johann et moi. Je lui raconterais toute l'histoire au calme et en détail. Il finirait certainement par l'apprécier.

Marlène me tendit un plateau dès que j'entrai dans la cuisine.

— Ah, contente de te voir. Ils sont tous descendus très tôt ce matin, et Gesa n'est pas encore là. Tu peux apporter ça dans la salle ? J'ai deux départs ce matin. Oh, mais qu'est-ce que tu as aux yeux ?

— Une conjonctivite, répondit mon père en mâchant un morceau de pain au raisin. C'est pour ça qu'elle a mal dormi.

— Ah.

Marlène sourit et se dirigea vers la réception. Mon père la suivit du regard en hochant la tête.

— Je la trouve un peu brusque, parfois. J'aimerais bien l'y voir, moi.

— Ce n'est pas une vraie conjonctivite.

— Mais si, ça se voit, tu n'avais pas les yeux gonflés comme ça, hier soir. Je vais prendre mon petit déjeuner, Kalli ne va pas tarder.

Je le suivis lentement, le plateau à la main.

Comme il commençait à faire un peu frisquet dans la guérite, Johann et moi étions montés dans sa chambre. J'essayai de ne pas trop m'attarder sur la suite, sinon mes jambes se seraient dérobées sous moi. Mais je revoyais son visage, qui me contemplait dans le petit matin, ses yeux noisette sous les cheveux ébouriffés, sa bouche qui embrassait si bien, son sourire... Je m'étais arrêtée au beau milieu du couloir, si bien que Gesa faillit me rentrer dedans.

— Mon Dieu, Christine, qu'est-ce que tu fais là ? J'ai eu une de ces trouilles.

— Bonjour, Gesa. Je rêvassais.

— Ah, ça, c'est un très bon endroit pour rêvasser, répondit-elle, sceptique. Maintenant que j'y pense, c'est même le lieu idéal. Si tu ne trouves pas de réponse à tous tes problèmes existentiels ici, autant laisser tomber. Quelle mouche t'a piquée? Je préférerais passer, avant que tu tombes en transe.

Elle s'éloigna rapidement et je la suivis du regard avec un sourire béat.

Mon père était dans la salle à manger, à sa table habituelle. Emily lui montrait la mouette qu'elle venait de dessiner, tandis que Lena lui décortiquait un œuf dur.

— Tiens, ton café. Comment ça va, les filles?

— Il est très chaud, cet œuf, répondit Lena en soufflant sur ses doigts. Oh, tu as des yeux bizarres.

— Je sais.

Je regardai les autres tables. À part Johann et les deux commerçantes de Münster-Hiltrup, tous les clients étaient descendus. Je vérifiai s'il manquait du thé ou du café et retournai en cuisine. Alors que je m'affairais, j'entendis Mmes Weidemann-Zapek et Klüppersberg s'attabler. Je revins dans la salle à manger, une théière à la main. Les jumelles étaient toujours à leur place, et Emily avait une lueur de triomphe dans le regard.

— Bonjour, madame Weidemann-Zapek. Bonjour, Mme Klüppersberg.

— Enfin, très chère, nous avions convenu de nous appeler par nos prénoms, dit Hannelore en secouant la tête. N'est-ce pas, Mechthild?

Mme Weidemann-Zapek se pencha vers moi et me prit la main.

— Mais oui, Christine. Malheureusement, vous faites partie d'une génération qui ne se sociabilise guère.

Elle lança un regard noir en direction des jumelles et de leurs parents.

— Les enfants d'aujourd'hui ne connaissent plus les bonnes manières.

— Que s'est-il passé?

— Ah, les enfants, vous savez… Et vous, comment ça va? Vous n'avez pas l'air dans votre assiette.

— Si, tout va bien. J'ai les yeux un peu irrités, c'est tout. Il vous faut autre chose?

Les deux dames secouèrent la tête et se tournèrent vers mon père. Ce dernier ne réagit pas et continua à colorier le bec de la mouette avec un feutre jaune. Elles échangèrent un regard puis allèrent se servir au buffet. Je m'assis à côté de mon père, ce qui le fit sursauter.

— Attention, Christine! J'ai dépassé.

— Désolée.

— Regarde, Emily, le bec était trop petit, de toute façon. Les goélands en ont un plus grand. Et voilà. Bon, le devoir m'appelle. Il est déjà 7 h 45.

Il se tourna vers moi.

— Tu voulais quelque chose? Ils sont toujours aussi bizarres, tes yeux.

— Il y a de l'eau dans le gaz entre toi et tes deux fans?

— Ce ne sont pas ses fans, répliqua Emily en pliant soigneusement son dessin. Elles dorment ici, un point c'est tout.

— Exactement, renchérit mon père en lui rendant son feutre. Elles voulaient s'asseoir avec nous, elles prétendaient que j'avais besoin de compagnie.

— Et alors?

— Lena leur a demandé si elles étaient aveugles. Emily a ajouté que la table était prise et qu'elles n'avaient qu'à ficher le camp.

— Emily!

Mon père écarta une mèche de cheveux du visage de Lena.

— Quoi? Il y a pire, comme expression. « Ficher le camp », ça va encore. Bon, il faut que j'y aille, les filles. Plus que deux jours avant l'inauguration.

Il se leva. Les deux fillettes l'imitèrent à regret et Anna Berg leur fit signe d'approcher.

— Lena, Emily, laissez-le partir. On va aller louer des vélos.

— D'accord. Au revoir, Heinz.

Les jumelles rejoignirent leurs parents. Mais alors que mon père et moi nous apprêtions à quitter la salle à manger, le deuxième duo de choc entra en action. En effet, Hannelore bondit de sa chaise et nous barra le chemin.

— Un instant, Heinz, il faut qu'on te parle.

— Malheureusement, j'ai du pain sur la planche.

— L'escroc au mariage est de retour.

Je sursautai. Mon père le remarqua et me prit le bras.

— Hannelore, je suis convaincu que Gisbert maîtrise parfaitement la situation. Nous n'interviendrons que lorsque Christine, vous ou Marlène serez en danger. Je ne l'ai pas encore revu, ne t'inquiète pas, ajouta-t-il à mon attention.

Je priai le ciel pour que Johann tienne sa promesse, à savoir ne pas descendre avant 9 heures, quitte à mourir de faim. Hannelore se taisait, déçue de la réaction de son sauveur. Quant à Mechthild, vexée que son amie se soit montrée plus rapide qu'elle, il en fallait plus pour la rassurer.

— Comment ça, en danger ? C'est déjà le cas, ce filou m'a adressé la parole hier soir.

— Qui ça ? demanda mon père, alarmé.

— L'escroc au mariage, pardi, M. Thiess.

Je repensai à la soirée de la veille. C'était impossible. S'il avait croisé les deux walkyries, il m'en aurait certainement parlé. Donc soit Mechthild mentait, soit elle confondait Johann Thiess avec quelqu'un d'autre.

À présent, mon père était surexcité.

— C'est donc vrai qu'il est de retour sur l'île, Christine ?

— En tout cas, je ne le vois pas ici, répondis-je en croisant discrètement les doigts.

Apparemment, ni Kalli ni GvM n'avaient relayé les informations recueillies la veille. Comment allais-je me sortir de ce pétrin ? Pourvu que le meilleur amant de tous les temps ne descende vraiment pas avant 9 heures. Je fus finalement sauvée par Kalli, dont je reconnus le sifflement dans le couloir. Il entra, tout sourire.

— Bonjour, mesdames. Bonjour, Christine. Qu'est-ce que tu fais, Heinz ? Onno et Carsten sont bloqués dehors et, d'après Gesa, c'est toi qui as la clé.

— Oui.

Mon père me lança un regard inquiet puis se tourna vers les Drôles de dames.

— Nous allons passer à l'action. Rendez-vous à 20 heures à la guérite. Si vous croisez Gisbert, dites-lui où nous trouver. Allez, Kalli, au travail. Bonne journée, mesdames.

Il se dépêcha de sortir. Kalli nous salua d'un signe de tête et lui emboîta le pas, tandis que Hannelore et Mechthild m'observaient, pensives. Soudain, j'imaginai le cadavre de Johann coulé dans du béton. Il fallait absolument que je parle à mon père avant le conseil de guerre. Le malentendu n'avait que trop duré.

REGARDE-MOI DANS LES YEUX

Les derniers clients venaient de quitter la salle à manger lorsque Johann fit son apparition. Il jeta un rapide coup d'œil autour de lui puis me sourit.

— Alors? La voie est libre?

— Crois-moi, c'est pour ton bien. Le régiment est au bistrot. Tout à l'heure, je parlerai à mon père pour que cela cesse.

Johann m'embrassa dans le cou et s'assit.

— Tu sais ce qu'on dit: pour vivre heureux, vivons cachés. À mon avis, tu ne devrais le dire à personne.

J'avais hérité de la méfiance de mon père.

— Comment ça? Tu ne veux pas qu'il le sache?

— Christine, c'est toi qui m'as demandé de rester dans ma chambre jusqu'à ce que tout le monde soit parti, répondit Johann, légèrement agacé. Tu peux dire à qui tu veux où tu as passé la nuit, je m'en fiche.

— Excuse-moi, je suis un peu à côté de la plaque. Je vais te chercher du café.

Une fois dans la cuisine, je donnai un coup de pied dans le mur pour me défouler, me faisant mal aux orteils par la même occasion. Je contins ma douleur jusqu'à mon retour dans la salle à manger. Je m'assis en face de Johann et le regardai prendre son petit déjeuner. Il me fit du pied sur mes orteils endoloris.

— Bonjour, monsieur Thiess. Christine, on m'a dit de te donner ça.

Je sursautai à la vue de Gesa, qui me tendait du collyre.

— Ça vient d'où, ça ?

— Je suis passée en vitesse au cabinet de ma mère. Heinz m'a dit que c'était urgent et que tu perdrais la vue, si je ne t'apportais pas des gouttes dans la demi-heure. Ma mère pense que tu ferais mieux d'aller la voir. Qu'est-ce qu'ils ont, tes yeux ? Ils sont un peu gros, mais à part ça…

J'évitai de croiser le regard de Johann, très étonné, et m'emparai du collyre.

— On dit « gonflés », Gesa. On a des yeux « gon-flés », pas des gros yeux. De toute façon, ce n'est pas grave, Heinz a le don de s'inquiéter pour rien. Mais merci quand même.

— Ce sont juste les paupières qui gonflent, pas les yeux eux-mêmes, intervint Johann. Du moins, je crois.

— Mais elle a quand même de gros yeux, vous ne trouvez pas ?

Il pencha la tête sur le côté et m'observa attentivement.

— Un peu fatigués, à la limite. Tu as quoi de prévu, maintenant ? Tu veux venir à la plage avec moi ?

Au tour de Gesa de faire de gros yeux.

— J'aurais bien voulu, mais il faut que j'aille tra-vailler. Les meubles sont livrés demain, et on n'a pas fini les travaux.

— Dommage. Je vais louer un vélo et me baigner seul, dans ce cas. Bon courage.

Il se dirigea vers la porte. Comme Gesa lui tournait le dos, il en profita pour m'envoyer un baiser de la main.

— Dis donc, Christine, j'ai loupé un épisode ? Je croyais que tu le soupçonnais d'être un escroc au mariage.

— Heinz et Gisbert, oui, mais pas moi.

— Alors c'est le moment ou jamais de les prévenir qu'ils font fausse route. Je viens de passer au bistrot, ils sont tous assis autour d'une table et Heinz établit un planning de surveillance.

— J'en discuterai avec mon père plus tard, seule à seul. Si Gisbert von Meyer décide de s'installer au sommet d'une dune et d'espionner Johann avec ses jumelles, tant mieux. Au moins, pendant ce temps-là, on ne l'aura pas dans les pattes.

Gesa me suivit dans la cuisine.

— Mais il y a quelque chose entre vous?

— La curiosité est un vilain défaut.

— Quoi? J'ai le droit de poser la question.

— Tout comme j'ai le droit de ne pas y répondre, répliquai-je en faisant démarrer le lave-vaisselle. Bon, ce n'est pas tout ça, mais je vais vernir des plinthes en compagnie de nos chers retraités.

Ces derniers étaient en train de lever la séance lorsque je tentai d'ouvrir la porte, en vain.

— Pourquoi vous avez fermé à clé? Il faut que l'odeur de peinture s'évapore.

Gisbert von Meyer rangea son calepin dans son sac à dos et bomba le torse.

— Notre discussion était hautement confidentielle.

— Quel prétentieux.

Je m'étais contentée de chuchoter, mais Kalli entendit et me regarda en secouant la tête d'un air désapprobateur. Mon père le remarqua et se posta à côté de moi.

— C'est ça, Kalli, désapprouve tant que tu veux, mais sache que si ma fille a une drôle de tête, c'est parce qu'elle souffre d'une conjonctivite. Ne travaille pas si tu es malade, mon enfant. La mère de Gesa n'était pas à son cabinet?

Kalli approcha d'un pas.

— Comment ça? Elle a la même tête que d'habitude.

— N'importe quoi! Elle a les yeux gonflés.

— Quoi? demanda Onno en se frayant un chemin vers nous. Ça n'a pas l'air bien grave. L'œil droit, à la limite, mais sinon…

À son tour, Carsten posa la main sur mon épaule et me fit pivoter vers lui.

— Montre. Oh, ça va. Avec des lunettes de soleil, on n'y verra que du feu.

— Je n'ai rien aux yeux.

— Mais arrête de crier comme ça, renchérit mon père. Qu'est-ce qu'elle a dit, la mère de Gesa?

— Rien, papa, pour la bonne et simple raison que je ne suis pas allée la voir. Gesa m'a donné du collyre, ça va déjà mieux.

— Nils avait le rhume des foins quand il était petit, ça lui faisait des yeux tout rouges.

— Je n'ai pas les yeux tout rouges, alors arrête, Carsten. Et si on se mettait au travail? La livraison des meubles a lieu demain.

— Laissez-la tranquille, intervint Kalli. On ne se sent pas bien quand on est gonflé.

— Tu viens de me dire que j'avais la même tête que d'habitude. J'ai gonflé d'un coup?

— Ton père est plus à même de se prononcer. Il connaît ton visage par cœur.

— Tu vois, puisque je te dis que tu as une tête bizarre aujourd'hui, conclut Heinz, ravi. Mets tes gouttes et ça ira mieux. Bon, je vais accrocher les spots. Viens m'aider, Onno, au lieu de regarder ma fille avec des yeux de merlan frit. Ce n'est pas comme ça qu'elle ira mieux. Allez, les hommes, au travail.

Je vernissais les plinthes au rythme de « Regarde-moi dans les yeux », que Margot Hielscher chantait à la radio et que mon père reprenait à tue-tête du haut de son échelle. Lorsqu'il se tourna vers moi au moment du refrain, l'échelle vacilla dangereusement.

— Attention, Heinz! Tu vas finir par te rompre le cou!

Marlène, qui venait d'entrer dans le bistrot, réagit à temps et empêcha l'échelle de tomber.

— Sois gentil, si tu te casses quelque chose, fais-le en dehors de mon bar.

— Sinon, Marlène sera poursuivie pour travail dissimulé, ajouta Onno en fouillant dans sa caisse à outils. Remarque, on pourra toujours dire qu'il est tombé de vélo. Comme ça, son assurance prendra tous les frais en charge et on ne sera pas inquiétés.

— Qu'est-ce que vous pouvez être terre à terre! s'exclama mon père en descendant prudemment. Il y a d'autres choses qui comptent dans la vie, je ne sais pas, moi, l'empathie, l'amour, l'altruisme. Mais ça, vous ne connaissez pas. Sachez que vous le paierez tôt ou tard, et vous y repenserez quand…

— J'ai empêché ton échelle de tomber, très cher, l'interrompit Marlène. En parlant d'altruisme, tu vas avoir l'occasion de faire une bonne action.

— Avec plaisir. Il faut garder les enfants? À moins que tu n'aies besoin d'un homme fort?

— Ni l'un ni l'autre. Quelqu'un doit aller chercher Hubert au ferry. Il a beaucoup de bagages.

Mon père arrêta aussitôt de sourire et remonta sur l'échelle.

— Il n'a qu'à prendre un taxi, on n'a guère le temps de sortir se balader.

— Papa!

— Heinz…

— C'est vrai, rétorqua mon père en tripotant le câble d'un des spots. Aïe!

L'échelle vacilla de nouveau. Cette fois-ci, Marlène et Kalli la rattrapèrent en même temps.

— J'ai reçu un coup de jus! Vous n'avez pas coupé l'électricité? Vous voulez ma mort ou quoi? C'était moins une.

Il fusilla Marlène du regard, mais celle-ci ne détourna pas les yeux.

— Je n'y suis pour rien.

— C'est ton bistrot, que je sache.

De mon côté, j'estimai qu'il était temps d'intervenir.

— Arrête, papa. C'est bon, j'irai chercher Hubert. Il ressemble à quoi?

Marlène se tourna vers Kalli.

— Tu le connais, toi. Vous n'avez qu'à y aller ensemble, ça fera sûrement plaisir à Hubert.

Kalli hocha la tête puis lança un regard à mon père qui semblait dire « Je t'en supplie, pardonne-moi ». Heinz comprit et se radoucit.

— Mais non, ça ne sert à rien que Kalli et Christine y aillent ensemble. Autant que j'accompagne Kalli, dans ce cas. Je me lave les mains et on y va.

Carsten retint mon père.

— Moi aussi, je connais Hubert de vue. Je peux y aller avec Christine.

— Ne dis pas n'importe quoi. C'est bon, je me dévoue.

Nous le suivîmes du regard tandis qu'il sortait du bistrot.

— Qu'est-ce qui ne sert à rien, déjà? demanda Marlène.

— Aucune idée, mais ça vaut mieux comme ça, répondis-je en haussant les épaules. Quand j'étais petite, un jour, on a recueilli un chat alors qu'on en avait déjà deux. Le vétérinaire nous a conseillé de les enfermer tous les trois dans une pièce, le temps qu'ils se battent et établissent une hiérarchie. Ça se passera encore mieux en voiture, j'en suis sûre.

266

— Comment ça s'est terminé?

— Le dernier arrivé a perdu. On l'a récupéré avec un bout d'oreille en moins.

Kalli fit une grimace de dégoût.

— C'est terrible, mais je ne vois pas le rapport.

Marlène se retint de rire, tandis que j'essayais de garder mon sérieux.

— Il n'y en a pas. Mais, à la place de Hubert, je monterais derrière.

Je retournai à mes plinthes et laissai le pauvre Kalli, perdu dans ses pensées.

Après avoir verni les derniers mètres de plinthes, je regardai ma montre. Ils étaient partis depuis plus d'une heure. L'évocation de mes chats avait-elle donné des idées à Kalli? Je me redressai lentement, les mains sur les reins. Je n'avais plus l'âge de rester baissée aussi longtemps, encore moins après une nuit aussi courte.

— Tu sais ce qu'il y a à déjeuner? me demanda Onno.

— Tu as faim?

— Ben oui, il est presque midi et demi. Il faut qu'on attende jusqu'au retour de Kalli et Heinz? J'ai fini de fixer la première rangée de spots, mais j'ai trop faim pour attaquer la deuxième.

Carsten s'épongea le front avec un mouchoir.

— Moi, j'ai mal à la tête quand je suis en hypoglycémie. Et je meurs de soif.

— Venez avec moi voir s'ils sont rentrés.

La place de parking réservée à Marlène était vide. En revanche, nous aperçûmes la mobylette de Gisbert garée près de l'entrée de service. Son propriétaire était attablé dans la cuisine et parlait à Marlène, qui mettait le couvert.

— À ce moment-là, il a jeté un coup d'œil à droite, un coup d'œil à gauche, et il s'est engouffré dans le

Georgshöhe. S'il croyait m'avoir semé, il se trompait. Rien ne peut empêcher Gisbert von Meyer d'accomplir sa mission. Ce type va bientôt voir de quel bois je me chauffe. Toujours est-il que…

— C'est l'heure de manger, l'interrompit Onno en s'asseyant, peu impressionné. Qu'est-ce qu'il y a?

— L'escroc au mariage rôde au Georgshöhe.

La voix de crécelle de Gisbert se cassa sous l'effet de l'excitation.

— Je voulais dire : qu'est-ce qu'il y a à manger?

— Des fricadelles, répondit Marlène en lui tendant des verres.

Gisbert la regarda, déconcerté, puis attrapa Onno par le bras.

— Tu as entendu? L'escroc va passer à l'action!

— Oui, oui. Avec de la salade de pommes de terre?

— Bien sûr. Vous pouvez commencer. Kalli vient d'appeler, Hubert les invite à déjeuner, lui et Heinz, pour les remercier d'être allé le chercher.

J'avalai ma salive en priant pour que Hubert ne débarque pas avec une oreille en moins.

— Mais personne ne m'écoute, ou quoi? s'écria Gisbert, indigné. L'escroc est de retour, je le prends presque en flagrant délit et vous, vous me parlez de fricadelles?

— En flagrant délit de quoi? demandai-je.

— Je l'ai vu entrer dans l'hôtel où il s'apprête à mettre le grappin sur sa prochaine victime.

— Ah oui? Il te l'a dit?

— Christine. Pourquoi personne ne me prend au sérieux? L'heure est grave! Onno, dis quelque chose. Ou bien vous, Carsten.

À regret, ce dernier fit signe qu'il avait la bouche pleine.

— Tu as du ketchup, Marlène? Dire quelque chose à propos de quoi?

Notre grand reporter vira à l'écarlate. De mon côté, j'étais assaillie de scrupules car je n'avais pas encore informé les autres qu'ils se trompaient. Gisbert von Meyer me faisait presque peine à voir.

— Ne t'énerve pas comme ça, Gisbert, dis-je en lui tendant un verre d'eau. Je ne sais pas qui tu as vu au Georgshöhe, mais n'oublie pas que c'est à la police de prendre le relais, tu…

— Qui j'ai vu ? Eh bien, ce client, ce Thiess, ce Johann Thiess qui prétend venir de Brême, qui photographie la pension sous tous les angles, qui vous a embobinées, toi, Mechthild, Hannelore et qui sais-je encore…

Marlène lui posa la main sur l'épaule.

— Du calme, Gisbert. Peut-être que vous faites erreur. Pour ma part, je suis convaincue de l'innocence de M. Thiess. Il doit s'agir d'un malentendu.

Je m'apprêtais à la remercier du regard lorsque Gisbert tapa du poing sur la table et me fit sursauter.

— Je rêve, vous voilà déjà à ses pieds ! On l'a, notre preuve. C'est comme ça qu'il arrive à ses fins ! Et dire que vous tombez toutes dans le panneau…

Son visage était l'expression même du désespoir. J'essayai de garder mon sérieux et balayai l'assistance du regard. Après plusieurs secondes de silence, Onno s'éclaircit la voix.

— Dis, Gisbert ?

— Oui ?

— Si tu ne manges pas tes fricadelles, je veux bien me dévouer pour prendre ta part.

Gisbert se leva lentement et enfila sa veste.

— Puisque c'est comme ça, tant pis pour vous. J'espère juste ne pas vous retrouver effondrées et plumées. Je vous aurai prévenues. Quand Heinz et Kalli rentreront, dites-leur « Plan B, emplacement G ». Ils comprendront. Bon appétit.

Il claqua la porte derrière lui, ce qui fit sursauter Onno.

— Oh! là, là, ce qu'il peut être excité. Je n'ai pas suivi, qui est effondré?

Marlène et moi échangeâmes un regard et lui tendîmes nos fricadelles. Onno sourit.

Après le déjeuner, Onno, Carsten et moi retournâmes au bistrot. Toujours aucune trace de mon père ni de Kalli. Marlène était dans son bureau en train d'organiser la livraison des meubles prévue pour le lendemain. Onno alluma la radio et Carsten monta sur l'échelle au son de « Je me cherche un cow-boy », de Gitte Hænning. Je décrétai deux années d'embargo sur la variété allemande, avant de tourner le dos aux autres pour rédiger un SMS. « Où es-tu? Je t'embrasse tendrement. Christine. »

En attendant la réponse, je commençai à nettoyer les vitres. Au bout de la troisième, j'entendis un moteur de voiture, un claquement de portière, puis le rire de mon père. Je ressentis un certain soulagement.

La porte s'ouvrit. Mon père et Kalli entrèrent, suivi par un homme de grande taille.

— On est de retour, dit mon père en s'accoudant au comptoir. Onno, descends de l'échelle. Carsten, Christine, j'aimerais vous présenter le cinquième membre de l'équipe. Hubert, ornithologue à ses heures perdues. Il est très manuel et amateur de bière, lui aussi. Hubert, voici Carsten, le père de notre architecte d'intérieur, et Christine, ma fille. Elle est plus jolie que ça, d'habitude. Mais aujourd'hui, elle a les yeux gonflés.

Hubert s'approcha de moi et me serra la main.

— Enchanté, Christine. Vous avez quand même de très beaux yeux.

— C'est ça, c'est ça, répondit mon père.

Mon sourire se figea. Hubert était absolument charmant et constituait un adversaire de taille pour le grand guide de l'île. Qu'en penseraient nos deux commerçantes de Münster-Hiltrup? Hubert salua Carsten et Onno puis balaya la salle du regard.

— Mais vous avez terminé, dit-il, un peu déçu. Qu'est-ce que je vais bien pouvoir faire?

— Te reposer.

Marlène venait d'entrer avec des thermos et des tasses, qu'elle posa sur une table.

— Bonjour, Hubert. Contente de te voir.

Elle serra le compagnon de sa tante dans ses bras et recula d'un pas.

— Tu rajeunis à vue d'œil, Theda et les voyages ont l'air de te réussir.

Hubert se passa la main dans les cheveux, à la fois gêné et flatté.

— Oh, on fait aller. Mais dis-moi, les travaux sont presque terminés. Et moi qui ai promis à Theda de te donner un coup de main…

— On n'a pas encore fini. Il faut encore tout nettoyer et installer les prises.

Onno intervint afin de défendre son territoire.

— Attention. L'électricité, c'est mon domaine.

Hubert le rassura d'un geste.

— Je n'y connais rien, de toute façon. Ça sert à quoi, ces bâches sur les murs?

Mon père souleva l'une d'entre elles de quelques centimètres et hocha fièrement la tête.

— C'est pour protéger la fresque à Dorothée. Une véritable œuvre d'art.

— *De* Dorothée.

Je le corrigeai machinalement, ce qui me valut un regard noir.

Hélas, Carsten choisit ce moment-là pour se vanter.

— C'est la compagne de mon fils.

— Ça suffit maintenant, rétorqua mon père. Si elle est là, c'est grâce à nous. D'ailleurs, on ne sait même pas si ça va durer, avec Nils.

Comme Hubert les regardait tour à tour, perplexe, Marlène l'entraîna à l'écart.

— On te présentera Dorothée et Nils tout à l'heure. Prenons un café, je vais t'expliquer en quoi tu peux te rendre utile.

— Il ne reste pas grand-chose, et tu ne vas tout de même pas confier le ménage à un patron d'usine, dit mon père.

— Et pourquoi pas ? intervint Onno en prenant une part de gâteau. Moi, je n'aurai pas le temps, avec tout ce qui reste au niveau de l'électricité.

Mon père se souvint que j'adorais le clafoutis et me tendit la dernière part. C'était le genre de petites attentions que j'appréciais chez lui.

— Je propose que Christine s'en charge. Elle va bien dans les coins avec ses petites mains de femme.

Il pouvait se la garder, sa part de gâteau. Je regardai autour de moi : de la poussière du sol au plafond.

— Je suis censée tout nettoyer seule d'ici à demain matin ? Au fait, où est Gesa ?

— Au sport, mais elle repasse ici après, répondit Marlène. Quant à Dorothée, elle m'a téléphoné hier, elle sera de retour vers 16 heures. Autre chose à expliquer à Hubert ?

— Non, c'est tout, dit Kalli. On lui a déjà tout raconté au déjeuner. Heinz a également dessiné un petit plan pour lui montrer la disposition des meubles.

— Laisse-nous faire, Marlène, ajouta mon père. On compte apporter quelques modifications…

Le regard de Marlène se durcit. Je lui donnai un coup de pied sous la table, et elle respira profondément.

— Hubert, passe me voir dans mon bureau quand tu auras fini ton café. Heinz, Kalli et Carsten vont se remettre au travail.

— Mais je voudrais…

— J'ai une meilleure idée : prends ton café et suis-moi. Ensuite, il faut que j'aille en ville.

Mon père rassura Hubert d'une petite tape sur l'épaule.

— Tu peux partir tranquille, il ne se passe rien de bien palpitant ici, de toute façon. En revanche, ce soir, il faudra faire le point sur le…

Il regarda son nouvel ami d'un air entendu et mima un égorgement.

— Oh non, vous n'allez pas repartir dans votre délire, gémis-je. Ne mêlez pas Hubert à tout ça.

— Quel délire ? Ce sont des faits établis. D'ailleurs, vous aviez un message à nous transmettre de la part de Gisbert. Heureusement qu'on l'a croisé en ville. Il a raison, on ne peut vraiment pas vous faire confiance. Bref, rendez-vous à 20 heures à la guérite.

Je décidai de sortir fumer une cigarette en cachette. J'en profiterais pour appeler ma mère.

À QUOI BON SOUFFRIR PAR AMOUR?

Ma mère décrocha au bout de deux sonneries.

— Alors? Vous en êtes où?

— On aura terminé d'ici à ce soir. Il reste quelques détails à fignoler et le ménage à faire. Comment va ton genou?

— Ne m'en parle pas, ça me fait un mal de chien. Je pensais me rétablir plus vite. Pourtant, ce n'est pas faute de suivre les conseils des médecins et des kinés. J'ai surtout hâte de rentrer à la maison. Enfin, assez pleurniché sur mon sort. Quoi de neuf, de ton côté?

— Hubert, le compagnon de Theda, l'a devancée d'une journée car elle avait une amie à voir.

— Il va pouvoir vous aider, du coup.

— C'était bien son intention, mais il ne faut pas compter sur ces messieurs pour s'abaisser à faire le ménage. Ils ont été très clairs sur ce point.

— Je les comprends.

— Arrête, maman, en quoi c'est dégradant de faire le ménage?

— Franchement, tu imagines ton père ou Kalli avec une serpillière? répondit ma mère en riant. Ils ne sauraient même pas quel côté tremper dans le seau.

— Ça ne me fait pas rire. Ces hommes sont des incapables car ils ont toujours eu des femmes pour ranger derrière eux.

— On ne va pas se lancer dans un débat sur le féminisme, hein? J'ai mal au genou.

— D'accord. Tu as téléphoné à papa aujourd'hui?

— Oui, vers midi. Au fait, qu'est-ce que tu as aux yeux? Tu es allée à l'hôpital?

— Bien sûr que non. J'ai les yeux gonflés à cause du manque de sommeil, c'est tout.

— Ce n'est pas ce que disait ton père.

— Mais tu le connais! Ne me dis pas que tu t'es inquiétée…

— Pas vraiment. De toute façon, s'il avait dit vrai, je n'aurais jamais pu te venir en aide à temps. Alors, comme ça, tu ne dors pas assez?

Les mères et leur sixième sens…

— J'avais rendez-vous avec Johann Thiess, hier soir.

— L'homme que ton père soupçonne d'être un escroc?

— Mmm…

— Et?

— Ça s'est bien passé.

— Il est grand temps que ton père et toi mettiez les choses au clair. Si j'ai bien compris, un conseil de guerre est prévu ce soir. Ce jeune homme, Gilbert, Giselher…

— Gisbert von Meyer.

— Oui, voilà. Il aurait récolté des preuves. Ils veulent passer à l'action demain, c'est ce que Heinz m'a dit mot pour mot. J'espère qu'il ne va pas se couvrir de ridicule. Tu sais, quand il a une idée en tête…

— Je sais, oui.

— Alors parle-lui. Ou encore mieux: présente-lui directement ce jeune homme.

— Papa va lui sauter à la gorge.

— Mais non, tu exagères toujours tout, et ce n'est pas de moi que tu tiens ça. Ah, mon gentil kiné vient d'arriver, il est l'heure de faire quelques exercices. Bon courage pour le ménage, et à bientôt.

Avant de retourner au bistrot, je jetai un dernier coup d'œil à mon portable. Rien. Johann n'avait pas répondu à mon SMS. Peut-être qu'il captait mal, sur la plage. Cela dit, il aurait tout de même pu se manifester. Ce n'était pas trop demander, après une première nuit passée ensemble.

— Attends-moi, Christine.

Gesa descendit de vélo.

— Ça te dit, une petite cigarette ?

— Il faut que je m'y remette.

— Je viens te prêter main-forte, et on est largement dans les temps. Où est Heinz ?

Où voulait-elle en venir ? Elle avait les joues rouges et les cheveux négligemment attachés.

— Ça ne va pas ?

— Si, si. Je reviens du sport, répondit Gesa en évitant de croiser mon regard. J'avais envie de fumer une cigarette et de me désaltérer avant d'attaquer le ménage. Allons nous asseoir dix minutes à la guérite.

Je jetai un coup d'œil prudent vers la fenêtre du bistrot. Kalli tendait des vis à Onno, perché en haut de l'échelle, tandis que mon père et Carsten dessinaient des plans à l'attention des livreurs. Plans qui n'avaient probablement plus grand-chose à voir avec ceux de Nils.

— J'arrive.

Gesa alla chercher une carafe d'eau et deux verres dans la cuisine, puis revint s'asseoir à côté de moi. Elle semblait nerveuse et me regardait à la dérobée. Comme elle n'osait pas se lancer, je finis par perdre patience.

— Bon, qu'est-ce qui se passe, Gesa ?

Elle avala sa salive et alluma une cigarette.

— Tu savais que j'allais faire du sport deux fois par semaine au Georgshöhe ?

— Non. Et?

— Ils ont une grande salle de sport. J'ai un abonnement. Je commence par faire un peu de fitness, puis je vais au sauna. Ça détend.

— Ah, super.

Elle finit son verre d'eau, dévissa le bouchon de la bouteille d'eau, se resservit, referma la bouteille et me regarda. Le tout, en silence.

— Où tu veux en venir, Gesa?

— J'ai croisé Gisbert von Meyer là-bas. Il est assis sur la terrasse avec des lunettes de soleil et une casquette. Il ne quitte pas Johann Thiess des yeux.

— Et alors? Gisbert est un crétin, tu le sais aussi bien que moi.

Mais soudain, je compris ce qu'elle venait de me dire.

— Johann? Au Georgshöhe?

— Oui, je l'ai vu.

— Il est allé à la plage. Il a dû avoir faim ou soif et remonter.

Mais alors pourquoi ne pas avoir répondu à mon SMS? On captait bien, à l'hôtel.

— Tu sais, Christine, je pensais aussi que Heinz et Gisbert nageaient en plein délire, mais Johann Thiess était au restaurant en compagnie d'une vieille dame qui avait l'air riche et amoureuse. Elle n'arrêtait pas de le toucher.

— Comment ça?

— Elle lui tenait la main, elle lui caressait la joue, bref, tout le tralala. Je suis désolée, Christine.

— Et lui?

— Quoi, lui?

— Il faisait quoi, Johann Thiess?

— Il souriait. Et il l'a embrassée en partant.

— Tu es sûre?

— Oui. Et Gisbert von Meyer a photographié toute la scène avec son portable.

— Il doit y avoir une explication toute simple.

Garde ton calme, pensai-je.

— Certainement. Je le trouve tellement sympa, j'ai du mal à croire que Heinz et Gisbert aient raison. Mais ce que j'ai vu ne laisse guère de place au doute.

Elle semblait aussi désespérée que moi.

— Allons faire le ménage, Gesa.

Le devoir avant tout, m'avait appris mon père.

Ni mon père ni aucun autre membre de l'équipe n'avait daigné lever la tête lorsque Gesa et moi étions entrées dans le bistrot avec nos seaux et nos serpillières. Seul Carsten avait claironné un joyeux « Ah, voilà les femmes de ménage! ».

Je compris immédiatement pourquoi mon père était si concentré. Comme il était incapable de se repérer dans l'espace, il avait dessiné tous les meubles sur du papier millimétré, avant de les découper. Cela faisait des heures qu'il les disposait et les redisposait sur un plan à l'échelle. La version papier des meubles de mes parents était toujours rangée dans une vieille boîte de chocolats. Dès que ma mère émettait le souhait de changer l'agencement d'une pièce, mon père faisait un essai avec les meubles miniatures. Et ma mère aimait le changement.

Il répartissait donc les chaises en plissant les yeux et en tirant la langue, tandis que j'essorais mon chiffon et nettoyais la salle jusque dans les moindres recoins. Gesa me regardait de temps à autre. Peut-être se souvenait-elle que c'était le porteur de mauvaises nouvelles qu'on décapitait, jadis. Pour couronner le tout, mon portable demeurait obstinément muet. Alors que je passai devant le comptoir pour changer l'eau de mon seau, un petit morceau de papier tomba devant moi. « Fauteuil/ Cuir/Rouge. » Mon père et moi nous baissâmes en même temps pour le ramasser et nous cognâmes la tête.

— Aïe! Nom d'un chien, Christine.

Alors que je me frottais la tempe, les yeux fermés, je sentis mon père me redresser le menton.

— Qu'est-ce que tu as?

Je sentis les larmes me monter aux yeux et détournai la tête.

— Je n'ai rien. Désolée.

— Si, tu as quelque chose.

— Je les ai! s'écria Gisbert en faisant irruption dans le bar. Les preuves! Oui, oui, oui!

Il se planta au beau milieu de la pièce en écartant ses bras tout maigres. Manifestement, il se prenait pour un super héros.

Mon père me quitta des yeux à contrecœur et se tourna vers le roi des fouineurs.

— Fais voir.

Gisbert sortit son portable de sa poche et le brandit comme un trophée.

— Voici le criminel pris en flagrant délit. Ça y est, Christine, j'ai des preuves. Ce que tu peux être crédule…

Je me postai à côté de lui et attendis. Gisbert pianotait fébrilement sur le clavier de son téléphone.

— Comment on fait, déjà? Menu, fonctions… Non.

Le mouvement de ses doigts s'accéléra.

— Bon, retour…

Il était tellement excité qu'il avait des plaques rouges sur le cou. Kalli, Heinz, Carsten et Gesa formèrent un cercle autour de nous.

— Bon, on recommence depuis le début. Non… Oh, plus rien ne s'affiche.

Enfin une petite lueur d'espoir. Les autres se rapprochèrent. L'expert en technologie s'excusa du regard.

— C'est un nouveau téléphone et je ne sais plus trop comment on…

Mon père tendit la main, et ma lueur d'espoir grandit. Il n'avait qu'à s'emparer du téléphone et appuyer n'importe où pour que les photos soient effacées.

— Attends, c'est bon. Menu, galerie, photos. On y est. Les voilà.

Il me mit le téléphone sous le nez en poussant un soupir de soulagement. Johann souriait à une dame de plus de soixante-dix ans. Sur la deuxième photo, elle lui passait la main dans les cheveux. Puis on voyait Johann se pencher pour l'embrasser.

— Bon, ça va. Bonne résolution. Super, ton portable.

Je repoussai le bras de Gisbert et m'éloignai. Comment je faisais pour débiter autant d'âneries lorsque j'étais en état de choc ? Tandis que les autres se jetaient sur le téléphone comme des vautours, Gisbert m'emboîta le pas.

— Alors c'est bien lui, Thiess ? Celui que tu trouves tellement craquant ? Tu ne vas pas me dire que j'ai confondu ?

— Non, c'est bien lui. Excuse-moi, mais on est assez occupés.

Je retournai à mon seau tout en feignant un calme olympien. Mon père me suivit.

— Dis-moi, mon enfant…

— Quoi ?

Jamais de ma vie je n'avais essoré une serpillière à ce point-là. Mais je ne m'en contentai pas et la plongeai une deuxième fois dans l'eau.

— Tu ne nous croyais pas, hein ?

— À propos de quoi ?

— De ce type. Quand on te disait qu'il n'était pas net.

— J'ai pu le constater de mes propres yeux, donc épargne-moi ton fameux « Je te l'avais bien dit ».

Je touchai la plinthe avec la serpillière humide. Mon père sortit son mouchoir et le passa dessus pour la sécher.

— Ce n'est pas ce que je voulais dire. Est-ce qu'il... Enfin, est-ce qu'il t'a...

— Inutile de t'inquiéter, papa. J'ai perdu ma virginité il y a vingt-huit ans, et il ne m'a jamais promis de m'épouser. Qu'est-ce qu'on fait maintenant ? On continue à papoter ou on se remet au travail ?

— Ah, Titine, me dit mon père, tout triste. Mais s'il croit qu'il va s'en tirer comme ça, il se fourre le doigt dans l'œil jusqu'au coude. Il va voir de quel bois je me chauffe. Gisbert, il faut qu'on parle. Kalli, Carsten, je vais nous chercher des bières. Gisbert, viens m'aider à les rapporter.

Au cours des dix minutes qui suivirent, je tentai désespérément de trouver une explication rationnelle, en vain. Je devais mettre les choses au clair avec Johann. À la première occasion, je filerais en douce et partirais à sa recherche. Heinz avait raison, Norderney n'était pas une île gigantesque.

La porte s'ouvrit brusquement. Hannelore et Mechthild, qui arboraient toutes deux un jogging violet, une casquette assortie et des baskets blanches, firent leur apparition et s'accoudèrent au comptoir, surexcitées.

— Christiiine !

Mechthild ne pouvait s'empêcher de prononcer mon prénom avec plusieurs « i ».

— C'est à peine croyable, Gisbert nous a tout raconté. Alors, qu'en dites-vous ?

Je fus prise d'une furieuse envie de lui balancer ma serpillière dans la figure. Gisbert se fraya un chemin vers elles et prit la parole à ma place.

— Ah, vous voilà. Heinz, j'ai déjà mis ces dames au parfum, et elles ont eu une excellente idée.

— Oui. Nous servirons d'appât.

Carsten avala de travers, Kalli toussota et, moi, je sursautai.

— Papa, il faut que je passe à l'appartement me mettre des gouttes dans les yeux. Ensuite, je m'allongerai un peu.

— D'accord. Prends ton temps, on s'occupe de tout.

Je sortis en trombe. Je n'avais aucune envie de connaître la suite. J'étais presque arrivée à l'appartement lorsque mon portable sonna.

— Allô, c'est Johann. Je n'arrête pas de penser à toi. Qu'est-ce que tu fais, en ce moment?

L'angoisse me prit aux tripes.

— Il faut que je te voie tout de suite, répondis-je sèchement. C'est bien compris? Tout de suite. Rendez-vous dans dix minutes sur le banc face à la Voie lactée.

TOUTES LES BONNES CHOSES ONT UNE FIN

J'avais beau marcher très vite, des frissons me parcouraient l'échine. Je m'affalai sur le banc, à bout de souffle. Avant que j'aie eu le temps de me calmer, Johann apparut devant moi, tout sourire, comme si tout allait pour le mieux dans le meilleur des mondes.

— Alors ? Moi aussi, je te manque ?

Lorsqu'il se pencha pour m'embrasser, je détournai la tête et son baiser atterrit sur ma joue. Il s'assit sur le banc, tout près de moi, mais je me décalai.

— Qu'est-ce qui se passe ?

Quel acteur. Je m'installai de façon à le regarder dans le blanc des yeux. Ainsi, je parviendrais peut-être à deviner s'il me mentait ou non.

— Où tu as passé la journée ?

— À la plage. Pourquoi ?

— Tu n'étais pas au Georgshöhe, par hasard ?

— Je rêve, ou tu es en train de me faire une scène ? On a mis les choses au clair pas plus tard qu'hier, tu ne t'es pas gênée pour te moquer de Gisbert von Meyer et, maintenant, tu te méfies de moi. J'ai raté quelque chose ?

— Tu y étais, oui ou non ?

— Oui, j'ai pris un verre là-bas. C'est un crime ?

Ah, il le reconnaissait lui-même.

— On t'a vu.

Il réfléchit quelques instants avant de répondre.

— Après la nuit qu'on a vécue, ça me dépasse que tu aies si peu confiance en moi. Je peux savoir pourquoi tu te comportes comme ça?

— Pourquoi? Tu as pris un verre tout seul?

— Arrête, Christine. Les interrogatoires, très peu pour moi. Tout était si différent, ce matin…

Johann s'exprimait exactement comme l'aurait fait un escroc au mariage. Il était coincé et retournait la situation. Mais pourquoi avait-il de si beaux yeux?

— On t'a vu, et tu n'étais pas seul. Tu m'as dit que tu ne connaissais personne ici et que tu allais à la plage.

— Peut-être que votre fin limier a mal interprété ce qu'il a vu. Permets-moi de te dire que ce n'est pas un as de la surveillance.

— Alors explique-moi ce que tu fais ici, pourquoi tu bois des cafés avec des femmes d'âge mûr, pourquoi tu t'intéresses à Marlène, pourquoi tu as pris la pension et les alentours en photo. Je veux…

Le portable de Johann sonna. Il semblait ne pas vouloir décrocher.

— Allez, réponds, dis-je au bout de trois sonneries.

Il s'exécuta sans me quitter des yeux. La personne à l'autre bout du fil parlait si fort que je comprenais ce qu'elle disait.

— Qu'est-ce que tu fais? Je t'attends depuis un quart d'heure. Chambre 126.

Johann leva les yeux au ciel.

— Tu tombes mal, Mausi. Je te rejoins au bar dès que possible.

Je n'attendis pas qu'il ait rangé son portable pour me lever. Il me retint.

— C'est ma tante.

Je sentis la colère monter en moi. La voix m'avait semblé assez jeune.

— Arrête de me mener en bateau, Johann. Je n'en ai rien à faire de ton petit jeu, tant que tu ne joues pas avec moi. Tu ferais mieux de quitter la pension avant de tomber sur mon père et Gisbert. Tu n'as qu'à aller au Georgshöhe, tu y seras sûrement accueilli à bras ouverts. Sinon, rentre chez toi, à Brême ou je ne sais où.

— Arrête de raconter n'importe quoi, Christine. Je vais tout t'expliquer, mais pas tout de suite.

Évidemment, puisque Mausi l'attendait.

— Va te faire voir.

Je tournai les talons puis regagnai la pension en marchant vite et en serrant les dents, sans me retourner. Mais pourquoi avais-je l'impression de commettre une grave erreur?

Les fenêtres et les portes du bistrot étaient grandes ouvertes. Marianne Rosenberg et mon père chantaient « L'Inconnu », tandis que Dorothée sortait les poubelles. En la voyant, je fondis en larmes. Elle se précipita vers moi.

— Qu'est-ce qui se passe?

Impossible de répondre.

— C'est ta mère?

— Mon… père… avait… raison… L'escroc…

Je faillis m'étouffer.

Hubert chantait les notes graves, tandis que quelqu'un d'autre tapait en rythme avec un marteau.

— Allons à l'appartement.

Elle me tira par le bras. Je la suivis sans opposer de résistance.

Quelques minutes plus tard, nous étions attablées dans la cuisine, devant une tasse de thé. J'avais utilisé deux paquets de mouchoirs et retrouvé petit à petit ma capacité à formuler des phrases cohérentes. Dorothée écouta ma version des faits, les yeux écarquillés. Je décrivis la soirée et la nuit qui avait suivi en m'efforçant de n'oublier aucun détail, même le plus infime. Mais lorsqu'elle dit « C'est comme dans les films » en soupirant, je fondis à nouveau en larmes. Puis j'en vins à Gisbert et à ses photos.

— Elles montraient quoi?

— À ton avis? Johann en compagnie d'une dame très chic aux mains couvertes de bagues. Ils avaient l'air de bien se connaître.

— C'était qui?

— Je n'en sais rien, moi. Sa prochaine victime, j'imagine.

— Tu ne lui as pas posé la question?

— Si, mais il n'a pas daigné me répondre.

— Peut-être que tu t'y es mal prise. Tu l'as laissé s'expliquer, au moins?

Mieux valait ne pas mentionner l'interrogatoire que j'avais fait subir à Johann.

— Évidemment. De toute façon, il n'y avait rien à dire. Après, cette Mausi a appelé.

— Et?

— Il a prétendu que c'était sa tante, mais elle avait une voix un peu trop jeune à mon goût.

— Tante Mausi? Ça ne s'invente pas.

Je me frottai les yeux et enlevai par la même occasion le peu de mascara qui me restait.

— Tu es de quel côté, au juste? Le soupçonner d'être un escroc frise le ridicule, mais force est de constater que quelque chose ne tourne pas rond. Je ne comprends pas.

— Je ne sais pas, ça ne colle pas.

— Ah, tu vois.

— Non, ce n'est pas ce que je voulais dire. Essaie de rester rationnelle. Tu rencontres un type vraiment bien, tu tombes amoureuse, c'est réciproque, apparemment, puis vous passez une nuit torride ensemble. Le lendemain, tu dois travailler, donc il va à la plage tout seul. Sur le chemin du retour, il s'arrête à l'hôtel pour prendre un café et se retrouve par hasard à la même table qu'une vieille dame. Si ce grand malade de Gisbert von Meyer ne se prenait pas pour James Bond et si ton père n'inventait pas des histoires à dormir debout, tout irait bien, non?

— Et la fausse adresse? Et ses questions sur Marlène? Et les photos de la pension?

— Il s'est expliqué là-dessus?

— Pas vraiment.

Mon désespoir allait grandissant. Je revoyais Gisbert, Kalli et mon père en train de regarder les photos sur le portable, puis Johann qui dormait. Furieuse, je lançai ma cuillère en direction de l'évier, mais elle tomba à côté.

— Pourquoi je n'ai jamais de chance avec les hommes?

Dorothée se baissa et ramassa la cuillère.

— Tu te conduis comme une gamine de quatorze ans. Johann Thiess n'est peut-être pas irréprochable, mais dis-toi qu'au moins vous avez passé un bon moment ensemble. Ça remonte à quand, la dernière fois que tu as couché avec quelqu'un? Il y a deux ans? Il était temps.

Je ne trouvai rien à répondre.

— C'est cette bande de retraités qui te rend chèvre. Thiess, un escroc au mariage? Je n'y crois pas une seconde. Essaie de discuter avec lui une dernière fois. Il est vraiment sexy.

Peut-être que Dorothée avait raison, peut-être que je me laissais influencer par GvM et Heinz, mais tout de même, Johann ne se comportait pas comme le petit ami idéal, loin de là. Du moins, j'attendais autre chose de sa part. À ce moment-là, Marlène frappa à la fenêtre et Dorothée lui ouvrit.

— Christine est là? Je la cherche partout. Ah, te voilà. Le collyre a fait couler tout ton mascara, c'est horrible.

Dorothée se tourna vers moi.

— Quel collyre?

— Elle a une conjonctivite. Heinz lui a procuré des gouttes pour les yeux.

Marlène s'interrompit et regarda Dorothée.

— Pourquoi tu ris? Bon, peu importe. Dis donc, Christine, tu savais que Johann Thiess partait? Il vient de payer sa chambre. Il m'a dit que si tu souhaitais le revoir, tu le trouverais au Georgshöhe.

— Laisse tomber. Tu vois, dis-je à Dorothée.

Ma colère n'avait d'égale que ma déception.

Le regard de Marlène se posa d'abord sur Dorothée, puis sur moi.

— Qui veut bien éclairer ma lanterne? Et qu'est-ce qui s'est passé entre Johann Thiess, Kalli et Gisbert?

Je n'en savais rien non plus.

— Comment ça?

— Quand M. Thiess était à la réception, Kalli et Hubert sont passés devant la fenêtre. Il s'est caché aussitôt.

— De pire en pire, répondit Dorothée avec une grimace. Kalli était peut-être armé.

Alors je me souvins de ce que m'avait raconté Johann.

— Kalli et Gisbert le surveillent à tour de rôle. J'imagine que Johann ne voulait pas être vu.

Dorothée se mit à rire.

— Kalli le surveille? On se croirait au Far West, je ne comprends plus rien.

J'en avais assez que Dorothée prenne mes problèmes à la légère.

— Normal, tu es obnubilée par Nils et tu t'es barrée à Juist. Et tout ce que tu trouves à faire, c'est d'en rire.

— Tu as raison. Je suis à ton entière disposition. Peut-être que je réussirai à tirer des explications à l'une des deux parties. Je n'hésiterai pas à faire usage de la force, Votre Majesté.

— Qu'est-ce qui se passe, ici?

Mon père surgit à côté de Marlène et passa la tête par la fenêtre.

— Quelle Majesté?

— Sa Majesté le roi Heinz, sans oublier Son Altesse royale le prince Gisbert, répondit Dorothée avec une petite révérence. Moi aussi, je veux lutter contre le crime.

— Ne dis pas n'importe quoi. Nous, les hommes, on a la situation bien en main, donc restez en dehors de ça. Les travaux sont officiellement terminés, vous pouvez continuer à faire le ménage.

— À vos ordres, cher Heinz. Viens, Christine, on a un bistrot à nettoyer du sol au plafond. Ça nous changera les idées.

Mon père se pencha vers moi.

— Tu as encore mal?

Je me levai et posai ma tasse dans l'évier.

— Non, papa. Les gouttes m'ont fait du bien. Merci.

Il me cueillit devant la porte de l'appartement et me regarda dans le blanc des yeux.

— Tu es un peu triste, je me trompe?

Je me mordis la lèvre et hochai la tête.

— Si je peux faire quoi que ce soit…

Il esquissa un timide sourire, sans oser insister.

— Je t'apprécie beaucoup, papa.

Je l'embrassai sur la joue et partis faire le ménage.

LE TANGO DE TOUS LES DANGERS

J'attendais les autres, assise dans la guérite. J'avais les mains fripées. Il était presque 20 heures, nous venions de terminer et, contrairement à Marlène, Dorothée et Gesa, je n'avais pas la moindre envie de me changer. J'avais commencé la journée en voyant la vie en rose, puis il avait suffi que Gisbert le Barbare débarque pour tout gâcher. Johann avait quitté la pension, moi, je broyais du noir, et les retraités mettaient la touche finale à leur plan d'attaque. Autant garder mes vieux vêtements tout pourris. Je n'avais plus goût à rien, de toute façon.

Marlène, vêtue d'un jean propre et d'un T-shirt blanc, s'assit en face de moi.

— Je suis contente qu'on ait enfin terminé les travaux. Les meubles seront livrés demain vers 8 heures. Moi, je serai à la banque, je n'ai pas pu décaler mon rendez-vous. Donc je compte sur vous. Tu m'écoutes ?

— Comment ?

Le mot « banque » m'avait rappelé Johann. Était-il vraiment banquier ? Peut-être qu'il m'avait aussi menti sur ce point.

— Bien sûr que je t'écoute. Il faut qu'on passe à la banque demain.

— Christine !

M'avait-il vraiment menti? Il s'était surtout montré très évasif. En tout cas, un homme amoureux ne se comportait pas ainsi.

— Oui?

— Tu ne m'écoutes pas. Tu as la tête ailleurs et je sais très bien à quoi tu penses. Je vais te dire un truc avant que les jeunes arrivent: je ne crois pas un mot de cette histoire. Johann Thiess est quelqu'un de sympa, il a peut-être un problème à régler mais je suis sûre que ça n'implique pas de vieilles femmes riches. Je connais un peu les hommes, moi aussi. Réfléchis trente secondes: il vient passer ses vacances ici et, du jour au lendemain, il sent qu'on le regarde de travers. Il se retrouve traqué par une bande de vieux et, maintenant, c'est toi qui t'y mets. Je pense qu'il a vraiment le béguin pour toi et que...

— Qui a le béguin pour qui?

— Ah, te voilà, Heinz. Je crois que Gisbert a le béguin pour Christine. Il traîne souvent dans les parages, quand même.

Mon père s'assit à côté de moi et se frotta les mains, ravi.

— Fort possible. Il a d'autres chats à fouetter, mais on dirait qu'il apprécie ma fille, en effet. C'est pour ça qu'il veut la protéger de ce criminel.

Pour appuyer ses dires, il passa le bras autour de mes épaules et me serra contre lui.

— D'ailleurs, Heinz, vu que Christine aime bien Johann, c'est peut-être pour ça que Gisbert l'accuse.

— Balivernes, rétorqua mon père en retirant brusquement son bras. Gisbert n'a pas besoin de recourir à ce genre de méthodes.

Je réprimai un cri de désespoir, tandis que Marlène hochait la tête, résignée. Puis Gisbert fit son apparition dans la cour. Sur la petite remorque qu'il avait attachée à sa mobylette trônait une caisse de bières.

— Au moins, il a apporté quelque chose. Il boit à l'œil, d'habitude.

— Marlène, s'il y a bien un truc que je ne supporte pas, c'est la mesquinerie, chuchota mon père. Un jour, tu le remercieras.

Tandis qu'il allait à la rencontre de Gisbert, Marlène se pencha vers moi.

— Il ne faut pas compter sur Gisbert pour décharger la remorque, et Heinz a une hanche en vrac. J'ai hâte de savoir la suite.

Kalli arriva à vélo, nous salua et mit pied à terre. Mon père lui prit la bicyclette des mains et l'appuya délicatement contre le mur.

— Kalli, décharge les bières pendant que je vais chercher des verres. Assieds-toi, Gisbert.

Ce dernier retira son casque. Il avait les cheveux dressés sur la tête à cause de l'électricité statique. Il bomba le torse et s'approcha de moi, le sourire aux lèvres.

— Tu es superbe, Christine. Je peux ?

Marlène me devança.

— La place à côté de Christine est pour Heinz. Va te chercher une chaise pliante dans le garage.

Il fit la moue mais revint avec deux chaises. Kalli, qui avait déchargé la caisse de bières, le remercia. Gesa apparut, des verres à la main, suivie de Heinz, qui rapportait des bouteilles d'eau. Il s'assit dans la guérite, à côté de moi.

— Il nous faudrait encore deux chaises pliantes, lança-t-il à l'attention de Gesa. Où est Carsten ? Ne me dites pas qu'il tient encore la jambe à Dorothée.

— Ils ne vont pas tarder, je les ai vus sur la digue. Ah, les voilà, annonça Gesa avant d'aller chercher d'autres chaises.

— Bonsoir, dit Carsten en s'asseyant. Nils, va chercher le banc qui se trouve dans le bistrot, on est mal assis sur ces chaises pliantes. Tu as tout de même des goûts particuliers, en matière de meubles. Viens à côté de moi, Dorothée. Kalli va aider Nils.

Je n'avais qu'une envie, fumer une cigarette seule sur la plage, face à la mer, tout en me lamentant sur mes amours déçues.

À ce moment-là, mon père bondit et fit vaciller la guérite.

— Bon, on s'y met? On n'est pas là pour faire un barbecue.

— Tout à fait, répondit Gisbert. Le devoir nous appelle.

Kalli décapsula les bouteilles de bière et les distribua à la ronde.

— Où sont Mmes Klüppersberg et Weidemann-Zapek?

De son côté, Dorothée n'avait pas encore saisi la gravité de la situation.

— Enfin, Kalli, on vient de te dire qu'on n'était pas là pour faire un barbecue.

Kalli rougit.

— Ce n'est pas ce que... Elles voulaient... Qui veut une bière?

Gisbert von Meyer s'éclaircit la voix, se leva, sortit une feuille de sa poche et balaya l'assistance du regard.

— Maintenant qu'on est au complet, j'aimerais...

— Non. *Maintenant*, on est au complet.

Onno surgit de nulle part et lança un regard noir à Gisbert, avant de s'asseoir à côté de la guérite.

— Il me tape sur le système, ce prétentieux, me souffla-t-il. Il m'oublie chaque fois.

J'étais étonnée de voir se rebeller le placide Onno.

— Chers tous, reprit Gisbert, j'aimerais tout d'abord vous lire l'article à paraître demain dans *Le Courrier de Norderney*. Votre attention, s'il vous plaît. « Nous savons de source sûre que le grave danger qui menaçait les habitants de l'île et les touristes, en particulier la gent féminine, a été écarté. Lors d'une intervention spectaculaire, un groupe d'hommes intrépides et courageux a mis hors d'état de nuire un criminel recherché par Interpol. Après des jours d'enquête, nos sauveurs sont parvenus, au péril de leur vie, à appréhender cet escroc de la pire espèce. Cet individu quittera Norderney aujourd'hui. La police, débordée par les infractions commises tous les jours sur notre île, salue l'énergie déployée par ces valeureux citoyens. De plus amples informations ainsi que des détails sur l'arrestation vous seront communiqués ici même, demain. GvM. »

Il replia sa feuille de papier et sourit, triomphant.

— Alors?

— Interpol? répondit Marlène en se retenant de rire.

— Ces valeureux citoyens? ajouta Nils, qui ne cachait pas son amusement.

— Au péril de leur vie? renchérit Dorothée.

Hubert, lui, nous regardait les uns après les autres, complètement perdu.

— Quelqu'un peut m'expliquer? Je croyais qu'on le recherchait toujours! Pourquoi on ne prévient pas la police?

— La police! s'écria Gisbert. Elle veut des preuves, la police. On appelle ça du journalisme d'investigation. Et, grâce à ça, l'édition d'après-demain va se vendre comme des petits pains.

— D'accord, mais où se trouve le criminel, en ce moment?

— Au Georgshöhe. Il ne va pas tarder à être pris au piège. On le coincera demain avec l'aide de Mechthild et de Hannelore.

— Tu n'es pas clair, Gisbert, intervint mon père en lui faisant signe de s'asseoir. Je t'explique, Hubert:

un homme est arrivé à la pension il y a quelques jours et je l'ai tout de suite trouvé bizarre. Il avait un regard sournois. Puis il a abordé ma fille et…

— Ça ne s'est pas passé comme ça, papa, je…

— Laisse-moi parler, Christine. Ne l'écoute pas, elle est encore un peu sous le choc. Toujours est-il qu'ensuite il a importuné Marlène et…

— Je t'en prie, Heinz, arrête de raconter n'importe quoi!

La contribution de Marlène fut elle aussi balayée d'un revers de main.

— Et il a pris la pension en photo. Il se comportait très bizarrement et a disparu au bout de deux jours. Mais, comme il savait qu'on avait compris son petit manège, il est revenu. On est restés attentifs et discrets jusqu'à ce qu'il relâche sa vigilance, et on l'a surpris en flagrant délit. En voici la preuve. Gisbert, ton portable.

Il tendit la main. Gisbert y déposa son téléphone comme une relique. Mon père se mit à appuyer au hasard sur les touches.

— Tu sais comment on…? demanda Gisbert.

— Évidemment, les nouvelles technologies n'ont aucun secret pour moi.

Heinz tenait le portable à bout de bras et continuait à tripoter le clavier. Je savais qu'il avait oublié ses lunettes à l'appartement, mais, apparemment, cela ne l'empêchait pas de maîtriser parfaitement l'appareil.

— Oh, qu'est-ce qui se passe? s'exclama mon père en me tendant le portable. Tu arrives à lire, Christine?

Je lus sur l'écran « Effacer images? »

— Appuie sur OK.

Gisbert fulminait mais n'osait pas pour autant s'en prendre à mon père. Toutefois, en guise de représailles, il refusa la bière que Heinz lui proposa. Quant à Hubert, il était déçu de ne pas voir les images de l'escroc en pleine action.

— Donc, vous l'avez photographié en train de demander une femme en mariage?

— Oui, répondit Gisbert en hochant vigoureusement la tête. Je l'ai pris sur le fait.

— N'importe quoi, intervint Marlène, agacée. Il semblait proche de cette dame, un point c'est tout. Mais Gisbert nage en plein délire.

— Et comment savez-vous qu'il a donné une fausse adresse?

— Nos contacts à Brême nous l'ont confirmé, répondit fièrement mon père. Son nom ne correspond à aucune sonnette à l'adresse en question.

— Il a dit qu'il venait de récupérer son appartement et que son propriétaire n'avait pas eu le temps de changer les étiquettes.

Il fallait tout de même que je le défende un minimum, mais mon père n'était pas de cet avis.

— Quelle excuse minable. Personne ne goberait ça.

— Brême?

— Avant, il vivait à Cologne, chez sa tante.

— C'est curieux, répondit Hubert, perplexe. S'il s'agit vraiment d'un escroc, on peut difficilement rester là les bras croisés. Comment vous comptez lui mettre la main dessus?

Gisbert prit la parole. Les plaques rouges sur son cou étaient réapparues.

— Mechthild Weidemann-Zapek et Hannelore Klüppersberg, deux clientes de la pension, se trouvent en ce moment même au bar du Georgshöhe. Grâce à un dictaphone que je leur ai remis, elles s'apprêtent à tendre un piège à ce gigolo. Demain, à la première heure, j'irai remettre l'enregistrement et les photos à la police. Il va sans dire que je serai présent lors de l'arrestation pour faire un reportage exclusif.

— Une affaire rondement menée, répondit Hubert en hochant la tête.

Dorothée gémit. Nils, déconcerté, regarda Marlène. Mon père exerça une légère pression sur mon bras et me sourit.

— Gisbert? Quelles photos?

J'avais hâte d'entendre sa réponse.

Il hésita. Son regard se posa d'abord sur moi, puis sur mon père, puis sur son portable.

— Les photos? Ah oui, c'est vrai. Peu importe, l'enregistrement suffira amplement. Quoique… Je comptais passer à l'hôtel, de toute façon. N'oublions pas que je suis responsable de ces dames.

J'en avais assez et me levai.

— Moi, j'ai bien mérité d'aller me coucher. Faites attention, je ne me vois pas annoncer à ma mère que son mari a été arrêté pour trouble à l'ordre public ou violation de domicile.

— Ne t'inquiète pas, répondit mon père en me prenant la main. Bonne nuit.

Je saluai les autres d'un signe de tête. Marlène se leva et m'accompagna pendant quelques dizaines de mètres.

— Je vais aussi donner ma version des faits, sinon Hubert va tout gober, me dit-elle une fois qu'on ne pouvait plus nous entendre. Haut les cœurs, Christine. Je reste persuadée que cette histoire ne tient pas debout. On reparlera demain, quand tout ça sera derrière nous, d'accord?

— D'accord.

J'adressai un sourire forcé à Marlène et entrai dans l'appartement. Mon portable n'avait pas sonné une seule fois. Mausi, quel nom ridicule!

Reviens-moi vite

Mon père était agenouillé devant Johann et lui tendait un clafoutis. La culpabilité se lisait sur son visage, tandis que celui de Johann ne trahissait aucune émotion. Dans l'assistance, je priai le ciel pour que Johann se montre magnanime, mais il se contenta de secouer doucement la tête. Mon père essaya de le convaincre.

— Je ne sais vraiment pas…

À mesure que l'image s'estompait, la voix de mon père se faisait plus distincte.

— … quoi faire. J'ai complètement perdu l'habitude, et puis je ne m'y connais pas trop en chagrins d'amour. Qu'est-ce qui lui ferait plaisir ?

J'ouvris les yeux. Mon père était en train de téléphoner dans le couloir.

— Elle adorait le poulet frites, quand elle était petite. Peut-être qu'aujourd'hui Marlène pourrait… Oui, je sais que l'inauguration a lieu demain… Comment ?… En ce qui me concerne, rien de tel qu'un bon repas pour me remonter le moral. Enfin, ce n'était qu'une suggestion. Et si je lui achetais un truc joli ?… Un vêtement, peut-être ?… Non ?… Décidément, je ne vois pas comment la consoler.

Il semblait découragé. Malgré la fatigue, j'avais deviné de quoi il parlait. Lorsque je me redressai, le réveil sonna.

— Il faut que je te laisse, ma chérie.

Alors qu'il venait de baisser la voix, il se racla la gorge et se mit à hurler.

— Oui, tout va bien... On aura terminé ce soir... Non, tout le monde est de bonne humeur, tout le monde a le sourire... Évidemment que les filles vont bien. Bon, on se rappelle plus tard. Passe le bonjour à ta prothèse de ma part. Au revoir.

Il raccrocha et fit irruption dans le salon.

— Bonjour, mon enfant. Tu as bien dormi ?

Lorsqu'il se laissa tomber de tout son poids à côté de moi, la tête du lit de camp se souleva brusquement.

— Oh !

Il bondit, et le lit reprit sa position d'origine.

— Oh là là, qu'est-ce que c'est bancal, ce truc !

— Seulement quand on s'asseoit à deux dessus, répondis-je en enfilant mes chaussettes.

— Tu veux prendre mon lit ?

J'en restai bouche bée.

— Il faut que je me rase. Je disais ça comme ça, pour les lits, sauf si tu y tiens. Enfin, je veux dire, si tu veux vraiment...

— Qu'est-ce qui se passe, papa ?

— Rien. Je suis allé chercher une thermos de café à la pension, je sais que tu aimes bien en boire une tasse au lever. Installe-toi sur la terrasse et réveille-toi tranquillement.

Il ouvrit la porte qui donnait sur le jardin et sortit.

— Quel temps magnifique, idéal pour une balade en amoureux, comme dirait ta mère. Oh, pardon, je ne voulais pas... Alors, le café... Tiens, je te mets une chaise là pour que tu puisses y poser ta tasse.

Je le suivis du regard tandis qu'il se précipitait dans la cuisine. S'il m'apportait un cendrier, c'était sûr, je tomberais dans les pommes. Heureusement, il ne rapporta que la thermos et une tasse.

— Et voilà ton café. Bon, j'y vais.

— Je croyais que tu voulais te raser.

— Ah oui, répondit-il en se caressant le menton. Bof, je peux aussi bien le faire plus tard. Cela dit, on en impose plus avec une barbe, du moins, c'est ce que j'ai lu quelque part. Ça peut toujours servir, face à ces livreurs du continent. Sinon, ils vont croire qu'ils peuvent nous mener à la baguette, nous, les insulaires. Prends ton temps, à plus tard. Et n'hésite pas à appeler ta mère.

— Pourquoi?

— Comme ça, histoire de papoter entre filles. En plus, elle adore téléphoner. Fais donc ça.

Il disparut avec un sourire, puis j'entendis la porte claquer. Je m'installai sur la terrasse avec mon portable et composai le numéro de la chambre de ma mère. Elle décrocha au bout d'une sonnerie. Entendre sa voix si douce suffit à me faire monter les larmes aux yeux.

— C'est tellement compliqué, maman…

— Ton père m'a vaguement expliqué. Qu'est-ce qui s'est passé, exactement?

Je lui racontai toute l'histoire dans le désordre: Johann, l'homme le plus génial que j'aie jamais rencontré, le portable de Gisbert, la nuit d'amour, ses yeux, Brême, Gesa et la vieille dame de l'hôtel, Hubert, qui s'y mettait, Marlène, qui ne croyait pas à la culpabilité de Johann, la filature de Kalli, la dispute, Mechthild et Hannelore qui servaient d'appât, mon chagrin, mon père, qui m'apportait le café et avait même suggéré d'échanger les lits…

Lorsque je repris mon souffle, je me souvins avec une certaine honte que j'avais quarante-cinq ans. Ma mère était à l'hôpital, j'aurais très bien pu mentir et dire que je passais les plus belles vacances de ma vie. J'avais le nez bouché, je reniflais, bref, je faisais un raffut de tous les diables.

— Tu n'as pas de mouchoir, ma petite?

— Si, si.

D'une seule main, j'essayai d'ouvrir mon sac et de sortir mon paquet de mouchoirs, ce qui me laissa largement le temps de reprendre mes esprits.

— Désolée, j'ai mal dormi.

— Je ne comprends pas pourquoi vous vous emballez comme ça. De deux choses l'une, soit ce Thiess est un criminel, auquel cas c'est à la police d'intervenir et on parlera de papa et de sa bande dans le journal, soit il est blanc comme neige, auquel cas tu peux tranquillement tomber amoureuse et les autres devront lui présenter leurs excuses. Où est le problème?

— Maman, c'est loin d'être aussi…

— Et je te rappelle que vous êtes là pour aider Marlène. Vous devez tout finir aujourd'hui, car l'inauguration a lieu demain. Ça ne vous laisse guère le temps de jouer à Sherlock Holmes.

— Je ne joue pas, moi.

— Tu devrais surveiller ton père. À force de trop regarder la télévision, il voit des criminels partout. Allons, courage, rien n'est jamais perdu. En plus, je ne pense pas que ma fille pourrait tomber amoureuse d'un escroc. On ne t'a pas élevée comme ça. C'est vraiment n'importe quoi, quand j'y pense. Tu as quarante-cinq ans, Christine. Si quelque chose t'échappe, parles-en directement à ce jeune homme, au lieu de te mettre martel en tête à cause d'une bande de retraités.

— Maman, je…

— Arrête un peu de te lamenter. Va te mettre au travail, sinon vous ne serez pas prêts demain. Garde un œil sur ton père et Kalli, ça t'évitera bien des soucis.

Elle avait tout à fait raison. Je me mouchai et lui promis de suivre ses conseils.

Lorsque j'entrai dans la salle à manger, Gesa avait déjà tout préparé. Alors que je m'apprêtais à m'excuser, elle me posa la main sur le bras.

— Je me suis réveillée tôt. Va prendre ton petit déjeuner, il y a pas mal de travail qui t'attend au bar.

Surprise, je m'installai à la table habituelle. Mon père était déjà parti. Un verre de schnaps avec quatre pâquerettes trônait devant mon assiette. À la table d'à côté, les jumelles me regardaient, intriguées.

— C'est ton anniversaire, aujourd'hui ? demanda Emily.

— Non. C'est vous qui avez cueilli les fleurs ?

Lena secoua la tête.

— Non, c'est ton père qui les a posées là. Tu es sûre que ce n'est pas ton anniversaire ?

— Certaine. Heinz, tu dis ?

Emily hocha la tête.

— Oui. Il a fait ça comme ça, alors ? Moi aussi, je veux des fleurs.

— Je lui passerai le message.

Tandis que je me beurrais une tartine, Dorothée entra, suivie de Nils, et s'empara de la cafetière avant même de s'asseoir.

— Bonjour, Christine. Il me faut un café de toute urgence. Les livreurs sont arrivés. Nils a scotché le plan sur le bar, il a indiqué l'emplacement précis de chaque meuble, donc on peut prendre notre petit déjeuner tranquille. Oh, mignonnes comme tout, ces fleurs. C'est de la part d'un admirateur secret ou de celui que tout le monde connaît déjà ?

— Dorothée ! Bonjour, Christine. On peut se joindre à toi ? enchaîna Nils.

Comme je venais de mordre dans ma tartine, je les invitai à s'asseoir d'un geste. Nils prit place en face de moi.

— Alors, bien dormi ?

— Oui, pourquoi?

Nils hésita avant de répondre.

— Ben... Tu n'as pas trop le moral, alors...

Je levai les yeux vers lui, mais il évita soigneusement de croiser mon regard. Dorothée haussa les épaules.

— Hier soir, ton père nous a annoncé que tu traversais une grave crise personnelle et qu'il fallait te ménager.

J'avalai de travers. Nils lui donna un coup de coude.

— On n'était pas censés le répéter, Dorothée.

La tartine que je venais d'entamer atterrit dans mon assiette.

— Je rêve! Pourquoi tu n'as rien dit? Ma vie sentimentale n'a pas à être déballée en public.

Dorothée récupéra ma tartine et l'enfourna.

— Je me suis dit que si Heinz s'occupait de toi, il aurait moins le temps de surveiller Johann. C'est dans ton intérêt. Un cadeau des enfants? demanda-t-elle en désignant les pâquerettes.

— Non.

Je caressai doucement les fleurs. Un pétale tomba. Il m'aime un peu... Quel jeu débile.

— Je vais au bistrot. Et les fleurs sont de Heinz.

Un autre pétale tomba. Il m'aime un peu, beaucoup... Stop. Je pris la direction du bar, la tête haute.

Le camion de livraison immatriculé à Hambourg était garé en travers de la cour. Plusieurs hommes soulevaient de la plate-forme les meubles emballés dans du plastique et les transportaient jusque dans le bistrot. Je me faufilai derrière un blond qui chargeait une table sur son épaule et entrai.

Un vacarme assourdissant régnait dans le bar. La radio était à fond, Heinz, Kalli et Carsten s'interpellaient d'un bout à l'autre de la salle, les livreurs disposaient les meubles et un portable sonnait. Je me frayai un chemin jusqu'à la radio en me bouchant les oreilles et coupai le sifflet à Lolita, qui réclamait des matelots à tue-tête. Dans le silence, le portable semblait sonner encore plus fort.

— Téléphone!

Mon père, planté au beau milieu du bistrot, un dessin à la main, leva les yeux.

— Il y a un portable qui sonne. Dites donc, jeune homme, ce fauteuil-là va à droite, dans le coin. Demandez, avant de poser quoi que ce soit. Quelqu'un va répondre au téléphone, à la fin?

— Oh, c'est le mien.

Carsten sortit un portable de la poche de sa chemise. Il devait être sourd, ça avait sonné au moins dix fois.

— Allô, oui? Nils? Je ne t'entends pas bien.

Évidemment, puisqu'il tenait le téléphone à un mètre de son oreille.

— Quoi?... Plus près? Tu es fou? Je n'ai pas envie que mes oreilles triplent de volume... C'est Heinz qui l'a lu quelque... Quoi?... Bien sûr, qu'on connaît l'emplacement de chaque meuble, on n'est pas idiots... Prends ton temps, on a la situation bien en main... Oui, oui, le croquis, on sait... À tout à l'heure.

Il se concentra, appuya sur une touche et rangea son portable.

— M. l'architecte d'intérieur a peur qu'on fasse tout de travers. Vous auriez dû voir sa chambre quand il était petit. Heureusement qu'il pouvait compter sur son père pour l'aménager, sinon, il aurait dormi dans un débarras.

— Ah! là, là, les enfants! non seulement ils ont la mémoire courte, mais, en plus, ils savent toujours tout mieux que tout le monde, renchérit Kalli.

Mon père apparut à côté de moi et me donna un coup de coude.

— Alors ? Tout va bien ?

— Merci pour les fleurs.

— Tu parles, je ne suis pas allé les chercher bien loin. Je les ai aperçues en faisant tomber mes clés. Elles sont jolies, quand même, non ?

— Oui, très. Je vais vous aider, montre-moi le plan.

Mon père plaqua le croquis contre sa poitrine.

— Une seule personne donne les instructions, sinon on va se gêner les uns les autres. Donne plutôt un coup de main à Kalli, il déballe les meubles mais jette le plastique en boule par terre.

— Ça finira à la poubelle, de toute façon.

— Tu es folle ? Des emballages aussi solides, ça se réutilise sans problème. Marlène voudra sûrement les récupérer.

Je m'apprêtais à émettre quelques doutes mais fus coupée dans mon élan par Hubert, qui apostrophait un livreur.

— Vous avez les mains propres, jeune homme ? C'est un fauteuil blanc, donc faites attention.

Le jeune homme en question posa le fauteuil et regarda autour de lui, désemparé. Son collègue le rassura d'un geste et lui fit signe de sortir. Hubert les suivit du regard en secouant la tête.

— Quel toupet. Bonjour, Christine. Tout va bien ?

— Bonjour. Évidemment que tout va bien. Je peux vous aider ?

— Tu pourrais nous apporter du thé ou du café ? demanda Kalli, un peu gêné. On en a déjà demandé à Gesa, mais elle était débordée. Enfin, seulement si ça ne te dérange pas. Comme tu n'as pas trop le moral...

Je commençais à entrapercevoir le tableau tragique que mon père avait dressé de ma vie sentimentale, la veille au soir.

— Je ne suis ni malade, ni handicapée, Kalli. Bon, je vais chercher du café.

— Ah non, ce n'est pas ce que je voulais dire… Tu peux aussi préparer du thé, éventuellement ? Enfin, seulement si ça ne te pose pas de problème…

Onno s'accroupit devant sa caisse à outils, qui se trouvait entre mon père et moi, et fouilla à l'intérieur.

— À la mort de son chien, ma sœur était inconsolable. Elle a retrouvé le sourire quand mon beau-frère lui en a offert un nouveau.

Avais-je bien entendu ? Je le craignais. Kalli fronça les sourcils et m'ôta les mots de la bouche.

— Mais Thiess n'est pas mort.

— En plus, que ferait Christine avec un chien ? renchérit mon père. Ça prend du temps de dresser un animal, et, du temps, elle n'en a pas.

Je refermai la bouche et allai chercher à boire.

Gesa était justement en train de remplir une cafetière. Elle leva brièvement les yeux lorsque j'entrai dans la cuisine.

— Tu peux apporter le café au bistrot ? Je n'ai pas pu le faire avant car Mme Weidemann-Zapek a renversé un saladier rempli de fromage blanc. Ça a coulé jusque dans le radiateur, j'étais à deux doigts de la tuer. Et elle, tout ce qu'elle trouve à dire, c'est : « Il y en a d'autre, j'espère ? » Mais pour qui elle se prend ?

— Pour un appât, répondis-je en sortant le lait du frigo. Ces dames sont de valeureuses citoyennes.

— Cet article à la noix est bel et bien paru dans l'édition de ce matin. Tu l'as lu ?

Je disposai la cafetière, la théière et les tasses sur un plateau.

— Non, et je m'en passerai volontiers, l'avant-première m'a largement suffi. Bon, j'apporte tout ça là-bas.

Gesa me retint par l'épaule.

— Christine?

— Oui?

— Je suis désolée. Si je peux faire quoi que ce soit, n'hésite pas.

Je reposai brusquement le plateau sur la table et les tasses s'entrechoquèrent.

— Gesa, je ne sais pas ce que mon père vous a raconté hier soir, et je ne veux pas le savoir. Mais je n'ai pas sombré dans la dépression, loin de là. Ce n'est pas la première fois que je me trompe sur quelqu'un, et encore, cela reste à prouver dans la mesure où il ne m'a pas fait de mal, et encore moins arnaquée. Il n'y a pas mort d'homme, donc arrêtez avec votre pitié, c'est vraiment ridicule. Mon père me cueille des pâquerettes, Onno veut m'offrir un chiot et Kalli sursaute dès que je l'approche. J'ai juste envie d'avoir la paix. J'apporte ça là-bas et je vais fumer une cigarette dans la guérite.

Je posai le plateau sur la première table que je trouvai dans le bistrot et pris la fuite en entendant Ted Herold chanter « Pardonner, oublier, continuer ». Les livreurs arboraient des mines déconfites : mon père leur donnait des ordres en criant et en gesticulant. Quant à Kalli et Carsten, ils ajustaient la disposition de chaque meuble. L'aménagement de la salle me laissait perplexe, mais je m'en fichais comme de ma première chaussette. En sortant, je croisai Gesa, qui apportait un deuxième plateau.

— Je t'ai posé une tasse de café près de la guérite. Mon Dieu, il y en a un boucan, là-dedans…

Je me dirigeai lentement vers le jardin et m'assis face au soleil, les yeux fermés, si bien que je sursautai lorsque Gesa me rejoignit peu après.

— Nos ouvriers font une pause café. Dis, ils savent vraiment comment les meubles doivent être disposés ?

— Nils a dessiné un plan, répondis-je en allumant une cigarette.

— Hum, bizarrement, ça ne ressemble pas. Ils ont tout entreposé dans un coin.

Une sonnette de vélo nous fit éteindre nos cigarettes en vitesse. Ensuite, nous nous penchâmes pour voir qui arrivait. Marlène posa sa bicyclette contre le mur du garage et approcha.

— Me revoilà. Il reste du café?

— Je vais te chercher une tasse, dit Gesa en se levant. La prochaine fois, si tu pouvais prévenir... On a gaspillé deux cigarettes.

— Vous avez quel âge, déjà?

Marlène s'installa confortablement à la place de Gesa.

— Je déteste aller voir mon banquier, sans compter que ça dure toujours plus longtemps que prévu. Et vous, vous en êtes où?

— Le camion de livraison est presque vide. On est dans les temps. Dis-moi, tu n'aurais pas pu intervenir, hier soir? On me traite comme si j'étais au bord du suicide. Qu'est-ce qu'il vous a raconté?

— Crois-moi, il ne s'est pas gêné pour entrer dans les détails. Il nous a dit que tu avais beaucoup souffert, et qu'il regrettait de ne pas pouvoir donner une bonne correction à tous ceux qui t'avaient fait du mal. Puis Kalli et Carsten ont enchaîné sur les déboires amoureux de leurs filles respectives et...

— Madame de Vries!

L'homme qui venait de crier était manifestement au bout du rouleau. Il s'agissait du livreur blond. Il se tenait à présent devant la guérite, la jugulaire prête à exploser.

— Je vous ai vue arriver. Il faut que je vous parle. On ne peut pas travailler dans de telles conditions.

— Bonjour, monsieur Keller. Qu'est-ce qui se passe?

— Il se passe qu'on a des meubles à vous livrer. Bien entendu, on les porte à l'intérieur, comme le prévoit le contrat. Mais il est hors de question que je les change de place une troisième fois, tout ça parce que vos ouvriers ne sont pas fichus de se mettre d'accord. Leur dernière lubie, c'est de tout redisposer en forme de U.

Aïe. J'allumai une deuxième cigarette. M. Keller s'épongea le front. Marlène, quant à elle, demeurait perplexe.

— J'ai pourtant laissé un plan qui indique l'emplacement précis de chaque meuble. Je ne vois pas où est le problème.

— Le plan? Quel plan? L'homme à la casquette brandit une feuille qui n'a rien à voir, et les deux autres n'arrêtent pas de faire de nouvelles suggestions. On doit être sur le ferry dans deux heures. Et, pour couronner le tout, ils refusent de nous rendre les emballages alors qu'on était censés les récupérer. C'en est trop! Soit vous mettez les choses au point avec eux, soit on repart sur-le-champ.

Alors que nous allions constater les dégâts par nous-mêmes, Anna Berg arriva avec les jumelles.

— Bonjour. J'amène les filles là-bas ou vous les accompagnez?

— Où ça? demanda Marlène.

— Heinz leur a proposé de l'aider. Mon mari et moi sommes encore invités à faire de la voile.

Décidément, mon père ne savait pas communiquer. Mais ce n'était pas aux enfants d'en faire les frais. Je pris une grande inspiration.

— Bien sûr qu'elles peuvent l'aider. Je les accompagne, amusez-vous bien.

M. Keller était au bord de la crise cardiaque.

— Encore plus qui « aident »... Madame de Vries, si...

— Allons voir ce qui se passe.

Marlène le prit par le bras et se dirigea vers le bar d'un pas décidé, Emily, Lena et moi sur les talons.

La scène que nous découvrîmes était digne d'une caméra cachée. Il y avait dix tables surmontées de chaises contre le mur de gauche, d'autres chaises étaient disposées de part et d'autre du comptoir et le reste de la pièce disparaissait sous les emballages plastiques. Mon père se tenait au milieu. Les tables et les chaises restantes étaient disposées en forme de U, et mon père ressemblait à un professeur dans une salle de classe vide.

Onno nous aperçut en premier et éteignit la radio. Le regard de Marlène se posa d'abord sur mon père, puis sur les tables. Heinz lui sourit de toutes ses dents.

— Ah, te revoilà. Ça s'est bien passé, à la banque ? Regarde, les tables et les chaises qu'on a alignées contre le mur sont en trop, donc ces jeunes gens peuvent les reprendre. C'est toujours ça d'économisé. Bonne nouvelle, non ?

— Où est le plan de Nils ? demanda Marlène.

— Ah, le plan.

Carsten prit la feuille de papier qui se trouvait sur le comptoir et l'agita.

— Ce plan ne convient pas, l'agencement qu'a prévu mon fils est d'un banal... On ne devait pas apporter une touche d'originalité à ce bistrot ?

Marlène ne pipa mot.

— Ça fait chic, les meubles disposés en U, ajouta mon père, très fier de lui. Les gens peuvent se voir et la serveuse a moins de chemin à parcourir. Ça m'étonne que Nils n'y ait pas pensé lui-même, avec les études qu'il a faites... Enfin, voilà à quoi ça sert, une main-d'œuvre expérimentée. Oh, tiens, mes deux dames préférées.

Il s'approcha des jumelles, qui lui firent un grand sourire.

— Vous allez pouvoir nous aider à mettre les nappes.

Marlène ne disait toujours rien. Hubert se posta à côté d'elle.

— Tu es bluffée, hein? On forme vraiment une bonne équipe.

— Hubert, toi, Heinz et les enfants, vous pourriez aller voir les mouettes à la plage de l'ouest, répondit Marlène.

— Les mouettes? Mais on n'a pas terminé.

Je m'accroupis devant les jumelles.

— Hubert est incollable sur les mouettes, chuchotai-je, il sait même où elles nichent.

— C'est lui, le roi des œufs? demanda Lena, impressionnée.

Je hochai la tête et posai l'index sur mes lèvres.

— Mais chut, il ne faut pas le répéter.

Tout excitée, Emily tira mon père par le bras.

— On veut aller voir les mouettes avec toi!

— Mais je croyais que vous vouliez aider.

— Les mouettes d'abord. S'il te plaît!

Avec cette voix et ce regard, elles seraient venues à bout de n'importe qui. Mon père se tourna vers Hubert et désigna les jumelles.

— On a terminé, Hubert. On va laisser les autres fignoler. Les désirs de ces dames sont des ordres.

Il suffit que Lena prenne Hubert par la main pour que le marché soit conclu. Marlène, quant à elle, avait retrouvé une voix normale.

— Très bien. Allez donc voir les mouettes pendant que nous, on... Ah, Nils, te voilà. Ne t'énerve pas, ce sera réglé très vite. Dès que Heinz et Hubert auront déguerpi.

— Je crois que je vais les accompagner, à moins que vous n'ayez encore besoin de moi, dit Carsten. Nils?

Comme ce dernier, pâle comme un linge, ne parvenait pas à répondre, Marlène parla pour lui.

— Aucun problème, Carsten, tu peux y aller. Et toi aussi, Kalli. En revanche, Onno, on a encore besoin de tes services.

Une fois les quatre retraités partis avec les deux fillettes, Marlène s'affala sur un banc à côté de Nils.

— Christine, crois-moi, si Heinz n'était pas ton père et Hubert le compagnon de Theda, j'aurais commis un double meurtre. En forme de U... Ils ont complètement perdu la tête. Super, le coup de main. On n'a plus qu'à recommencer depuis le début.

— L'homme à la casquette, c'était le pire, intervint M. Keller.

— Et vous, vous êtes un rapporteur. On va rassembler les emballages pour que vous puissiez les récupérer.

L'homme à la casquette, c'était quand même mon père.

Une demi-heure plus tard, en nous y mettant tous, nous avions entreposé tous les emballages dans le camion de livraison, mais M. Keller ne décolérait pas. Il encaissa l'argent que Marlène lui devait pour la livraison ainsi que son pourboire et repartit pour le port avec ses employés, le tout sous le regard de Nils.

— Ils devraient nous rembourser, les autres énergumènes. En forme de U, je rêve...

Onno se racla la gorge.

— Un peu de respect, je te prie. Je reste convaincu que c'était une bonne idée.

Marlène respira profondément.

— Passe-moi ton croquis, Nils. Merci. Christine et Gesa, occupez-vous de la rangée de gauche, Nils et Dorothée, de celle de droite. Onno et moi, on se charge du fond. C'est parti.

Tandis que Gesa et moi mettions la première table en place, je me rendis compte que je n'avais pas pensé une seule fois à Johann au cours de l'heure précédente. Je mis encore plus de cœur à l'ouvrage.

Nous avions presque terminé d'aménager la moitié du bar conformément au plan de Nils lorsque Onno s'assit sur une chaise et croisa les bras.

— Je n'en peux plus, je meurs de faim. Il est midi passé et je n'ai pas petit-déjeuné. Si on ne mange pas maintenant, je rentre chez moi.

Voilà qui ne semblait pas négociable. Marlène regarda sa montre.

— D'accord, on fait une pause. Le potage aux lentilles sera prêt dans dix minutes. Tu viens m'aider à mettre la table, Gesa ?

Onno leur emboîta le pas. Mieux valait ne prendre aucun risque. Au moment de sortir, il se retourna.

— Peu importe l'heure à laquelle vous arrivez, je commence sans vous.

Nils, Dorothée et moi installâmes encore trois tables, puis Nils s'étira et balaya la salle du regard.

— On va dire que c'est bon. Moi aussi, j'ai faim. Vous venez ?

Je m'affalai sur l'un des fauteuils installés devant la cheminée.

— J'arrive, je me pose juste cinq minutes.

— Bonne idée, dit Dorothée en s'asseyant en face de moi. On vous rejoint.

— D'accord, mais croisez les doigts pour qu'Onno ne mange pas votre part. À tout de suite.

Je m'appuyai contre le dossier et fermai les yeux. Peu après, j'entendis un vélo dehors et la voix de son propriétaire.

— Vous êtes où ?

— Kalli doit avoir un radar qui lui indique où et quand il y a à manger. Incroyable.

Dorothée alla à sa rencontre, mais il se tenait déjà sur le seuil de la porte.

— Coucou. Vous êtes seules ?

— Les autres sont dans la cuisine. Potage au menu.

Kalli sourit, tout content.

— Je croyais que tu étais allé voir les mouettes avec mon père et Hubert ?

Je me levai à grand-peine. J'avais mal partout à force de changer des meubles de place.

— On a eu un contretemps, répondit Kalli en rougissant. Enfin, Carsten et moi… On a laissé Heinz et Hubert avec les enfants.

— Quel genre de contretemps ? Et où est Carsten ?

— Euh… C'est Gisbert… Il a établi un planning de surveillance, mais Heinz a dit que ce n'était pas pour les enfants. J'ai pris le premier créneau, puis Carsten m'a relayé parce que j'avais vraiment trop faim.

Dorothée rit.

— Ah, c'est au tour de Carsten ? Je comprends mieux pourquoi il m'a piqué mes lunettes de soleil. Elles ont passé la matinée sur le rebord de la fenêtre avant de disparaître. Il s'est planqué où ?

— Aucune idée, répondit Kalli en haussant les épaules. Pendant mon créneau, Johann est resté dans une guérite à lire. C'était un peu rasoir.

— Tout seul ?

Je ne pouvais pas ne pas poser la question.

— Carsten ?

— Non, Johann Thiess.

— Oui, c'est bien pour ça que c'était rasoir. Peut-être que Carsten aura plus de chance. Bon, il faut que je mange quelque chose.

Sur ces mots, il disparut. Dorothée et moi le vîmes regagner rapidement la pension.

— Je commence à la trouver un peu flippante, leur enquête, dit Dorothée en soupirant. Ça en devient presque malsain. Pauvre Johann, où qu'il aille, il est traqué par un retraité avec des lunettes de soleil. À sa place, j'aurais pété les plombs depuis longtemps.

Je m'apprêtais à répondre lorsque j'aperçus une femme qui regardait par une des fenêtres de la pension, hissée sur la pointe des pieds. Son visage ne m'était pas inconnu.

— Qu'est-ce qu'elle fait?

Je donnai un coup de coude à Dorothée, qui se pencha pour mieux voir.

— Aucune idée, on dirait qu'elle espionne quelqu'un. Attends, ce n'est pas…?

Je la reconnus à mon tour. La vieille dame riche du Georgshöhe.

— Mais oui, c'est la victime présumée, dit Dorothée. Je vais lui demander des explications sur Johann Thiess. Hé, attendez!

Elle sortit en courant. La dame sursauta et regarda dans notre direction. Dès qu'elle aperçut Dorothée, elle tourna les talons. Dorothée lui emboîta le pas, mais sans voir la mobylette de Gisbert arriver en trombe.

Le vacarme que fit le journaliste en renversant Dorothée me tira de ma torpeur. J'arrivai sur le lieu de l'accident quelques dixièmes de seconde plus tard. Dorothée était assise par terre et se tenait le genou. Furieuse, elle regardait fixement Gisbert, qui s'extirpa de sous sa mobylette et retira son casque, le tout en gémissant.

— Espèce de crétin! Aïe! Mais comment peut-on être aussi bête! Et voilà, elle est partie. Je te préviens, imbécile, je vais porter plainte et tu vas finir en taule pour coups et blessures. Nom d'un chien, Christine, j'ai super mal au genou!

Gisbert s'assit à côté de Dorothée et effleura sa blessure, mais récolta une tape sur la main.

— Ne me touche pas! Trop facile de te ramener tout penaud alors que tu as failli me tuer!

— Tu peux te lever? demandai-je à Dorothée.

— Bien sûr... Aïe.

Elle essaya de faire quelques pas. Plus de peur que de mal, elle boitait juste un peu. Gisbert, lui, était toujours assis par terre. J'avais quand même un peu de peine pour lui.

— Et toi, tu t'es fait mal?

Il secoua vigoureusement la tête, mais laissa tout de même échapper un petit gémissement en se relevant.

— Ça va, la douleur est quelque chose que je n'ai encore jamais expérimenté.

Exactement le genre de commentaire que je redoutais. Il regarda son engin.

— Mais ma mobylette a souffert.

Dorothée le fusilla du regard.

— Dis donc, toi qui n'as encore jamais expérimenté la douleur, si tu n'avais pas eu ton permis dans une pochette-surprise, un tel accident ne se serait jamais produit. Au fait, qu'est-ce que tu fiches ici? Tu espionnes les goélands?

— Justement, j'enquêtais, répondit Gisbert en époussetant son pantalon. J'ai pris la victime en filature afin d'assurer sa protection. Mais, grâce à toi, tout est foutu. Merci beaucoup.

À ce moment-là, Marlène sortit, Onno et Kalli sur les talons.

— Qu'est-ce qui se passe, ici? Personne n'est blessé?

— Ça va, rien de grave, mais la conduite de von Meyer laisse à désirer. Tu aurais de quoi me bander le genou?

Tandis que Marlène soignait Dorothée, Kalli et Onno inspectèrent les dégâts de l'engin. Kalli testa le guidon.

— Ça encaisse bien les chocs, les mobylettes Hercules. Une petite couche de peinture suffira à cacher les éraflures.

— C'est embêtant, tout de même, répondit Gisbert.

— Mais pourquoi tu fonçais comme ça ?

— À seize ans, mon petit frère avait aussi une Hercules. Moi, j'avais une vraie moto, une Suzuki. Eh ouais !

Onno semblait presque se réjouir du malheur de Gisbert. Je lui donnai un coup de coude.

— Onno ! Venez, on était censés déjeuner. La vieille dame est partie, de toute façon.

— Je sais, je viens de le dire, rétorqua Gisbert, amer. Ça valait bien la peine de se rentrer dedans.

Nils et Marlène revinrent avec Dorothée et son genou bandé.

— Moi, je vais manger, dit la blessée en lançant un dernier regard noir au journaliste.

Puis elle se dirigea vers la pension en boitant ostensiblement, tandis que Gisbert restait planté là, les bras ballants.

— Viens déjeuner avec nous, finit par lui dire Marlène. Elle n'a qu'un petit hématome.

Il se résigna, la mine défaite, et nous suivit en traînant des pieds.

Après une courte pause déjeuner, nous retournâmes au bistrot. Nils, Onno, Gesa et moi nous remîmes au travail. Seul Kalli ne bougeait pas, les bras ballants.

— Je ne vais pas trimballer les tables tout seul. Je risquerais de les érafler, alors qu'elles ont coûté un bras.

Il attendait Marlène, qui disposait des bouteilles d'eau dans des cartons. Elle leva la tête.

— J'arrive tout de suite. Tu ne veux pas mettre un peu la main à la pâte, Gisbert?

— Je viens d'avoir un accident, rétorqua-t-il, indigné.

Dorothée faillit en lâcher sa table.

— Dites-moi que je rêve. Je ne vais pas pouvoir me retenir plus longtemps, von Meyer.

— Monsieur von Meyer, je vous prie. Du reste, je n'ai absolument pas le temps de vous aider, car on m'attend. Tu penseras à prendre le relais, Kalli? Ah non, c'est au tour de Heinz, et Hubert ne s'y est pas encore collé. Ils sont où, d'ailleurs?

Kalli jeta un coup d'œil inquiet à Marlène, qui le menaçait déjà du regard.

Quant à Dorothée, elle se planta devant l'imprudent conducteur de mobylette avec une expression qui laissait présager le pire.

— Bon, maintenant, tu vas m'écouter, très cher. Ni Kalli ni Heinz ni Carsten ni Hubert ne vont jouer à ce jeu débile plus longtemps. Cela fait maintenant plusieurs jours que M. Thiess est traqué par des retraités déséquilibrés et par un journaliste en herbe. Donc, maintenant, soit vous lui présentez vos excuses, soit vous allez voir la police. Mais, d'ici à l'inauguration, il est hors de question d'entendre, ne serait-ce qu'une seule fois, le mot « escroc ». C'est bien rentré dans ta cervelle de détraqué?

Gisbert en eut le souffle coupé.

— Qu'est-ce que tu vas imaginer... Marlène, dis quelque chose! La réputation de ta pension est en jeu.

— Dorothée a raison, il faut qu'on continue à travailler, sinon on ne sera jamais prêts à temps. Cent vingt invités sont attendus demain, j'ai besoin de tout le monde. En ce qui me concerne, tu peux surveiller qui tu veux, mais pas ici et pas...

Elle ne put terminer sa phrase car la porte s'ouvrit brusquement sur Hubert, mon père et les jumelles.

— Coucou, on est de retour.

Avant d'entrer, mon père se baissa afin qu'Emily, juchée sur ses épaules, ne se cogne pas la tête.

— Ta mobylette est drôlement éraflée, Gisbert. Tu as loupé un virage?

— Disons plutôt qu'il a croisé Dorothée, répondit Onno en pouffant.

Hubert, qui tenait Lena par la main, s'assit à côté de lui.

— On a raté quelque chose?

Mais pour Marlène, l'heure tournait.

— Non, tout va bien. Gisbert s'apprêtait à partir et nous, on a du pain sur la planche. On s'y remet?

— Au fait, Marlène, une voiture de police est garée devant la pension, dit mon père en faisant descendre Emily de ses épaules. J'ai demandé au policier ce qu'il voulait, au cas où… En fait, il a juste quelque chose à te remettre.

— J'y vais, répondit Marlène en se dirigeant vers la porte. Ne traînez pas, s'il vous plaît. Le stress commence sérieusement à monter.

Onno abandonna ses outils.

— Attends, Marlène, je t'accompagne. Gerd est de service, je vais lui dire bonjour.

— Gerd? demanda Dorothée, une fois Marlène et Onno dehors.

— Le frère d'Onno est policier, répondit Nils en soulevant une nouvelle table.

Comme Hubert regardait fixement par la fenêtre, je lui donnai un coup de coude.

— Ça va comme tu veux?

— Comment? Oh, pardon, je rêvassais.

Il avait l'air épuisé. Était-ce à cause des mouettes, de mon père ou des enfants? Probablement un mélange des trois. J'essayai de le motiver.

— Tu peux aider Kalli à porter les tables, si tu veux.

— Pas de problème.

Il se mit immédiatement au travail.

De son côté, mon père faisait faire le tour du propriétaire aux jumelles en les tenant chacune par une main.

— Alors là, vous voyez, il y a des fauteuils et des canapés devant la cheminée, comme ça, on pourra s'installer bien confortablement au coin du feu. C'est à la fois moderne et élégant.

Puis il s'arrêta net et leva les sourcils.

— Au fond, on aura un restaurant tout à fait classique. C'est d'un banal… Enfin, tant pis.

Profitant que Heinz avait le dos tourné, Nils lui fit une grimace mais continua à travailler en silence.

— Et là, les tabourets de bar. Très élégants. Là, les messieurs attendront les dames avec qui ils ont rendez-vous.

— Pourquoi ils attendent? demanda Lena en caressant le dessus d'un tabouret de bar, impressionnée.

— Parce que les dames sont toujours en retard. C'est dans leurs gènes.

— Papa, arrête de raconter des bêtises aux enfants!

— Comment ça, des bêtises? Les statistiques le prouvent.

— Dans ce cas, les statistiques t'ont oublié. Maman passe son temps à t'attendre. Elle est ponctuelle, elle.

Mon père s'accroupit devant les jumelles.

— J'ai posé des feuilles et des feutres sur le rebord de la fenêtre. Allez nous faire quelques beaux dessins pour l'inauguration.

— Je vois que tu te défiles, rétorquai-je une fois les jumelles parties. Tu n'es même pas fichu de le reconnaître.

— Ta mère est toujours en avance, nuance. Je ne considère pas ça comme de la ponctualité. Ça va mieux, toi?

— Je m'étais juste levée du mauvais pied, ne t'inquiète pas. Qu'est-ce que vous avez fait, avec Hubert? Il avait l'air chamboulé, tout à l'heure.

Mon père se tourna vers Hubert. Ce dernier et Kalli déménageaient des tables à l'autre bout de la salle.

— Je ne sais pas ce qu'il a. Je l'ai laissé seul avec les enfants quelques minutes et, à mon retour, il était tout bizarre.

— Ah bon? Tu étais parti où?

— J'ai acheté un magnifique cadeau à Marlène pour l'inauguration. J'ai hâte de voir sa tête.

Voilà qui ne me plaisait guère.

— Tu lui as acheté quoi?

— Un filet de pêche d'occasion.

— Mais papa, elle ne voulait pas…

— Chut! Elle arrive.

On aurait dit que Marlène venait de voir un fantôme. Elle s'approcha de moi, suivie de près par Onno, tout excité.

— Alors? Qu'est-ce que voulait la police? demanda mon père.

— Rien de spécial, juste une question à me poser, répondit Marlène en sursautant.

— Et lui remettre quelque… Aïe!

Onno se frotta la jambe, le visage tordu de douleur. Marlène lui posa la main sur le bras.

— Je t'ai marché sur le pied? Désolée.

Elle lui sourit, mais j'étais persuadée qu'elle l'avait fait exprès.

— J'ai un truc à te dire, me chuchota-t-elle. On essaiera de s'isoler.

À ce moment-là, un bruit que nous ne connaissions que trop bien nous interrompit. Gisbert déboula sur sa mobylette éraflée. Visiblement, il n'avait pas tiré les leçons de son accident. Dorothée regarda par la fenêtre.

— Je vais faire un malheur. Tiens, j'aperçois aussi un taxi. Il va s'arrêter ici ?

Hannelore Klüppersberg et Mechthild Weidemann-Zapek, toutes deux vêtues d'un jean et d'une chemise vert olive, en descendirent.

— Il ne leur manque plus que le treillis.

— Éloigne-toi de cette fenêtre, Dorothée.

Mon père alla à la rencontre du trio. Carsten fit lui aussi son apparition dans la cour et descendit prestement de son vélo, sous l'œil attentif des deux dames. Les lunettes Gucci de Dorothée lui donnaient un drôle d'air. Il fit un clin d'œil complice à leur propriétaire, qui, captivée, ne parvenait pas à s'éloigner de la fenêtre.

— Nils, si un jour tu deviens comme lui, je te quitte.

— Je tiens de ma mère, tout le monde le dit, répondit Nils, impassible. Ne t'inquiète pas.

Les deux dames entrèrent dans le bistrot, suivies de Gisbert et de mon père. Carsten fermait la marche. Dorothée et moi les interrogeâmes du regard. Seul Nils continuait à déménager les meubles.

— Nils, arrête ton boucan ! Il faut qu'on vous parle.

Seul un père pouvait employer un ton pareil.

— Et nous, il faut qu'on termine.

J'admirais Nils pour son courage. Enfin une personne qui osait répondre à son père.

— Nils !

Ce dernier posa la table qu'il était en train de transporter et s'assit dessus.

— Bon, ça va. Qu'est-ce qui se passe ?

Eh non, c'était pour tout le monde pareil.

— Nous voulions tout simplement vous informer que la traque était arrivée à son terme, annonça Carsten en enlevant ses lunettes de soleil. Mesdames, corrigez-moi si je me trompe, mais j'estime que l'opération a été couronnée de succès.

— Oui, vous avez tout à fait raison, répondit Mechthild Weidemann-Zapek en bombant le torse.

— Il vous a fait des avances ? demanda mon père, inquiet.

Elle hocha la tête, triomphante.

— C'est tout comme.

Certes, j'avais besoin d'être ménagée, mais ce genre d'allusions, très peu pour moi.

— Vous pouvez être plus claire ?

— On a passé l'après-midi au Georgshöhe, expliqua Hannelore Klüppersberg. On a commencé par flâner dans l'entrée, puis on a pris un café au bar, à côté de M. Thiess.

— J'étais une table plus loin, ajouta Carsten.

— Tu regardais par-dessus mes lunettes de soleil ?

Mon père commençait à perdre patience.

— Laisse-les finir, Dorothée !

— Il nous a superbement ignorées, reprit Mechthild. Il a de l'entraînement, ça se voit.

Il fallait que j'en sache plus.

— Il était seul ?

— Évidemment, dit Gisbert. Il a bien vu qu'on l'encerclait. Du coup, il a préféré ne pas prendre de risque.

— Donc il ne vous a pas abordées, et vous, vous n'avez rien vu de louche ?

— Enfin, Christine, répliqua le journaliste, ça ne fait aucun doute. Ouvre les yeux. Tu t'es trompée sur son compte, cet homme est un criminel.

— Ça suffit ! intervint Marlène en tapant du poing sur la table.

— Elle a raison. Puisque c'est comme ça, je sors fumer une cigarette.

Alors que je me dirigeai vers la porte, mon père me héla.

— Christine?

— Oui?

— Non, rien. Enfin… Au cas où tu n'aurais pas de feu… j'ai des allumettes.

Il me les lança. Je m'émancipais, lentement mais sûrement.

Deux cigarettes plus tard, la tension qui régnait dans le bar était redescendue d'un cran. Kalli et Hubert passaient un coup d'éponge sur les tables tandis que Marlène et Dorothée rangeaient les verres derrière le comptoir. Quant à Onno et mon père, ils regardaient les jumelles en train de dessiner. Nos quatre détectives de choc avaient disparu.

— Alors? Ils sont retournés au front? demandai-je à mon père en approchant une chaise.

Mon père désigna les deux fillettes, qui se concentraient sur leur feuille de papier.

— Pas devant les enfants, sinon, elles vont faire des cauchemars.

Emily leva la tête.

— Les mouettes n'ont pas de front. Et hors de question que j'aille me coucher maintenant, il fait encore jour.

— Il lui faut un plus long bec, répondit mon père. Tu sais, Christine n'est pas une spécialiste des mouettes, contrairement à nous.

— Il faut que tu demandes à Hubert, déclara Lena. Hubert, c'est le roi des œufs. Il connaît toutes les espèces: les mouettes rieuses, les goélands cendrés, les goélands argentés…

Elle fronça les sourcils. Heureusement, sa sœur lui vint en aide.

— Les goélands bruns... Il ne faut surtout pas ramasser les œufs, les papas mouettes attaquent les gens qui font ça. Les mamans n'interviennent pas.

— Tout à fait, Emily, comme chez les humains, dit mon père en hochant fièrement la tête. C'est le père qui assure la protection des enfants. La mère ne fait rien, à part couver les œufs.

— Oui, et encore, quand elle n'est pas en retard, renchéris-je.

— Exactement.

Lena finit de colorier le bec de sa mouette.

— Tu sais quoi, Christine?

— Quoi?

— Hubert est tout pareil que Lille Peer, mais c'est un secret.

— Oui, il s'y connaît en mouettes, j'ai bien compris.

— Non, je parle aussi de...

— Maman!

Emily descendit de sa chaise et se précipita vers Anna Berg.

— Maman, on est allés à la plage avec le roi des œufs, et même qu'on a...

— Deux secondes, Emily, laisse-moi arriver.

Elle prit sa fille dans ses bras et s'approcha de nous.

— Rebonjour! Vous avez presque terminé, c'est vraiment superbe.

Mon père se leva et balaya la salle du regard.

— Oui, enfin... Quelques tables en trop, peut-être.

— Eh bien, j'espère qu'elles seront toujours occupées. Ça a été, avec les enfants?

— Mais oui. Elles ont bien veillé sur Hubert et moi, pas vrai? C'était bien, la voile?

— Génial, et encore merci. Vous êtes un super baby-sitter. Mon mari et moi, on vous doit une fière chandelle.

— Mais non, ce fut un plaisir, répondit mon père, flatté. De toute façon, ma fille a sa vie de son côté, alors…

— On vous revaudra ça. Les filles, rangez vos affaires et dites merci. Bon courage, à plus tard.

Une fois le dernier centimètre carré nettoyé et la salle aménagée conformément au plan de Nils, je me souvins que Marlène voulait me parler. Je regagnai la pension, où elle était en train de téléphoner à la fleuriste.

— Très bien. Venez à 6 h 30, comme ça, on aura le temps de tout décorer. À demain. Merci.

Elle raccrocha et poussa un soupir de soulagement.

— Bon, maintenant, tout est réglé. Gesa est allée passer commande chez le traiteur. On n'a plus rien à préparer.

— Tu avais quelque chose à me dire ?

Marlène regarda autour d'elle afin de s'assurer que personne ne nous entendait.

— Oui, mais je ne voulais pas que Heinz et Gisbert soient au courant ; sinon, Dieu sait ce que ça aurait déclenché.

— Alors ?

— Gerd, le policier, est passé tout à l'heure.

— Le frère d'Onno ?

— Oui. Il m'a donné ça.

Elle me tendit un portefeuille noir.

— Des touristes l'ont trouvé sur la plage et l'ont déposé au commissariat.

Je l'ouvris et tombai d'abord sur une carte de visite : « Chez Theda, Norderney. »

— Et ?

— Regarde.

Je sortis la carte d'identité et tombai nez à nez avec une photo de Johann! Très réussie, d'ailleurs. Mais le nom n'avait rien à voir : Johannes Sander.

— Né à Cologne, un mètre quatre-vingt-six, yeux marron, lus-je à mi-voix. C'est impossible. Sander? Pourquoi il se fait appeler Thiess?

Marlène regarda par-dessus mon épaule.

— Continue. Il a donné la bonne adresse. Brême.

— Mais il utilise un pseudonyme. Qu'est-ce que ça veut dire? Il ne t'avait pas montré ses papiers?

— Non, j'étais pressée. De toute façon, je ne vérifie pas l'identité de tous les clients. Comme il y avait son numéro de portable dans le portefeuille, je lui ai laissé un message pour le prévenir que ses papiers avaient été déposés ici. On dirait qu'il ne manque aucune carte de crédit. Son portefeuille a été retrouvé par des gens honnêtes. Bref, je lui ai dit de passer demain matin avant l'inauguration, mais je n'ai pas mentionné le pseudonyme.

— Moi aussi, j'ai son numéro de portable.

— Alors appelle-le.

Je n'hésitai pas longtemps avant de lui téléphoner. Mon cœur battait quatre fois par sonnerie. « Bonjour. Vous êtes bien au... »

Je réessayerai plus tard. J'étais bien décidée à connaître le fin mot de l'histoire.

Marlène nous donna rendez-vous au bistrot à 20 heures.

— Je paie ma tournée pour fêter la fin des travaux. Hubert est en train de s'occuper du barbecue.

Quant à moi, j'avais appuyé une dizaine de fois sur la touche bis et je connaissais par cœur l'annonce du répondeur de Johann/Johannes. Ce dernier ne m'avait pas rappelé. Je n'étais guère avancée.

Mon père, coiffé de la casquette fluo achetée à Norderney, Dorothée et moi nous rendîmes ensemble au bistrot, qui méritait désormais son nom de bar. Lorsque nous nous arrêtâmes devant l'entrée, Dorothée m'ôta les mots de la bouche.

— C'est le plus beau bar que j'aie jamais vu.

On entrait d'abord dans la partie lounge avec les fauteuils blancs près de la cheminée, ainsi que les tables basses et les bougeoirs. Le restaurant était situé au fond.

— C'est très joli, reconnut mon père en balayant la salle du regard, satisfait. Un architecte d'intérieur n'aurait pas fait mieux.

— On en avait un.

— Ah oui, Nils, mais les meilleures idées viennent de nous. Ah, Kalli, te voilà. On peut être fiers de nous, hein ?

Les deux hommes se dirigèrent vers la grande table que Marlène et Gesa étaient en train de dresser et s'assirent l'un à côté de l'autre. Carsten surgit derrière nous.

— Qu'est-ce qui se passe ? On n'a pas le droit d'entrer ?

— Si, on admirait le résultat, répondis-je en me poussant un peu sur le côté.

— Eh oui, répondit Carsten en tapant Nils dans le dos, je me suis saigné aux quatre veines pour payer les études de mon fils. Il fallait bien que ça serve.

Nous contemplâmes le travail des jours passés. Nous avions bien fait de nous démener autant. Hubert entra par la porte de service avec un tablier et un plat à la main.

— Les premières saucisses sont prêtes. On est au complet ?

— Maintenant, oui.

Onno nous dépassa par la droite, s'assit à côté de Kalli et tendit son assiette à Hubert.

— Tu peux m'en donner une tout de suite.

— Tu es l'électricien le plus vorace que j'aie jamais rencontré, dit mon père en lui passant la salade. Comment tu feras, quand tu ne pourras plus manger ici tous les jours?

Onno mâchait déjà.

— C'est bon, j'ai d'autres chantiers prévus.

La demi-heure suivante se déroula dans le plus grand calme. Tout le monde mangeait, quasiment personne ne parlait et la radio était retournée dans la cave de Marlène. La variété allemande avait laissé place à un morceau de piano que nous écoutions sur la nouvelle sono. Mon père enleva ses lunettes, signe qu'il était rassasié.

— Dis donc, Marlène, on aura droit au piano demain, ou tu comptes carrément faire venir un orchestre?

À ce moment-là, la musique fut couverte par le moteur qui nous était si familier.

— Oh non, encore lui? Il tient vraiment à se faire frapper ou quoi?

— Dorothée!

Mon père referma le pot de moutarde, mais Onno le lui reprit des mains aussitôt.

— C'est la presse. Tu peux difficilement ouvrir un nouveau bar et négliger l'aspect médiatique de la chose.

Il se tourna vers la porte. Gisbert se tenait sur le seuil, son casque à la main.

— Gisbert, mon garçon, entre dans ce magnifique bar. Ne fais pas ton timide, tu connais tout le monde.

— Hélas! dit Onno en prenant une cinquième saucisse.

— Bonsoir.

Gisbert s'inclina gauchement avant de s'asseoir à côté de mon père.

— Toutes mes félicitations, Marlène. Vous recevrez un bouquet de fleurs demain. Cadeau de la rédaction.

Puis il sortit un calepin de sa sacoche ainsi qu'un crayon bien taillé.

— Vous m'accordez une interview maintenant, ou vous préférez qu'on fasse ça demain avec les notables, quand la fête battra son plein? Le maire sera présent, lui aussi, du moins, c'est ce qu'il m'a promis. J'en profiterai pour aborder quelques sujets délicats.

Dorothée gémit. Onno et Gisbert la regardèrent.

— À vrai dire, on voulait être un peu au calme.

Le calepin et le crayon retournèrent dans la sacoche de Gisbert.

— Très bien, ça me convient aussi. De toute façon, j'ai déjà l'article en tête. Voyez-vous, je couvrirai les deux grands événements survenus à Norderney cette semaine en une seule fois : les méfaits de l'escroc et l'inauguration de ce nouveau bar.

— Gisbert, pitié! s'exclama Marlène. Ça suffit, on a eu notre dose.

— Vous ne pouvez pas vous voiler la face plus longtemps. Demain, je remettrai à la police toutes les preuves que nous avons amassées. On se prosternera devant moi.

— Mon frère est policier. Ne compte pas sur lui pour se prosterner devant toi.

— Qu'est-ce que tu en sais? J'ai des indices accablants.

— Des indices... C'est ridicule. Les photos prises avec ton portable à la noix ont été effacées.

Kalli et Heinz intervinrent en chœur.

— Onno!

— Gisbert!

Les deux belligérants ignorèrent cet appel à cesser les hostilités. Gisbert commençait à avoir des plaques rouges sur le cou.

— Il nous a donné une fausse adresse, il nous a menti, il nous a roulés dans la farine, il n'a pas quitté des yeux nos deux espionnes... Mais pourquoi je te raconte tout ça? Je perds mon temps, tu n'es qu'un petit électricien.

— Et le nom?

— Quoi, le nom? Notre homme s'appelle Johann Thiess.

— Faux, complètement faux! s'exclama Onno, au faîte de sa gloire. Mon frère et moi, on a vérifié ses papiers d'identité. Il a utilisé un pseudonyme.

— Comment ça, un pseudonyme? demanda Hubert. C'est quoi, son vrai nom?

Onno s'essuya la bouche avec sa serviette.

— J'ai oublié. Ça commence par M ou P... Enfin, toujours est-il qu'il ne s'appelle pas Thiess. Je l'ai vue, sa carte d'identité. Et Marlène aussi. Alors toi, le scribouillard...

Tous les yeux se tournèrent vers Marlène, qui demeurait impassible.

— Si vous avez tous fini de dîner, je débarrasse.

— Ce n'est pas le moment, rétorqua mon père en la retenant par le bras. Donne-nous son vrai nom. Et comment ça se fait que tu aies vu ses papiers? Pourquoi tu ne nous as rien dit?

Marlène se dégagea et commença à empiler les assiettes.

— J'ai oublié, c'était un nom compliqué. De toute façon, je vous rappelle qu'on était censés ne plus aborder ce sujet avant l'inauguration, et l'inauguration, c'est demain.

— Russe? Chinois?

— Quoi?

— Le nom, évidemment! s'écria mon père en se tordant les mains. Fais un effort!

Marlène se pencha au-dessus de la table de façon à se retrouver à dix centimètres de mon père et employa un ton qui ne laissait rien présager de bon.

— Heinz, mon cher Heinz, ne me cherche pas. L'inauguration a lieu demain. On avisera après. C'est bien compris?

Il rentra la tête dans les épaules et recula un peu.

— Mais oui, pas de problème, on verra demain. Bon, les jeunes, partants pour une petite partie de skat?

NOUVEAU DÉPART

La sonnerie retentit à 5 h 30. Je sursautai et fis tomber d'un revers de main le réveil, qui se tut immédiatement. Je restai assise quelques instants au bord du lit, le temps d'émerger, puis vérifiai mon portable, que j'avais réglé sur silencieux. Aucun appel. Nous avions dit à mon père que les fleurs ne seraient pas livrées avant 9 h 30. Comme Marlène craignait qu'il se prenne subitement de passion pour l'art floral, j'avais essayé de la rassurer.

— Marlène, non seulement il est daltonien, mais il ne saurait pas non plus faire la différence entre une rose et une rhubarbe.

— C'est bien pour ça que je préfère ne prendre aucun risque, m'avait-elle répondu. Tu sais qu'il n'est pas du genre à regarder les fleurs sans être pris d'une pulsion créatrice. Non, il vaut mieux qu'il descende une fois que tout sera décoré. Demain matin, je n'aurai guère le temps de négocier.

Je me faufilai dans la salle de bains. Mais, après réflexion, je pris ma brosse à dents et la glissai dans la poche de mon jean. Je préférais me laver les dents chez Marlène que courir le risque de réveiller mon père.

Lorsque j'entrai dans la pension, une odeur de café me chatouilla les narines. Plusieurs thermos étaient déjà prêtes dans la cuisine. Je pris une tasse dans un placard et me servis.

— Bonjour, Christine. Il ne s'est pas réveillé?

— Bonjour. Non, le réveil a sonné une seule fois, donc Heinz n'a rien entendu.

— Dieu merci, on a évité le bain de sang.

Je m'assis et entendis un craquement. Je me relevai aussitôt.

— C'était quoi, ça?

Je sortis ma brosse à dents, désormais en deux morceaux, de la poche de mon pantalon.

— Je voulais me laver les dents ici pour éviter de faire du bruit dans la salle de bains, mais je crois que c'est fichu.

Avec ce qu'il me restait de ma brosse à dents, je pourrais m'en servir pour nettoyer des joints de salle de bains.

— Au moins, elle rentre dans n'importe quelle poche, remarqua Marlène en me tendant la cafetière. J'en ai une neuve en réserve. Tu as réussi à le joindre?

— Qui ça?

Ma question était plus à mettre sur le compte de l'heure matinale que sur celui de mes talents d'actrice.

— À ton avis? Gisbert von Meyer, afin de régler les derniers détails de vos fiançailles... Johann Thiess, évidemment.

— Non, j'ai essayé au moins vingt fois, et c'était toujours sa messagerie à la noix. Je lui ai demandé de me rappeler et, depuis, aucune nouvelle. Je ne sais pas quoi faire.

— Ne t'inquiète pas. Bon, 6 h 15, il faut qu'on y aille. La fleuriste ne va pas tarder. Je prends la cafetière.

— D'accord. Je vais me laver les dents et je te rejoins.

— Les brosses à dents sont dans l'armoire à pharmacie, sur la deuxième étagère.

— Je me dépêche.

Dix minutes plus tard, alors que je traversais la cour en sentant bon la menthe, j'entendis quelqu'un siffler discrètement.

Je me retournai lentement en priant pour ne pas tomber sur un retraité.

Il était assis sur une caisse près du garage et me regardait. J'eus l'impression d'être frappée par la foudre, mes jambes se dérobèrent sous moi. Je m'approchai de lui, hésitante.

— Salut, Christine.

— Salut, Johann. Ou plutôt Johannes. J'ai mal entendu quand tu t'es présenté, l'autre jour.

Il se leva et fit quelques pas dans ma direction. Il était assez près de moi pour que je sente son after-shave.

— On va à la plage ? Je voudrais tout t'expliquer.

— Parce que tu crois que j'ai le temps ? rétorquai-je en désignant le bar. Les invités arrivent dans quatre heures. J'ai essayé de te joindre toute la soirée, tu n'as donné aucune nouvelle et il suffirait que tu claques des doigts pour que je laisse tout en plan ?

Pourquoi je m'énervais comme ça ? Et lui, comment faisait-il pour garder son calme ?

— Très bien, ce n'est que partie remise. En tout cas, ce vieux T-shirt te va très bien, et tu sens bon la menthe. À plus.

Il m'envoya un baiser de la main et s'éloigna. Soit il avait un cœur de pierre, soit il était la meilleure chose qui me soit arrivé depuis longtemps.

— Johaaaaannes ?

— Oui ?

— Tu oublies ton portefeuille.

— Marlène me l'a rendu, il est dans la poche de mon jean. Merci.

Il disparut. Peu après, le camion de la fleuriste arriva dans la cour. Lorsque je lui montrai où se garer, je remarquai que mes mains tremblaient.

Les deux femmes descendirent du véhicule et me tendirent une caisse remplie de bouquets de roses. Marlène nous rejoignit.

— Bonjour, Jutta, bonjour, Gudrun, vous êtes pile à l'heure. Pousse-toi un peu, Christine.

Je m'arrêtai sur le seuil de la porte et me demandai où poser la caisse de roses.

— Remue-toi, Christine. Mets ça n'importe où. Il y a un camion entier à décharger.

— Tu l'as vu, toi aussi. Johann, je veux dire.

— Oui, et je lui ai rendu son portefeuille.

— Il s'est expliqué à propos de son pseudonyme ?

— Je n'ai pas eu le temps d'aborder le sujet. Il pouvait difficilement tomber plus mal. Si on traîne, Heinz, Kalli et Hubert vont débarquer et confectionner des couronnes de fleurs immondes.

Devant cet argument imparable, je retournai décharger le camion.

À 9 heures, Jutta, Gudrun, Marlène et moi avions fini la décoration, faite d'élégants bouquets et d'un océan de roses. Marlène recula d'un pas et balaya la salle du regard, satisfaite.

— Super. Merci à vous deux, vous êtes géniales. Vous revenez à 11 heures, n'est-ce pas ?

Jutta hocha la tête, tout en s'essuyant les mains avec un torchon.

— Bien sûr, on ne raterait ça pour rien au monde. Ton bistrot est magnifique, félicitations.

— Oui, il suffisait d'avoir les bonnes personnes et les bonnes idées pour en faire un haut lieu de Norderney.

La voix guillerette de mon père fit sursauter Marlène.

— Bonjour, Heinz. Vous avez déjà pris votre petit déjeuner ?

— Non, Hubert a du mal à émerger. Du coup, je me suis dit que j'allais jeter un œil ici en l'attendant. Vous allez laisser les fleurs comme ça ?

— Quoi, comme ça ? demanda Gudrun, perplexe.

— Eh bien… C'est un peu sens dessus dessous. Mélanger les fleurs à tige courte et à tige longue…

— On va les laisser comme ça, intervint Marlène avec fermeté.

Heinz lui tapota sur l'épaule pour la rassurer.

— Ça ira très bien. C'est très joli, très coloré. On inaugure un bistrot, pas une église. Bon, je vois que vous avez fini, donc je vais prendre mon petit déjeuner. Kalli ne devrait plus tarder.

Il s'éloigna de quelques pas puis se retourna.

— Il faut qu'on se change, Christine, hors de question que je t'accompagne à l'inauguration comme ça. Quoique, ta tenue irait très bien avec les fleurs.

Tandis qu'il regagnait la pension, Gudrun le suivit du regard, dubitative.

— J'ai vu sa photo dans le journal. C'est lui, le célèbre guide ?

— Si on veut, dit Marlène en payant. Difficile de résumer en deux phrases.

À 10 h 30, tout le monde se retrouva dans la cour. Mon père portait un pantalon gris et une veste bleu foncé avec des boutons dorés. J'avais mis la chemise à bonbons dans la machine à laver de Marlène le matin même. Heinz avait commencé par bouder avant d'enfiler une chemise blanche. Kalli avait un costume bleu, Carsten, un costume gris. Puis nous assistâmes, sceptiques, à l'arrivée d'Onno dans une veste en velours côtelé.

— Tu n'avais rien de plus élégant à te mettre ? demanda Kalli en retirant un vieux fil de l'épaule d'Onno.

— Qu'est-ce que tu insinues ? C'est une veste presque neuve. En plus, les costumes, ça vieillit et ça fait enterrement.

Marlène fit son apparition dans un tailleur pantalon blanc. Mon père siffla en la voyant.

— Merci beaucoup, lui dit-elle en souriant. Je vois que tout le monde est très chic. Hubert est déjà parti ?

— Oui, il est en route pour le port. Dis donc, tu ferais mieux de te changer. Le blanc, c'est très salissant.

Elle hocha la tête machinalement avant de marquer un temps d'arrêt.

— Je crois que je vais mettre autre chose.

Gisbert von Meyer, lui aussi tout de blanc vêtu, arriva avec une plante verte dans les bras, son sac à dos sur l'épaule et son appareil photo autour du cou.

— Marlène, permettez-moi de vous féliciter au nom de la rédaction. Ah, je vois qu'on est assortis. Bonjour, Christine. Cette robe te va à ravir.

— Gisbert, fais donc quelques photos tant que tout est encore bien rangé. N'oublie pas le buffet, avant que tout le monde se jette sur les petits-fours.

— Il y a quoi à manger ? demanda Onno en jetant un coup d'œil dans le bar. Vous avez prévu des plats chauds ?

— Oui, elles ont fait les choses bien, répondit Kalli.

Carsten se tourna vers l'entrée de la cour.

— Mais que fait Hubert ? Je croyais qu'il était juste passé prendre Theda à l'embarcadère. Elle a accosté il y a un bout de temps.

338

— Il avait une course à faire pour moi, lui chuchota mon père. Tu sais, notre cadeau.

Au même moment, les premiers invités firent leur apparition. Les bras chargés de fleurs, bien habillés et souriants, ils se dirigèrent vers l'entrée du bar, où les attendait Marlène.

— On pourrait former une haie d'honneur, comme ça, les invités sauraient qu'on fait partie de la maison.

— Ne commence pas, papa. Laisse Marlène les accueillir tranquillement.

— Oh, je ne sais pas… Kalli, Onno, Carsten, suivez-moi. On va au moins se mettre à côté d'elle. Quant à toi, Christine, tu pourrais peut-être aller nous chercher une coupe de champagne.

À cet instant, une jeune femme en tablier noir s'approcha avec un plateau.

— Désirez-vous quelque chose à boire ?

— D'où vous sortez, vous ?

Mon père s'empara immédiatement d'une coupe et toisa la jeune femme du regard.

— Je m'appelle Suse, j'assure le service avec deux autres collègues.

— Ah… Dis donc, Christine, toi, Dorothée et Gesa auriez pu vous en charger. On vous paie combien de l'heure, Suse ?

— Papa !

Je me précipitai moi aussi sur l'alcool.

— Merci, Suse. Je vois que de nouvelles personnes viennent d'arriver.

La cour se remplissait petit à petit, et certains convives commençaient à visiter le bar.

— On les suit ?

— Il manque encore Dorothée et Hubert, répondit mon père. Et où est Nils ?

— Parti chercher sa mère.

Carsten parcourut la foule des yeux.

— Ah, les voilà. Hé, on est là!

Il alla à la rencontre de sa femme et de son fils. Pendant ce temps, Gisbert von Meyer se tenait à côté de Marlène et lui braquait son appareil photo sous le nez en gesticulant dans tous les sens. On aurait dit un paparazzi.

Dorothée surgit derrière moi et observa la scène, perplexe.

— S'il a le malheur de dire à la femme du maire: « Allez, un petit sourire, ma belle », Marlène va lui en coller une. On entre? On attend quoi, au fait?

— Hubert, Theda et mon cadeau, répondit mon père en toisant Dorothée du regard. Elle n'est pas un peu trop décolletée, cette robe? D'après Kalli, le pasteur sera là.

Dorothée lui posa la main sur le bras et lui adressa un grand sourire.

— Si tu veux, Heinz, on peut dire qu'on ne se connaît pas. Ça ne me pose aucun problème.

Gisbert s'agitait de plus belle. Manifestement, ses nouvelles cibles s'attendaient à rencontrer la presse nationale. Mme Weidemann-Zapek ressemblait à une barbe à papa: sa robe comportait plusieurs épaisseurs et une centaine de mètres de tissu. Elle lui allait si bien que Mme Klüppersberg portait le même modèle, mais couleur pistache. Un chapeau de paille orné de rubans flottant au vent complétait leur tenue. Perchées sur des talons hauts, elles trottinèrent en direction de Marlène tout en saluant la foule. Avec Gisbert qui prenait des photos à tout-va, on avait l'impression que le tout Hollywood avait débarqué à Norderney. Même Onno était impressionné.

— Regarde, Heinz, on dirait les Jacob Sisters.

Alors que mon père s'apprêtait à répondre, son visage se figea.

— Non, mais quel toupet!

Il me poussa sur le côté et se dirigea à grandes enjambées vers le groupe qui s'était formé autour de Marlène. Dorothée, Kalli, Onno et moi lui emboîtâmes le pas. Je ne savais pas ce qui le mettait dans cet état, mais je vis Gisbert baisser son appareil photo et regarder mon père, incrédule. Et là, je reconnus le couple qui se tenait devant Marlène avec un panier garni.

Johann Johannes dans un costume bleu clair avec, à son bras, la dame que j'avais vue d'abord sur le portable de Gisbert, puis devant la pension.

— L'escroc au mariage et sa victime, me chuchota Kalli, tout excité. Mais que fait Heinz?

— Papa!

J'essayai de le rattraper. Nous n'étions plus qu'à une dizaine de mètres de lui.

— Attends! Non!

Je l'imaginais déjà en train de se bagarrer. Et il avait tout de même soixante-treize ans.

— Heinz, attends! intervint Onno d'une voix autoritaire. Pas d'action isolée.

Mon père s'arrêta et se tourna vers nous.

— Dorothée, appelle la police. Onno et Kalli, encerclez-le. Toi, Christine, reste là.

— Ah, Heinz est là!

Les jumelles accoururent, tout sourire.

— Mettez les enfants à l'abri.

À présent, mon père avait la voix de Robert De Niro et les yeux de Terence Hill. Il s'approcha lentement de Johann, flanqué d'Onno et de Kalli, Dorothée et moi sur les talons. Je fis signe à Emily et Lena. Elles me regardèrent, perplexes, et s'arrêtèrent.

Les trois mousquetaires ne ratèrent pas leur effet. Nous atteignîmes l'entrée du bar dans un silence de mort. De plus près, on voyait que la femme avait au moins soixante-quinze ans. Elle tenait encore la main de Marlène dans la sienne.

Mon père se racla la gorge.

— Marlène ? Il y a un problème ?

— Euh… Non, aucun. Heinz. Voici Mme…

La victime présumée de l'escroc se retourna. Elle était impeccablement maquillée et très bien habillée.

— Margarete Tenbrügge, dit-elle d'une voix enrouée par le tabac.

Quant à Johann, il me regardait en souriant, ce qui n'échappa pas à mon père. Celui-ci fit un pas vers lui et lui agrippa le bras.

— Vous voulez bien nous…

— Arrête, Heinz.

Marlène poussa mon père sur le côté et se tourna de nouveau vers la vieille dame.

— Vous pouvez répéter ?

Mme Tenbrügge nous adressa un sourire charmant.

— Vous savez, quand je vous ai vue pour la première fois, enfin, sur les photos, je vous ai trouvée beaucoup trop jeune. Mais, après tout, mon frère est majeur et vacciné, et, si vous le rendez heureux, alors tant mieux. Il l'a mérité.

Je n'y comprenais rien, et les autres non plus, apparemment.

— Voyez-vous, Marlène… Je peux vous appeler Marlène ? J'étais trop occupée par ma compétition de golf, donc j'ai envoyé Johannes en éclaireur. Il devait se renseigner sur vous. Malheureusement, je le soupçonne d'avoir commis quelques maladresses. Il n'a jamais su jouer la comédie. Mais nous nous rencontrons enfin, c'est l'essentiel.

Mon père m'ôta les mots de la bouche.

— Je ne comprends pas un traître mot de ce que vous dites.

— C'est le fils du roi des œufs, dit Emily.

— Quoi ?

Je tentai coûte que coûte de mettre un peu d'ordre dans cette histoire, en vain. Soudain, quelqu'un derrière nous se fraya un chemin parmi la foule.

— Pourquoi vous n'entrez pas ?

Hubert se posta à côté de Marlène.

— Et lui, c'est le roi des œufs, s'écria Lena.

Hubert lui fit un clin d'œil et salua Margarete Tenbrügge.

— Toujours aussi curieuse et impatiente, à ce que je vois. Tu as fourré ton neveu dans un de ces pétrins...

Son neveu ? Les pièces du puzzle s'assemblaient petit à petit. Hubert passa le bras autour des épaules de Margarete.

— Marlène, chers tous, voici ma sœur, Margarete. Elle trépignait d'impatience à l'idée de rencontrer ma nouvelle compagne. Les présentations n'ont pas pu être faites avant, puisqu'elle revient de six mois de croisière.

Il se mit sur la pointe des pieds et adressa un signe à quelqu'un derrière nous. Nous nous poussâmes et vîmes arriver Theda. Elle portait un ensemble vert qui lui allait ravir. Hubert tendit la main vers elle.

— Margarete, je te présente Theda, la femme que j'ai rencontrée sur le tard, la tante de Marlène, et l'ancienne, je dis bien « l'ancienne », propriétaire de la pension.

Abasourdis, Margarete et Johann échangèrent un regard puis se tournèrent vers Theda.

— Oh, je me suis trompée du tout au tout, dit Margarete. Johannes, je croyais que tu avais demandé à qui appartenait la pension. On a suivi la mauvaise piste. Je suis ravie de vous rencontrer, Theda. Ne le prenez pas mal, Marlène, mais je trouve que c'est beaucoup mieux comme ça.

Elle prit Theda par le bras et entra avec elle dans le bistrot.

— Allons boire une coupe de champagne. Au fait, ma famille me surnomme Mausi.

Je crus que j'allais tourner de l'œil.

Mon père regarda Johann, hésitant.

— Eh bien, je ne sais pas…

Hubert se posta à côté de lui.

— Heinz, je te présente mon fils, Johannes, mais tout le monde l'appelle Johann. Si j'avais su que ma sœur l'avait engagé comme détective privé, je serais intervenu plus tôt.

— Je te comprends, répondit mon père en haussant les épaules. Un jour, on tient nos gamins sur les genoux et on leur explique le monde, le lendemain, on a l'impression de parler à des inconnus. Christine me donne elle aussi du fil à retordre, parfois. Bon, il me faut une bière.

Il entraîna Kalli et Onno dans le bar. Je me retournai et me retrouvai nez à nez avec les yeux noisette de Johann. Rien de très intelligent ne me vint à l'esprit.

— Eh ben…

— Je voulais tout t'expliquer ce matin, mais je ne voyais pas trop par où commencer. Tu as encore des questions à me poser ?

— Pourquoi Thiess ?

— C'est le nom de jeune fille de ma mère. Si j'avais donné mon vrai nom, vous auriez tout de suite compris que Hubert était mon père. Mausi, enfin, ma tante Margarete, était persuadée que mon père était tombé entre les griffes d'une bimbo sans le sou qui dilapiderait mon héritage. Elle n'en dormait plus. Et une fois que Mausi a une idée en tête…

J'étais soulagée au plus haut point, mais je culpabilisais également d'avoir douté de lui.

344

— Je te propose de tout recommencer de zéro, ajouta-t-il en écartant une mèche de cheveux de mon visage. Cela dit, j'ai trouvé ça assez drôle d'être suivi à la trace par des retraités et leurs lunettes de soleil Gucci. Je me sentais très important. Allons porter un toast à l'inauguration et à nos pères respectifs.

La fête se déroula sans fausse note. J'allais de table en table, réceptionnais les fleurs et les cadeaux pour Marlène, tout en croisant le regard de Johann de temps à autre. Mon père s'entretint longuement avec le maire, puis avec le pasteur. Plus tard dans la journée, je le vis trinquer avec Margarete. À un moment, Gisbert surgit derrière moi et m'adressa la parole si brusquement que j'en fis tomber mon verre.

— Les preuves étaient tout de même accablantes. Mais comme je le dis toujours, un homme averti en vaut deux.

— C'est ça, Gisbert, on n'est jamais trop prudent. Tu as interviewé tous les invités ?

— Quasiment, répondit-il en bombant le torse. Les habitants de Norderney me réservent toujours le meilleur accueil.

Marlène m'appela et je me vis dans l'obligation de fausser compagnie à Gisbert.

Les habitants de Norderney avaient le sens de la fête. Les derniers invités partirent dans la soirée. Marlène libéra Suse et ses deux collègues, non sans leur avoir donné un généreux pourboire. Lorsqu'elle balaya la salle du regard. Dorothée et moi comprîmes cela comme une invitation à débarrasser les verres et les cendriers.

— Non, on fera ça plus tard. Allons déguster une dernière coupe de champagne dehors. Kalli et Onno sont en train d'installer la grande table.

Lorsque Marlène, Dorothée et moi apportâmes les coupes et les bouteilles, nos compères avaient déjà élaboré le plan de table. Mon père se trouvait entre Margarete et Hubert et en face de Johann, qui m'avait gardé une place. Onno, Kalli et Carsten étaient assis côte à côte, en face de Gesa, Nils et la mère de ce dernier. Theda, à la gauche de Marlène, parlait très fort, mais pas assez pour couvrir la voix de mon père.

— Ta nièce aurait été débordée, Theda. Les filles ne s'en seraient jamais sorties sans nous. Rien que surveiller les ouvriers…

— Il reste des petits-fours ? demanda Onno.

Gesa se leva pour aller voir. Je distribuai les verres et m'assis. Mon père se tourna vers moi.

— Alors, mon enfant ? Tu vois, tout a fini par s'arranger. Je t'avais dit qu'il ne fallait pas baisser les bras. Tu étais si triste… Ça m'a littéralement brisé le cœur de la voir comme ça, ajouta-t-il à l'attention de Hubert. C'est insupportable de voir son enfant dans cet état.

Hubert me prit la main, mais je la retirai.

— Arrête, papa, je vais très bien. Hubert, je n'ai plus besoin d'être consolée.

— Que d'histoires, soupira-t-il. Je n'avais pas du tout fait le rapprochement entre Johann et l'escroc au mariage jusqu'à ce que j'aperçoive mon fils et ma sœur sur la plage, alors qu'on regardait les mouettes avec les enfants. J'ai failli avoir une attaque.

— Pourtant, on s'est montrés très prudents, répondit Margarete en levant son verre pour trinquer. Désolée, Johann, mais tes talents d'enquêteur laissent à désirer.

— Tant mieux, car ça ne m'a pas amusé non plus. C'est d'autant plus frustrant quand on voit à quel point d'autres sont doués. Carsten, Kalli, supercamouflage.

— Reconnais quand même que tu n'as pas été très malin, intervint mon père. Il fallait m'en parler directement.

J'avalai de travers.

— Tu ne lui aurais laissé aucune chance, papa. Tu y croyais dur comme fer, à ton histoire.

— Mais non, c'est Gisbert qui a affabulé. Tu connais les journalistes... Il est où, au fait?

— Tenez, voici ce qui reste du buffet, dit Gesa en revenant avec des assiettes chargées de victuailles. Gisbert est parti raccompagner Suse. Il la trouvait très sympa.

Dorothée fit la grimace.

— À mobylette? La pauvre.

Johann posa une main sur mon genou, ce qui n'échappa pas à mon père.

— Dis-moi, Hubert, ton fils est-il en mesure de subvenir aux besoins de ma fille?

— Papa, s'il te plaît.

Je rougis, tandis que Johann se contentait de rire. Mon père le réprimanda du regard.

— Je ne vois pas ce que ça a de drôle. C'est une question qui se pose. À part ça, je ne sais pas quels sont tes projets, mais permets-moi de te rappeler que j'ai encore une semaine de vacances à passer ici en compagnie de Christine. C'est important, la complicité père-fille. Vous pourrez vous voir de temps en temps, mais n'oublie pas quelles sont ses priorités.

— Je saurai m'en souvenir, répondit Johann en soutenant le regard de mon père. Au fait, Mausi, tu as dit à ton frère que tu voulais t'acheter un appartement à Norderney?

Hubert leva les yeux, surpris.

— C'est vrai?

— Oui, acquiesça Margarete. Non seulement je suis tombée sous le charme de cette île, mais j'estime également qu'il est important de profiter de sa famille, quand on vieillit. Ce serait une bonne idée, comme tu viens souvent. J'ai déjà visité un bel appartement, mais il y a beaucoup de travaux à faire.

— Il est où, cet appartement? demanda Kalli.

— Juste là, au coin, dans l'immeuble jaune. Je comptais le revisiter tout à l'heure. J'hésite, car, comme je vous l'ai dit, il faut le rénover du sol au plafond.

Mon père finit sa coupe de champagne et frissonna.

— Mais comment vous pouvez trouver ça bon? Moi, ça me donne des brûlures d'estomac. Il faut que je m'active. Et si on allait jeter un coup d'œil à cet appartement, Margarete?

Elle regarda sa montre.

— Pourquoi pas? Le propriétaire sera là.

— Très bien, répondit mon père en se levant. Onno, Kalli, Carsten, allons voir ce qu'il y a à faire comme travaux.

Margarete prit son sac à main et se leva. Les quatre hommes la laissèrent passer devant eux. Avant de disparaître, mon père se retourna une dernière fois.

— Si jamais ça prend du temps et que vous voulez aller vous balader, tu as la permission de 22 heures, Christine.

— Papa!

— Heinz…

— Bon, d'accord, je n'ai rien dit. Mais ne passe pas la nuit dehors. Sinon, je risque de m'inquiéter et de ne pas fermer l'œil. Amusez-vous bien.

Il avait les yeux de Terence Hill.

Norderney, le 30 juin,

Coucou, maman,

Voici les photos de l'inauguration. Force est de constater que Gisbert a fait des progrès. Je t'ai écrit derrière qui est qui. Ma préférée, c'est celle où papa tend à Marlène le vieux filet de pêche. Regarde un peu sa tête. J'appelle ça « garder une contenance ». J'ai hâte de te voir mercredi. Hanna m'a dit que vous arriveriez par le ferry de 14 h 15. Quant à papa, il ne travaillera pas tous les jours à l'appartement de Margarete car il tient à te faire visiter l'île lui-même, il trouve que Kalli s'y prend mal. Au moment de repeindre les murs, il a confondu deux sortes de jaunes, mais ça plaît quand même à Margarete. Du moins, c'est ce qu'elle dit. Elle est vraiment très gentille. De mon côté, ça va super bien. Je passe mes journées à la plage. Papa tient seulement à ce que Kalli, Onno, Carsten, Hubert, Theda, Marlène, Dorothée, Nils, Johann et moi dînions ensemble tous les soirs. Il a pris ses petites habitudes.

À mercredi, et gros bisous de notre part à tous.
Christine

P.-S : il est possible que papa reste une semaine de plus, le temps de finir les travaux. Margarete serait débordée sans lui. Enfin, tu vois ce que je veux dire.

TABLE

Cet ouvrage a été composé
par Atlant' Communication
au Bernard (Vendée)

Impression réalisée par

La Flèche
en mai 2011
pour le compte des Éditions de l'Archipel,
département éditorial de la S.A.S. Écriture-Communication

Imprimé en France
N° d'impression : 63326
Dépôt légal : juin 2011